de Bibliotheec
Bred

Verboden terrein

Abonneer u nu op de Karakter Nieuwsbrief.
Ga naar www.karakteruitgevers.nl;
www.facebook.com/karakteruitgevers;
www.twitter.com/UitKarakter en:
* ontvang regelmatig informatie over de nieuwste titels;
* blijf op de hoogte van speciale aanbiedingen en kortingsacties;
* én maak kans op fantastische prijzen!
www.karakteruitgevers.nl biedt informatie over al onze boeken,
Nova Zembla-luisterboeken en softwareproducten.
Kijk op www.karakteruitgevers.nl/errata voor eventuele
aanpassingen of aanvullingen op deze titel.

Rachel Gibson

Verboden terrein

Karakter Uitgevers B.V.

Oorspronkelijke titel: *Truly Madly Yours*
© 1999 by Rachel Gibson. Published by arrangement with
HarperCollins Publishers and Marianne Schönbach Literary Agency.
Vertaling: Frances van Gool
© 2015 Karakter Uitgevers B.V., Uithoorn
Opmaak binnenwerk: ZetSpiegel, Best
Omslagontwerp: Mariska Cock
Omslagbeeld: © Elisabeth Ansley/Trevillion Images

ISBN 978 90 452 0580 9
NUR 302

Voor mijn vader en moeder, Al en Mary Reed, met al mijn liefde. 's Avonds laat, als mijn hoofd weer stil is, kan ik me nog de geur van mijn moeders huid en het gevoel van mijn vaders stekeltjeshaar voor de geest halen.
Dan weet ik dat ik geboft heb.

Proloog

De rode gloed van een warmtekanon bescheen de rimpels en plooien in het gezicht van Henry Shaw, terwijl het gehinnik van zijn geliefde Appaloosa-paarden naar hem toe kwam waaien op een warme lentebries. Hij duwde een oude cd in zijn cd-speler en de diepe, met whisky doortrokken stem van Johnny Cash vulde het schuurtje. Voordat Johnny het geloof had gevonden, was hij een behoorlijke losbol geweest. En echte mannen-man, en dat mocht Henry wel. Toen had Johnny Jezus gevonden, en June, en was het met zijn carrière bergafwaarts gegaan. Het leven verliep niet altijd volgens plan. God en vrouwen en ziektes kwamen nogal eens tussenbeide. Henry haatte alles wat zijn plannen in de war schopte.

Hij haatte het om geen controle te hebben.

Hij schonk nog een whisky in en keek door het raampje boven de werkbank naar buiten. De ondergaande zon hing nog boven het Shaw-gebergte, genoemd naar voorouders van Henry die zich als eersten hadden gevestigd in de vruchtbare vallei. Scherpe donkere schaduwen gleden door de vallei, richting Lake Mary, genoemd naar Henry's betovergrootmoeder, Mary Shaw.

Meer nog dan God haatte Henry zijn ziekte en het verlies van controle over zijn leven, haatte hij die rotdokters. Die prikten en porden maar tot ze iets vonden en geen van hen had ooit iets gezegd wat hij graag wilde horen. Elke keer had hij geprobeerd ze op hun nummer te zetten, maar het was hem nooit gelukt.

Henry doordrenkte een dot poetskatoen met lijnzaadolie en legde die in een kartonnen doos. Hij had voor ogen gehad op dit moment in zijn leven een hele stoet kleinkinderen te hebben, maar er was er geen een. Hij was de laatste Shaw. De laatste in een lange lijn van een oude en gerespecteerde familie. De Shaws waren bijna uitgestorven en dat vrat aan hem. Nu was er niemand om zijn bloedlijn voort te zetten als hij er niet meer was... behalve Nick.

Hij ging zitten in een oude kantoorstoel en bracht de whisky naar zijn mond. Hij zou de eerste zijn om toe te geven dat hij die jongen verkeerd had bejegend. De laatste jaren had hij geprobeerd het goed te maken met zijn zoon. Maar Nick was een koppige en onverzoenlijke man. Zoals hij ook een moeilijke en onaardige jongen was geweest.

Als Henry meer tijd had gehad, had hij vast een redelijke verstandhouding met zijn zoon kunnen opbouwen, dacht hij. Maar die tijd had hij niet meer en Nick maakte het hem niet makkelijk. Sterker nog, Nick maakte het hem verdomd lastig, zelfs om hem aardig te vinden.

Hij herinnerde zich de dag nog goed waarop Nicks moeder, Benita Allegrezza, op zijn voordeur had staan bonzen. Zij beweerde dat Henry de vader was van het donkerharige baby'tje in haar armen. Henry had van Benita's donkere oogopslag naar de grote blauwe ogen van zijn vrouw Ruth, die naast hem stond, gekeken.

Hij had het in alle toonaarden ontkend. Natuurlijk was er een goede kans dat Benita's bewering waar was, maar die mogelijkheid ontkende hij. Zelfs als Henry niet getrouwd was geweest zou hij nooit uit vrije wil een kind maken bij een Baskische vrouw. Die mensen waren hem veel te donker, te opvliegend en te gelovig. Hij wilde blanke en blonde kindertjes. Hij wilde niet dat zijn kinderen verward zouden worden met bonenvreters. O, hij wist wel dat Basken geen Mexicanen waren, maar voor hem zagen ze er allemaal hetzelfde uit.

Als Benita's broer Josu er niet was geweest, was niemand iets te weten gekomen over zijn affaire met de jonge weduwe. Maar die vuile schapenkeutel had geprobeerd hem te chanteren zodat hij Nick als zijn zoon zou erkennen. Hij dacht dat Josu blufte toen hij hem opzocht en dreigde iedereen in het stadje te vertellen dat Henry zijn treurende zuster had misbruikt en zwanger gemaakt. Ook toen had Henry ontkend dat hij de vader was.

Maar tegen de tijd dat Nick vijf was, leek hij zo op een Shaw dat niemand Henry meer wilde geloven. Zelfs Ruth niet. Ze was van hem gescheiden en had de helft van zijn geld meegenomen.

Maar in die dagen had hij nog tijd zat. Toen was hij pas achter in de dertig. Nog jong.

Henry pakte de .357 revolver en deed zes kogels in de cilinder. Na Ruth had hij een tweede vrouw gevonden, Gwen. En ook al was Gwen een arme ongehuwde moeder van twijfelachtige komaf, hij was met haar getrouwd om verschillende redenen. Het was duidelijk dat ze niet onvruchtbaar was, wat Ruth volgens hem wel was geweest, en ze was zo mooi dat hij er enorm opgewonden van raakte. Maar uiteindelijk was hij diep teleurgesteld geraakt in zijn stiefdochter en het enige wat hij van Gwen verlangde had ze hem niet kunnen schenken. Na een jarenlang huwelijk had ze hem geen wettige erfgenaam kunnen geven.

Henry draaide aan de cilinder en staarde naar de revolver in zijn hand. Met de loop duwde hij de doos met de in lijnzaad gedrenkte dot poetskatoen dichter naar de straalkachel. Hij wilde niet dat iemand de rotzooi zou moeten opruimen als hij er niet meer was. Het nummer waar hij op had gewacht kraakte door de speakers en hij draaide aan de volumeknop om Johnny beter te kunnen horen, toen hij zong over hoe het was om in een brandende ring van vuur te vallen.

Zijn blik vertroebelde en hij dacht aan het leven en de mensen die hij achterliet. Het was verdomme een schande dat hij er niet bij zou zijn om hun koppen te zien als ze zouden ontdekken wat hij had gedaan.

Hoofdstuk 1

'De dood komt, zoals het hoort, voor allen, en daarmee de onherroepelijke scheiding van hun geliefden,' sprak de stem van dominee Tippet monotoon. 'Henry Shaw, gewaardeerd echtgenoot, vader en prominent lid van onze gemeenschap, we zullen hem missen.' De eerwaarde zweeg en keek naar de grote groep mensen die zich had verzameld aan het graf voor een laatste groet. 'Henry zou blij zijn met de aanwezigheid van zo vele vrienden hier vandaag.'

Henry Shaw zou met één blik op het rijtje auto's achter het hek van de Salvation begraafplaats hebben geconcludeerd dat deze respectabele opkomst toch minder was dan hij verdiende. Tot hij een jaar geleden was weggestemd door die doortrapte Democraat George Tanasee, had hij vierentwintig jaar lang het burgemeesterschap van Truly, Idaho bekleed.

Henry was de grote man geweest in deze kleine gemeenschap. Hij bezat de helft van alle winkels en had meer rijkdom vergaard dan het hele stadje bij elkaar waard was. Kort nadat zijn eerste vrouw hem had verlaten, vierentwintig jaar geleden, had hij haar vervangen door de mooiste vrouw die hij kon vinden. Hij had het prachtigste stel weimaraners van de hele staat, Duke en Dolores, en tot voor kort woonde hij in het grootste huis van de stad. Maar dat was nog in de tijd voordat die verrekte Allegrezza-jongens de hele stad volbouwden. Hij had nog een stiefdochter ook, maar over haar had hij in geen jaren gesproken.

Henry was vooral dol geweest op zijn positie binnen de gemeenschap. Hij had zich hartelijk en gul betoond aan de mensen die op zijn hand waren. Maar als je niet aan Henry's kant stond, dan was je zijn vijand. Degenen die het durfden hem tegen te spreken kregen daar meestal spijt van. Hij was een arrogante, racistische klootzak geweest en toen ze zijn verkoolde resten uit de verbrande ruïne hadden gehaald, waren sommigen in het dorp ervan overtuigd dat Henry Shaw precies had gekregen wat hij verdiende.

'Wij geven het lichaam van onze geliefde Henry Shaw terug aan de aarde.'

Delaney Shaw, Henry's stiefdochter, luisterde naar de slaapverwekkende toon van dominee Tippets stem en wierp een steelse blik op haar moeder. De donkere tinten die hoorden bij de prille rouw stonden Gwen Shaw goed, en dat verbaasde Delaney niets. Alles stond haar moeder goed. Dat was altijd al zo geweest. Delaney keek weer naar de gele rozen op Henry's kist. De felle junizon schitterde op het hoogglanzende mahonie en glimmende koperen beslag. Ze reikte in de zak van het mintgroene pakje dat ze van haar moeder had geleend, en vond haar zonnebril. Met het bruine plastic op haar neus beschermde ze haar gezicht tegen de brandende stralen van de zon en de nieuwsgierige blikken van de mensen om haar heen. Ze rechtte haar schouders en haalde een paar keer diep adem. Ze was al tien jaar niet meer thuis geweest. Het had altijd in haar bedoeling gelegen om terug te komen en vrede te sluiten met Henry. Nu was het te laat.

Een zacht briesje bewoog haar rode, met goud doorschoten krullen om haar gezicht en ze veegde de korte krullen achter haar oren. Ze had het moeten proberen. Ze had niet zo lang weg moeten blijven. Ze had het niet zo lang moeten laten duren, maar ze had nooit gedacht dat hij zou sterven. Niet Henry. De laatste keer dat ze hem had gezien hadden ze verschrikkelijke dingen tegen elkaar gezegd. Zijn woede was zo hevig geweest dat ze zich die nog levendig kon herinneren.

Een geluid dat klonk als de wrake Gods bulderde in de verte en Delaney richtte haar blik ten hemel, waar ze donder en bliksem verwachtte, omdat de komst naar het paradijs van een man als Henry zeker voor kabaal zou zorgen. Maar de lucht bleef knalblauw terwijl het gerommel bleef voortduren en ze richtte haar aandacht nu op het hek van de begraafplaats.

Gezeten op een glanzende, zwart met chromen motorfiets, met

lange haren wapperend in de wind, keek een eenzame biker neer op de menigte rondom het graf. De reuzenmotor deed de grond trillen en de lucht vibreren. De zegening van de dominee werd luid overstemd door de dubbele uitlaat. Gekleed in een verwassen spijkerbroek en een zacht wit T-shirt, bracht de man zijn Harley ratelend tot stilstand vlak voor de donkergrijze lijkwagen. De motor ging uit en met zijn laars schrapend over het asfalt zette hij hem op de standaard. Daarna stapte hij er, in één vloeiende beweging, van af. Een hipsterbaardje verhulde zijn krachtige kaaklijn en leidde de blik naar een gulle mond. In een oorlel hing een gouden ringetje en zijn ogen gingen schuil achter een zilverkleurige Oakley zonnebril.

De stoere biker kwam haar vagelijk bekend voor. Iets in zijn olijfkleurige huid en gitzwarte haren deed een belletje bij haar rinkelen, maar Delaney wist niet precies welk.

'O, mijn god,' hoorde ze haar moeder naast zich zuchten. 'Dat geloof je toch niet, dat hij het lef heeft zo op te komen dagen.'

Haar ongeloof werd gedeeld door andere rouwenden, die zo onbeleefd waren hardop te gaan fluisteren.

'Dat wordt hommeles.'

'Altijd al een zwart schaap geweest.'

Een vale Levi's spijkerbroek spande strak om zijn bovenbenen, omvatte zijn kruis en bedekte zijn lange benen met de zachte stof. Een briesje drukte zijn shirt tegen zijn brede gespierde borstkas. Delaney bestudeerde zijn gezicht. Langzaam haalde hij de zonnebril van zijn rechte neus en stak hem in zijn borstzakje. Zijn lichtgrijze ogen staarden haar rechtstreeks aan.

Prompt bleef Delaney's hart stilstaan en stond ze als aan de grond genageld. Die ogen, die zich in de hare boorden, herkende ze. Ze waren precies zoals die van zijn Ierse vader, maar veel sprekender omdat ze zich bevonden in een gezicht dat verder zo typisch Baskisch was.

Nick Allegrezza, de knapste jongen in de buurt, waar ze haar hele jeugd van had gezwijmeld en degene die haar toekomstdromen aan diggelen had geslagen. Nick, de charmante klootzak. Hij stond er zo nonchalant alsof hij de commotie die hij had veroorzaakt niet in de gaten had. Het was aannemelijker dat hij dat wél in de gaten had maar het hem niets kon schelen. Delaney was tien jaar weg geweest en sommige dingen waren kennelijk niet veranderd. Nick was steviger geworden en zijn trekken volwassener, maar zijn aanwezigheid trok nog steeds alle aandacht.

Dominee Tippet boog zijn hoofd. 'Laat ons bidden voor Henry Shaw,' begon hij. Delaney liet haar hoofd zakken en sloot haar ogen. Zelfs als kind had Nick al meer aandacht gekregen dan goed voor hem was. Zijn oudere broer Louie was ook een wilde geweest, maar nooit zo wild als Nick. Iedereen wist dat de broers Allegrezza gek waren, impulsieve Basken, temperamentvol en zo geil als pas ontslagen gevangenen.

Elk meisje in het stadje was gewaarschuwd zo ver mogelijk uit de buurt van de broertjes te blijven, maar net als ratten werden gebiologeerd door de rattenvanger, zo lieten velen zich verlokken door de roep van de natuur en wierpen zichzelf in de armen van 'die Baskische jongens'. Nick had bovendien de reputatie dat hij maagden uit hun kuise broekjes kon kletsen. Alleen Delaney had hij niet tot vrouw gemaakt. In tegenstelling tot wat velen dachten, was zij niet écht met Nick Allegrezza het bed ingedoken. Haar maagdelijkheid had hij haar niet ontnomen.

Technisch gesproken dan.

'Amen,' prevelden de rouwenden als met één stem.

'Ja, amen,' mompelde Delaney, zich wat schuldig voelend dat ze zo afgeleid was geweest tijdens het gebed. Ze tuurde over de rand van haar zonnebril en kneep haar ogen toe. Ze zag dat Nick iets prevelde en snel een kruis sloeg. Hij was natuurlijk katholiek, net als alle andere Baskische families in dit gebied. Toch was het bijna heiligschennis om zo'n overduidelijk sexy, langharige, oorbel dragende, motorrijdende hipster te zien bidden, alsof hij een priester was. Toen verplaatste hij op zijn gemak, alsof hij alle tijd had, zijn blik van het pakje dat ze droeg naar Delaney's gezicht. Even leek er wat te flikkeren in zijn ogen, maar dat was razendsnel weer verdwenen, toen zijn aandacht werd getrokken door een blonde vrouw in een roze niemendalletje naast hem. Ze ging op haar tenen staan en fluisterde hem iets in het oor.

Nu dromde de menigte om Delaney en haar moeder samen, om hen te condoleren, voordat de mensen weer terugkeerden naar hun auto's. Ze verloor Nick uit het oog en wendde zich tot de anderen. Ze herkende de meeste van Henry's vrienden, maakte een praatje met sommige, maar bespeurde weinig mensen van onder de vijftig. Ze glimlachte en knikte, schudde handen en haatte elke seconde. Ze wilde niet door hen bekeken worden. Ze wilde alleen zijn. Ze wilde in haar eentje denken aan Henry en aan die goede oude tijd. Ze wilde zich Henry herinneren zoals hij was geweest voordat ze elkaar zo verschrikkelijk teleurgesteld hadden. Maar ze wist dat ze die kans pas veel later zou krijgen. Ze was emotioneel uitgeput en tegen de tijd dat zij met haar moeder terug was bij de limousine die hen weer thuis zou afleveren, wilde ze niets liever dan een lange winterslaap houden.

Het gerommel van Nicks Harley trok opnieuw haar aandacht en ze keek over haar schouder zijn kant op. Hij gaf twee flinke dotten gas, draaide de motor 180 graden en trok de gashendel helemaal open. Delaney fronste bedenkelijk toen hij langs stoof, haar blik gefocust op de blondine die zich tegen zijn rug aan drukte als een zuignapje. Hij had een vrouw opgepikt op de begrafenis van Henry, alsof hij op kroegentocht was geweest. Delaney herkende haar niet, maar ze was niet echt verbaasd dat Nick er met een vrouw vandoor ging na een begrafenis. Niets was immers heilig voor die man. Niets ging hem te ver.

Ze klauterde de limousine in en liet zich in de zachte bank vallen. Henry was dood, maar er was niets veranderd.

'Dat was een mooie dienst, vond je niet?' onderbrak Gwen haar gedachten. De auto verliet de begraafplaats en reed richting Highway 55.

Delaney keek naar de flitsen blauw van Lake Mary die af en toe zichtbaar waren door het dichte sparrenbos. 'Ja,' antwoordde ze en wendde zich naar haar moeder. 'Het was echt mooi.'

'Henry was dol op je. Hij wist alleen niet hoe je compromissen moet sluiten.'

Deze discussie hadden ze al vaker gehad en Delaney had geen zin het er weer over te hebben. Het gesprek begon en eindigde altijd op dezelfde manier en het loste nooit iets op. 'Hoeveel mensen zullen er komen, denk je?' vroeg ze, doelend op het buffet dat na de plechtigheid volgde.

'Bijna iedereen, verwacht ik.' Gwen reikte over de hele breedte van de achterbank en duwde Delaney's krullen achter haar oren.

Delaney verwachtte bijna dat haar moeder haar vinger met spuug zou bevochtigen om er kleine krulletjes mee op haar voorhoofd te fabriceren, zoals ze altijd deed toen Delaney nog een kind was. Dat had ze destijds gehaat, en nog steeds trouwens. Dat voortdurende gefrutsel, alsof ze niet goed genoeg was van zichzelf. Dat continue getut, alsof ze veranderd kon worden in iemand die ze niet was.

Nee. Er was niets veranderd.

'Ik ben zo blij dat je er bent, Laney.'

Delaney kreeg het Spaans benauwd en drukte op het knopje van het raam. Ze ademde diep de frisse berglucht in en blies deze rustig weer uit. Nog twee dagen, hield ze zichzelf voor. Nog twee dagen en dan kon ze naar huis.

De vorige week had ze bericht ontvangen dat ze werd vermeld in Henry's testament. Na de manier waarop ze uit elkaar waren gegaan, kon ze zich niet voorstellen waarom dat zo was. Ze vroeg zich af of Nick er ook in stond, of dat hij zijn zoon zelfs na de dood bleef negeren.

Heel eventjes vroeg ze zich af of Henry haar geld of bezittingen had nagelaten. Waarschijnlijker was dat hij een grap zou uithalen en haar een oude verroeste vissersboot of een stoffige waterdichte jas zou toebedelen. Wat het ook was, het maakte niet uit, ze vertrok zodra het testament was voorgelezen. Nu moest ze alleen nog haar moed bijeenrapen om dat aan haar moeder te vertellen. Misschien belde ze wel gewoon naar huis als ze al in de buurt van Salt Lake City was. Eerst wilde ze nog wat oude vriendinnen opzoeken, een aantal kroegen in de buurt bezoeken en wachten tot ze naar de grote stad terug kon, waar ze weer kon ademhalen. Ze wist dat ze gek zou worden als ze langer dan een paar dagen zou blijven – of nog erger: gillend gek.

'Nou, nou, kijk eens wie er terug is.'

Delaney zette het bordje gevulde champignons op het buffet neer en keek recht in het gezicht van haar grootste vijand van vroeger, Helen Schnupp. In hun jeugd was Helen een voortdurende doorn in haar oog geweest, een steentje in haar schoen en een verschrikkelijke klier van een meid. Elke keer als Delaney een bepaalde kant op liep, was Helen er al, of ze kwam ook die kant op. Helen was mooier geweest, sneller met atletiek en beter in basketbal. In groep twee had Helen haar verslagen als beste speller. In de derde had Helen haar plaats ingenomen als leidster van de cheerleaders en in de vijfde was ze betrapt in de drive-inbioscoop met Delaney's vriendje Tommy Markham, waar ze hem bereed op de achterbank in de gezinsauto van de familie Markham. Zoiets vergeet een meisje natuurlijk nooit en Delaney verkneukelde zich daarom om Helens gespleten haarpunten en lelijke highlights.

'Helen Schnupp,' zei ze, al moest ze tot haar grote spijt toegeven dat haar oude vijand er, afgezien van haar kapsel, nog steeds goed uitzag.

'Markham heet ik nu.' Helen pakte een croissant en legde er een plak ham op. 'Tommy en ik zijn nu zeven jaar gelukkig getrouwd.'

Delaney plakte een geforceerde glimlach op haar gezicht. 'Wat geweldig.' Al zei ze tegen zichzelf dat het haar geen moer kon schelen, al had ze altijd gefantaseerd over een gewelddadig einde voor Helen en Tommy, à la Bonnie en Clyde. Het feit dat ze nog steeds die hatelijke gevoelens had moest haar eigenlijk zorgen baren, maar dat was niet het geval. Misschien werd het tijd voor die psychoanalyse die ze al tijden uitstelde.

'Ben jij getrouwd?'

'Nee.'

Helen wierp haar een blik vol medelijden toe. 'Je moeder vertelde me dat je in Scottsdale woont.'

Delaney moest de neiging onderdrukken om Helen die croissant in haar neus te duwen. 'Ik woon in Phoenix.'

'O?' Helen reikte naar een gevulde champignon en schuifelde

een stapje verder met de rij mee. 'Dan heb ik het zeker niet goed gehoord.'

Delaney betwijfelde dat er iets mankeerde aan Helens oren. Haar haren, dat was een andere zaak, en als Delaney niet over een paar dagen zou vertrekken, en als ze wat aardiger zou zijn geweest, had ze aangeboden haar kapsel wat bij te punten. Dan had ze Helens kroezige kapsel zelfs ingepakt met een voedend haarmaskertje. Maar zo aardig was ze niet.

Ze liet haar blik over de menigte in de eetzaal gaan tot ze haar moeder had gevonden. Omgeven door haar vriendinnen, met elke blonde haar op de juiste plaats en precies de juiste hoeveelheid make-up, leek het of Gwen Shaw als een koningin haar hofhouding toesprak. Gwen had altijd de statuur van de Grace Kelly van Truly, Idaho, gehad. Ze leek zelfs een beetje op haar. Op haar vierenveertigste leek ze pas negenendertig en, zo zei ze zelf graag, in elk geval veel te jong om een dochter te hebben die al negenentwintig was.

In elke grote stad zou een leeftijdsverschil van maar vijftien jaar tussen moeder en dochter vraagtekens oproepen, maar niet op het platteland van Idaho. Daar was het niet ongebruikelijk voor mensen die al verkering hadden op de middelbare school om op de dag na hun eindexamen te trouwen, soms omdat de bruid op het punt stond te bevallen. Daar vond niemand een zwangere tiener vreemd, tenzij ze natuurlijk ongetrouwd was. Ja, dát was een schandaal waar nog jarenlang over geroddeld werd.

Iedereen in Truly dacht dat de jonge vrouw van de burgemeester, kort nadat ze met Delaney's biologische vader was getrouwd, al weduwe was geworden, maar dat was een leugen. Op haar vijftiende had Gwen een relatie gehad met een getrouwde man en toen hij had ontdekt dat ze zwanger was, had hij haar gedumpt en was ze vertrokken.

'Ik begrijp dat je er weer bent. Ik dacht dat je dood was.'

Delaney's aandacht werd getrokken door de oude mevrouw Van Damme, die gebogen over een rollator moeizaam reikte naar een gevuld ei, haar witte haar in een slordige watergolf, precies zoals Delaney zich haar herinnerde. Ze wist de voornaam van de oude vrouw niet meer. Ze wist niet eens of ze die ooit had gehoord. Iedereen kende haar gewoon als de oude mevrouw Van Damme. Ze was inmiddels zo stokoud, met haar door osteoporose kromgegroeide rug, dat ze wel een menselijk fossiel leek.

'Kan ik u iets te eten opscheppen?' vroeg Delaney haar, terwijl ze iets rechterop ging staan en zich afvroeg wanneer ze voor het laatst een glas melk had genuttigd, of ten minste een calciumrijke reep melkchocolade.

Mevrouw Van Damme griste een ei van tafel en overhandigde Delaney vervolgens haar bord. 'Iets van dat en van dat,' wees ze naar diverse gerechten.

'Wilt u geen sla?'

'Krijg ik een opgeblazen gevoel van,' fluisterde mevrouw Van Damme, waarna ze wees op de fruitsalade. 'Dat ziet er lekker uit, en ook wat van die kippenpootjes graag. Die zijn wel heet, maar ik heb mijn maagtabletten bij me.'

Voor iemand die zo tenger oogde at de oude mevrouw Van Damme als een bootwerker. 'Bent u familie van Jean-Claude?' vroeg Delaney grappend, in een poging de sombere gelegenheid wat op te vrolijken.

'Wie?'

'Jean-Claude Van Damme, die kickboksende filmster.'

'Nee, ik ken geen Jean-Claude, maar misschien woont er eentje in Emmett. Die Van Dammes in Emmett zorgen altijd voor problemen, hebben veel op hun kerfstok. Vorig jaar nog werd Teddy – dat is het middelste kleinkind van mijn broer zaliger – gearresteerd voor het stelen van die grote Smokey de Beer, die voor het pand van de boswachterij staat. Waarom doet iemand nou zoiets?'

'Misschien omdat hij Teddy heet.'

'Hè?'

Delaney fronste. 'Laat maar.' Ze had het kunnen weten. Ze was vergeten dat haar gevoel voor humor niet werd gewaardeerd in dit soort kortzichtige stadjes, waar mannen hun borstzakjes als asbak gebruikten. Ze liet mevrouw Van Damme achter aan een tafeltje bij het buffet en begaf zich naar de bar.

Ze dacht vaak dat het hele ritueel om zich na een begrafenis klem te vreten en een stuk in de kraag te zuipen nogal vreemd was, al begreep ze dat het er was om de nabestaanden op hun gemak te stellen. Maar Delaney was helemaal niet op haar gemak. Ze voelde zich enorm opgelaten, al had ze zich altijd zo gevoeld in Truly. Ze was opgegroeid als de dochter van de burgemeester en zijn beeldschone vrouw. Delaney had altijd het gevoel gehad dat ze tekortschoot. Ze was nooit zo spontaan of stoer geweest als Henry en nooit zo mooi als Gwen.

Ze liep de zitkamer in waar Henry's oude maten uit de Moose Lodge de bar bezet hielden; het rook er naar Johnnie Walker. Ze besteedden weinig aandacht aan haar en ze schonk zichzelf een glas rode wijn in en deed de pumps met lage hakken uit, die ze aan had moeten trekken van haar moeder.

Hoewel Delaney wist dat ze soms obsessief gedrag vertoonde, had ze feitelijk maar één echte verslaving. Ze was een schoenoholicus, oftewel: dol op schoenen. Imelda Marcos was niets vergeleken bij haar. Delaney was dol op alle schoenen, behalve lage pumps met lelijke hakken. Te saai. Zij hield meer van hooggehakte schoentjes van Louboutin, te gekke laarzen van Gucci of sandaaltjes van Prada. Ook wat kleding betreft was ze weinig conventioneel. De afgelopen jaren had ze gewerkt bij Valentina's, een exclusieve kapsalon. Daar betaalden klanten grof geld om hun haar te laten knippen en ze verwachtten dat hun haarstilist gekleed ging volgens de laatste mode. De korte rokjes, lage decolletés of kekke schoenen die Delaney's klanten graag zagen, waren niet bepaald geschikt voor de begrafenis van haar stiefvader, de man die dit stadje vele jaren had bestierd.

Delaney wilde net de ruimte verlaten toen ze een flard van een gesprek opving.

'Don zei dat hij eruitzag als een stukkie houtskool toen ze hem vonden.'

'Wat een manier om te gaan.'

De mannen schudden eensgezind hun hoofd en namen een slok whisky. Delaney wist dat de schuur die Henry aan de andere kant van het erf had laten bouwen vlam had gevat. Volgens Gwen was hij sinds kort geïnteresseerd in het fokken van Appaloosa-paarden, maar wilde hij de geur van mest niet in de buurt van zijn huis.

'Henry was dol op die paardjes,' zei Moose, gekleed in een cowboyachtig net pak. 'Ik hoorde dat de brand ook is overgeslagen naar de stal. Er was maar weinig over van die beestjes, een paar botten en wat hoeven.'

'Denk je dat het aangestoken was?'

Delaney rolde met haar ogen. *Aangestoken.* In een stadje dat nog maar net kabeltelevisie had, was er niets leukers dan luisteren naar en doorvertellen van roddels en intriges. Daar leefde men voor. Ze vraten het als zoete koek.

'De inspecteurs uit Boise dachten van niet, maar helemaal uitgesloten is het ook niet.'

Er viel even een stilte, tot iemand sprak. 'Ik denk niet dat het opzettelijk was. Wie zou Henry zoiets aan willen doen?'

'Allegrezza misschien.'

'Nick?'

'Die haatte Henry.'

'Een heleboel andere mensen ook, om je de waarheid te zeggen. Maar om een man en zijn paarden in de hens te steken moet je wel heel veel haatgevoelens hebben. Ik weet niet of Nick zo'n hekel aan Henry had.'

'Henry was anders nogal kwaad vanwege die appartementen die Nick bouwt bij Crescent Bay en die twee gingen bijna met mekaar op de vuist bij de benzinepomp een paar maanden geleden. Ik weet niet hoe hij die grond van Henry losgepeuterd had, maar het was van hem. En toen ging hij het helemaal volbouwen met van die appartementen.'

Weer schudden ze allemaal hun hoofd en brachten de glazen aan hun lippen. Delaney had heel wat uurtjes doorgebracht op het witte strand en in het helderblauwe water van Crescent Bay. De baai was een plek waar iedereen in het dorp dol op was en tegelijkertijd was een groot stuk van het onontgonnen strand een prachtige belegging. Het was al generaties in bezit geweest van Henry's familie en Delaney vroeg zich af hoe Nick het had verkregen.

'Laatst hoorde ik dat die appartementen van Allegrezza een rijk man hebben gemaakt.'

'Zeker, ze gaan als zoete broodjes. Al die Californiërs, hè. Voor je het weet stikt het hier van de latte-zuipende, yogaënde, vegetarische, arrogante lui.'

'Of erger nog, acteurs.'

'Niets is erger dan zo'n Bruce Willis die met zijn goede bedoelingen van alles gaat veranderen. Hij is het ergste dat het stadje Hailey ooit is overkomen. Denkt maar dat ie hiernaartoe kan verhuizen, een paar pandjes opknappen en dan zeker iedereen in de hele stad vertellen op wie ze moeten stemmen, verdomme.'

De mannen waren het weer roerend eens en bevestigden dat met een hoofdbeweging hier en een instemmend gebrom daar. Toen het gesprek vervolgens ging over filmsterren en actiefilms, verliet Delaney ongemerkt de salon. Ze begaf zich via de gang naar Henry's studeerkamer waar ze de deuren achter zich sloot. Vanaf de muur achter het immense mahoniehouten bureau staarde Henry's portret haar aan. Delaney wist nog wanneer hij dat had laten schilderen. Ze was dertien geweest, ongeveer de leeftijd waarop ze voor het eerst wat zelfstandiger werd. Ze wilde gaatjes in haar oren. Henry had nee gezegd. Het was niet de eerste en zeker niet de laatste keer dat hij haar iets had verboden. Henry had altijd het laatste woord gehad.

Delaney ging in de enorme leren fauteuil zitten en was verrast toen ze een portret van zichzelf op het bureau zag staan. Ze wist zich de dag waarop Henry die foto had genomen nog te herinneren. Het was de dag waarop haar hele leven was veranderd. Ze was zeven jaar geweest en haar moeder was net getrouwd met Henry. Het was de dag waarop ze de aftandse caravan in een buitenwijk van Las Vegas uit waren gelopen en, na een korte vlucht, het drie verdiepingen tellende victoriaanse monument in Truly hadden betrokken.

De eerste keer dat ze het huis had gezien, met de dubbele torens en trapgevel, had ze gedacht dat ze in een paleis ging wonen, wat betekende dat Henry de koning was. Het grote huis was omgeven door bos, met aan de voorkant een groot, schitterend onderhouden gazon, terwijl de tuin aan de achterkant langzaam overging in de oevers van Lake Mary.

Binnen een paar uur was Delaney als een arm meisje in een sprookjesboek beland. Haar moeder was gelukkig en Delaney voelde zich een prinses. En op die dag had ze op de veranda gezeten in een wit jurkje met ruches en kantjes, dat ze van haar moeder had moeten dragen, en was ze verliefd geworden op Henry Shaw. Hij was ouder dan de eerdere mannen in haar moeders leven – en ook aardiger. Hij schreeuwde niet tegen Delaney en hij maakte haar moeder niet aan het huilen. Hij gaf haar een veilig en beschermd gevoel, wat ze maar weinig had meegemaakt in haar korte leventje. Hij had haar geadopteerd en hij was de enige vader die ze ooit had gekend. Om al die redenen had ze van Henry gehouden, en dat was ze altijd blijven doen.

Het was ook de eerste keer dat ze Nick Allegrezza had gezien. Hij was uit de bosjes in Henry's tuin gekropen, met zijn grijze ogen vol vurige woede, zijn wangen rood van kwaadheid. Hij had haar bang gemaakt en tegelijkertijd gefascineerd. Nick was een knappe jongen met zijn zwarte haar, licht getinte huid en heldere ogen.

Hij had tussen de heesters gestaan, met zijn armen langszij, trillend van woede. Al dat rebelse Baskische en Ierse bloed natuurlijk. Hij had hen aangekeken en toen iets tegen Henry gezegd. Jaren later wist Delaney niet exact meer wat dat was geweest, maar ze zou zijn woede nooit meer vergeten.

'Zorg er maar voor dat je bij hem uit de buurt blijft,' had Henry gezegd toen ze samen toekeken hoe hij zich omdraaide en wegliep, met zijn hoofd in de lucht en een rechte rug.

Het zou niet de laatste keer zijn dat hij haar waarschuwde zich niet met Nick in te laten. En na al die jaren wenste ze dat ze juist naar die ene waarschuwing had geluisterd.

Nick stak zijn benen in zijn spijkerbroek en stond vervolgens op om zijn gulp dicht te knopen. Hij tuurde over zijn schouder naar de vrouw die verstrikt lag in de lakens van het motelbed, haar blonde haren verspreid om haar hoofd. Haar ogen waren gesloten en ze ademde rustig.

Gail Oliver was de dochter van een rechter en een onlangs gescheiden moeder van een zoontje. Om te vieren dat haar huwelijk voorbij was had ze haar buik strak laten trekken en haar borsten laten vergroten. Tijdens Henry's begrafenis was ze heel brutaal op hem afgelopen en had aangekondigd dat hij de eerste was die haar nieuwe lichaam mocht zien. Aan de blik in haar ogen kon hij zien dat ze vond dat hij gevleid moest zijn. Dat was hij niet. Hij had wel behoefte aan afleiding en zij had zich aangeboden. Ze had beledigd gedaan toen hij de Harley had stilgezet voor het Starlight Motel, maar ze had niet gevraagd of hij haar weer naar huis wilde brengen.

Nick keerde de vrouw in het bed zijn rug toe en begaf zich over het groene tapijt naar de schuifpui die uitkwam op een balkonnetje met uitzicht op Highway 55. Hij was niet van plan geweest de begrafenis van die ouwe bij te wonen. Hij wist nog steeds niet precies hoe het was gegaan. Het ene moment stond hij nog in Crescent Bay, gebogen over wat bouwplannen met een onderaannemer, en voor hij het wist was hij al op zijn Harley op weg naar de begraafplaats. Hij was niet van plan geweest te gaan. Hij wist dat hij persona non grata was, maar toch was hij gegaan. Om de een of andere reden, die hij niet al te diep wilde onderzoeken, wilde hij toch afscheid nemen.

Hij begaf zich naar het hoekje van het balkon, weg van het zonlicht dat over de houten vlonders scheen, en werd al snel opgeslokt door het duister. Dominee Tippet had het 'amen' amper uitgesproken toen Gail, in dat flodderige jurkje met die dunne bandjes, Nick haar voorstel had gedaan.

'Mijn lichaam ziet er op mijn drieëndertigste beter uit dan op mijn zestiende,' had ze in zijn oor gefluisterd. Nick kon zich niet meer precies herinneren hoe ze eruit had gezien op haar zestiende, maar hij wist nog wel dat ze dol was op seks. Ze was het type meisje geweest dat verzot was op neuken, maar na afloop deed alsof ze nog maagd was. Ze sloop dan stiekem haar ouderlijk huis uit om zacht aan de achterdeur van de winkel van Lomax te krabbelen, waar hij na schooltijd werkte in het magazijn. Als hij ook zin had, liet hij haar binnen en nam hij haar op een doos met voorraad of op de toonbank. Daarna deed ze net alsof ze hem een pleziertje had gedaan. Allebei wisten ze wel beter.

De kille avondlucht streek door zijn baardharen. Hij had amper in de gaten dat het nu kouder was. Delaney was terug. Toen hij het had gehoord over Henry, had hij wel verwacht dat ze thuis zou komen voor de begrafenis. Toch was het een schok geweest om haar aan de andere kant van de kist te zien staan, met haar haren geverfd in vijf kleuren rood. Na tien jaar deed ze hem nog steeds denken aan een porseleinen popje, zo zacht als zijde en even delicaat. Haar terugzien bracht het weer boven, en hij wist nog wanneer hij haar voor het eerst had gezien. Toen was ze nog blond geweest en zeven jaar oud.

Twee decennia geleden had hij die dag in de rij gestaan bij de ijswinkel toen hij had gehoord over Henry Shaws nieuwe vrouw. Hij kon het niet geloven. Henry was opnieuw getrouwd en aangezien alles wat Henry deed Nicks belangstelling opwekte, waren hij en zijn oudere broer Louie op hun oude fietsen gesprongen en om het meer heen gefietst naar het grote huis van Henry. En zo hard als hun wielen ronddraaiden, zo draaiden de gedachten rond in Nicks hoofd. Hij wist dat Henry nooit met zijn moeder zou trouwen. Ze haatten elkaar al zolang Nick zich kon herinneren. Ze spraken niet met elkaar. Meestal negeerde Henry Nick gewoon, maar dat zou nu kunnen veranderen. Misschien hield Henry's nieuwe vrouw wel van kinderen. Misschien vond ze hem wel aardig.

Nick en Louie verstopten hun fietsen achter een boom en kropen op hun buik door het dichte kreupelhout rondom het grasveld. Het was een plek die ze goed kenden. Louie was twaalf, twee jaar ouder dan Nick, maar Nick had meer geduld dan zijn broer. Dat kwam misschien omdat hij het gewend was, of misschien omdat hij meer belangstelling had voor Henry Shaw dan zijn broer. De twee jongens gingen er gemakkelijk bij liggen en wachtten af.

'Hij komt toch niet naar buiten,' klaagde Louie na een uur observeren. 'We zijn hier al zo lang en hij komt toch niet.'

'Hij moet een keer naar buiten komen.' Nick keek even naar

zijn broer en richtte zijn blik weer op het grote grijze huis. 'Hij moet wel.'

'Kom, laten we gaan vissen in de vijver van meneer Bender.'

Elke zomer gooide Clark Bender zijn vijver tjokvol forel. En elke zomer vingen de jongens Allegrezza er minstens een dozijn schoonheden uit. 'Dan wordt mama kwaad,' bracht Nick zijn broer in herinnering; het gevoel van de houten pollepel op zijn hand van vorige week stond hem nog helder voor de geest. Meestal verdedigde Benita Allegrezza haar jongens met een blinde felheid. Maar zelfs zij kon niet ontkennen dat meneer Bender hen terecht verdacht toen hij de twee thuisbracht, riekend naar visafval en met een paar prachtexemplaren bungelend aan hun fietsrek.

'Ze komt het niet te weten want Bender is de stad uit.'

Nick keek weer naar Louie en de gedachte aan al die hongerige forellen deed zijn handen jeuken. 'Echt?'

'Yep.'

Hij dacht aan de vijver en al die vissen, wachtend op wat aas aan een scherpe haak. Toen schudde hij zijn hoofd en klemde zijn kaken op elkaar. Als Henry hertrouwd was, dan bleef Nick hier wachten om zijn vrouw te zien.

'Je bent gek,' zei Louie met walging in zijn stem en hij schuifelde achterwaarts het kreupelhout uit.

'Ga je vissen?'

'Nee, ik ga naar huis, maar eerst moet ik mijn worst even uitlaten.'

Nick glimlachte. Hij vond het geweldig als zijn oudere broer dat soort toffe woorden gebruikte. 'Niet tegen mama zeggen waar ik ben.'

Louie ritste zijn broek open en zuchtte van opluchting terwijl hij zijn blaas leegde tegen een spar. 'Blijf alleen niet te lang weg, anders heeft ze het in de gaten.'

'Zal ik doen.' Louie sprong op zijn fiets en ging weg, intussen bleef Nick zijn blik strak op de voorgevel richten. Hij legde zijn kin in zijn hand en staarde naar de voordeur. Terwijl hij lag te wachten dacht hij aan Louie en hoe gelukkig hij was met een broer die in de zesde zat. Hij kon alles aan hem vragen zonder dat

Louie erom moest lachen. Louie kreeg al seksuele voorlichting op school en dus kon Nick hem belangrijke vragen stellen, zoals wanneer je haar op je ballen kreeg. Dingen die je niet zo snel aan je moeder zou vragen, vooral niet als ze streng katholiek was.

Er kroop een miertje over Nicks arm en net toen hij het wilde platknijpen tussen twee vingers ging de voordeur open en bleef hij doodstil liggen. Henry kwam het huis uit en bleef op de veranda staan. Hij keek over zijn schouder. Hij gebaarde met zijn hand en er stapte een klein meisje door de deur. Ze had een boel blonde krullen die tot op haar rug vielen. Ze legde haar hand in die van Henry en samen staken ze de veranda over en daalden de trap af naar de tuin. Ze droeg een wit jurkje met sokjes, zoals meisjes wel droegen bij hun eerste communie. Maar het was geeneens zondag. Henry wees in de richting van Nick, en die hield zijn adem in, bang dat hij was ontdekt.

'Daar ergens,' zei Henry tegen het meisje, met wie hij het gazon overstak in de richting van Nicks verstopplek. 'Dat is een hele grote boom die volgens mij wel een boomhut kan gebruiken.'

Het meisje keek omhoog naar de lange man naast haar en knikte. Haar gouden krullen sprongen op en neer. Het meisje was een stukje bleker dan Nick en haar grote ogen waren bruin. Nick vond dat ze op de poppen leek die zijn *tia* Narcisa achter slot en grendel in een glazen kast bewaarde, uit de buurt van onhandige slungels met vieze handen. Nick mocht de mooie popjes nooit aanraken. Niet dat hij dat graag wilde, overigens.

'Net als in Winnie de Poeh?' vroeg het meisje.

'Zou je dat willen?'

'Ja, Henry.'

Henry ging op een knie zitten en keek het meisje vriendelijk aan. 'Ik ben nu je vader. Je mag me papa noemen.'

Nick hapte naar adem en zijn hart begon als een razende te bonken. Hij had zijn hele leven gewacht op die woorden en nu zei Henry ze tegen zo'n stom bleek kind dat van Winnie de Poeh hield. Hij maakte vast een geluid, want Henry en het meisje keken recht naar de struik waaronder hij verscholen zat.

'Wie is daar?' vroeg Henry streng, terwijl hij opstond.

Voorzichtig en angstig stond Nick op en keek recht in het gezicht van de man, van wie zijn moeder zei dat het zijn vader was.
Hij rechtte zijn rug en staarde in Henry's lichtgrijze ogen. Hij
wilde wegrennen, maar kon zich niet bewegen.

'Wat doe jij hier?' vroeg Henry nog strenger.

Nick stak zijn kin in de lucht maar antwoordde niet.

'Wie is dat, Henry?' vroeg het meisje.

'Niemand,' antwoordde hij en hij wendde zich tot Nick. 'Ga
naar huis. Huppakee, en ik wil je hier niet meer zien.'

Staand in de struik, die reikte tot zijn borstkas, met knikkende
knieën en pijn in zijn buik, voelde Nick Allegrezza al zijn hoop
verdwijnen. Hij haatte Henry Shaw. 'Je bent een stomme klootzak,' zei hij tegen hem, waarna hij zijn blik richtte op het blonde
meisje. En haar haatte hij ook. Met zijn ogen vol haat en bevend
van woede draaide hij zich om en liep weg. Hij zou nooit meer
terugkeren. Hij zou nooit meer in de schaduw liggen wachten.
Wachten op dingen die nooit zouden gebeuren.

Het geluid van voetstappen rukte Nick terug uit het verleden,
maar hij draaide zich niet om.

'Wat vind je ervan?' Gail kwam achter hem staan en sloeg haar
armen om zijn middel. De dunne stof van haar jurk was het enige
dat hem scheidde van haar nieuwe borsten.

'Waarvan?'

'Van mijn nieuwe versie?'

Hij draaide zich om naar haar. Het was donker en hij kon haar
amper zien. 'Je ziet er prima uit,' antwoordde hij.

'Prima? Ik geef duizenden dollars uit aan nieuwe tieten en alles
wat jij zegt is "Prima"?'

'Wat wil je dan dat ik zeg? Dat je er beter aan had gedaan je
geld te beleggen in vastgoed dan in siliconen?'

'Ik dacht dat mannen dol waren op grote borsten,' klonk het
pruilend.

Groot of klein, het maakte niet uit, als een vrouw maar wist
wat ze deed met haar lichaam. Hij hield van vrouwen die ge-
bruikmaakten van wat ze hadden, die de controle loslieten in

bed. Vrouwen die zich aan hem overgaven. Gail was veel te bezorgd over hoe ze eruitzag.

'Ik dacht dat alle mannen fantaseerden over grote borsten,' ging ze verder.

'Niet álle mannen.' Nick had al heel lang niet over een vrouw gefantaseerd. Sterker nog, hij had niet over vrouwen gefantaseerd sinds zijn jeugd, en die fantasieën waren allemaal hetzelfde geweest.

Gail sloeg haar armen om zijn nek en ging op haar tenen staan. 'Daarnet deed je anders niet alsof je ze niet mooi vindt.'

'Ik zei niet dat ik ze niet mooi vind.'

Ze verplaatste haar handen van zijn borstkas naar zijn buik. 'Bedrijf dan nog maar een keer de liefde met me.'

Hij legde zijn hand om haar pols. 'Ik bedrijf de liefde niet.'

'Wat deden we dan een halfuurtje geleden?'

Hij overwoog haar een kort antwoord te geven, maar wist dat ze zijn eerlijkheid niet zou waarderen. Hij wilde voorstellen haar naar huis te brengen, maar ze bracht haar hand al naar zijn spijkerbroek en hij besloot nog even af te wachten wat ze van plan was. 'Dat was seks,' zei hij. 'Het ene heeft niets met het andere te maken.'

'Wat klink je bitter.'

'Hoezo? Omdat ik seks en liefde niet door elkaar haal?' Nick vond zichzelf niet bitter, alleen ongeïnteresseerd. Wat hem betreft was liefde weinig waard. Gewoon een hoop verspilde tijd en emotie.

'Misschien komt het omdat je nooit van iemand gehouden hebt.' Ze drukte haar hand tegen zijn gulp. 'Misschien word je wel verliefd op mij.'

Nick grinnikte. 'Reken er maar niet op.'

Hoofdstuk 2

Op de ochtend na de begrafenis sliep Delaney lang uit. Zo ontsnapte ze ternauwernood aan een vergadering van de liefdadigheidsvereniging van Truly, een kleinere variant van de Junior League. Ze had gehoopt de hele middag een beetje in huis rond te hangen en wat tijd met haar moeder door te brengen, voordat ze die avond uit zou gaan met haar beste vriendin van de middelbare school, Lisa Collins. Ze hadden afgesproken om een avondje margarita's te gaan drinken en lekker te roddelen in Mort's Bar.

Maar Gwen had andere plannen met Delaney. 'Ik zou je graag bij de vergadering willen hebben vanmiddag,' zei ze, terwijl ze als een mannequin in lichtblauwe zijde de keuken binnenliep. Even trok ze trok haar wenkbrauw op bij het zien van Delaney's schoenen. 'Je zou ons goed kunnen helpen met het bedenken van acties om aan geld te komen voor het opknappen van de speeltuin in Larkspur Park.'

Delaney zou nog liever de hele middag op aluminiumfolie kauwen dan die eeuwige vergaderingen van haar moeder bij te wonen. 'Ik heb andere plannen,' loog ze, terwijl ze aardbeienjam op haar geroosterde broodje smeerde. Ze was nu negenentwintig, maar vond het nog steeds moeilijk om haar moeder teleur te stellen.

'Wat voor plannen?'

'Ik ga met een vriendin lunchen.' Ze leunde tegen het kersenhouten kookeiland en nam een hap van haar broodje.

Gwens blauwe ogen vernauwden zich.

'Ga jij zó de stad in?'

Delaney keek naar haar gestreepte truitje, zwarte korte broek en zwartleren sandalen met hoge plateauzolen en leren bandjes om de enkels. Ze was normaal gekleed, alleen haar schoenen waren wat te heftig naar kleinsteedse maatstaven. Het kon haar niets schelen; ze vond ze geweldig. 'Ik zie er toch leuk uit zo.' Ze voelde zich weer een stout meisje. Mede om dat gevoel te vermijden had ze besloten om Truly de volgende dag weer te verlaten zodra het lezen van Henry's testament achter de rug was.

'Volgende week gaan we samen winkelen in Boise. Dan kunnen we een dagje in het winkelcentrum doorbrengen.' Gwen glimlachte van oprecht plezier. 'Nu je weer thuis bent, kunnen we elke maand wel gaan!'

Daar had je het weer. Gwen ging er helemaal van uit dat Delaney wel weer in Truly zou komen wonen nu Henry er niet meer was. Maar voor Delaney was Henry Shaw niet de enige reden geweest om twee staten verderop te gaan wonen.

'Ik heb niets nodig, mam,' zei ze terwijl ze haar mond afveegde. Gwen zou haar zonder enige twijfel kleding van Gerry Weber of Ulla Popken laten aanmeten en haar in een respectabel lid van de liefdadigheidsvereniging veranderen als ze langer dan een paar dagen in Truly zou blijven. Ze had haar hele kindertijd in kleding rondgelopen die ze niet mooi vond, en zich anders voorgedaan dan ze was, alleen om haar ouders een plezier te doen. Ze had ervoor gevochten om altijd een goede leerling op school te zijn, en ze had nog geen bibliotheekboek te laat teruggebracht. Ze was opgegroeid als burgemeestersdochter. En dat betekende dat ze perfect moest zijn.

'Zitten die schoenen wel lekker?'

Delaney knikte. 'Hoe is het nu precies gegaan met dat vuur?' veranderde ze met opzet het onderwerp.

Ze had eigenlijk maar weinig gehoord over wat er exact gebeurd was op de avond dat Henry overleed. Haar moeder praatte er liever niet over, maar nu de begrafenis voorbij was wilde Delaney wel eens wat meer weten.

Gwen zuchtte en reikte naar het mes waarmee Delaney net haar broodje had gesmeerd. De hakjes van haar blauwe queenies klikten op de baksteenrode plavuizen terwijl ze naar de gootsteen liep. 'Ik weet nog net zo veel als afgelopen maandag, toen ik je belde.' Ze legde het mes neer en staarde uit het grote raam boven de gootsteen. 'Henry was in de schuur toen die in brand vloog.

Volgens sheriff Crow lag er naast de kachel een stapel jutezakken die vlam heeft gevat.' Gwens stem trilde terwijl ze sprak.

Delaney liep naar haar moeder toe en sloeg een arm om haar heen. Ze keek uit over de achtertuin, naar de steiger die schommelde op de zachte golfjes van het meer. Toen sprak ze de vraag uit die ze bijna niet had durven stellen. 'Weet je of hij veel pijn geleden heeft?'

'Ik geloof het niet, maar ik wil het ook liever niet weten als hij wel pijn heeft gehad. Ik weet niet hoe lang hij nog heeft geleefd. Ik hoop dat God genadig is geweest en dat hij al dood was voordat de vlammen bij hem waren. Ik heb er niet naar gevraagd. De afgelopen weken zijn al moeilijk genoeg geweest.' Ze stopte even om haar keel te schrapen. 'Ik had het zo druk, en ik wil er liever niet over nadenken.'

Delaney keek haar moeder aan, en voor het eerst sinds lange tijd voelde ze zich verbonden met de vrouw die haar op de wereld had gezet. Ze waren heel verschillend, maar hierin herkende ze zich. Ondanks zijn fouten hadden ze beiden veel van Henry Shaw gehouden.

'Je vriendinnen zullen het toch wel begrijpen als je de vergadering afzegt? Ik kan ze wel voor je afbellen, als je wilt.'

Gwen keek Delaney aan en schudde haar hoofd. 'Ik heb mijn verantwoordelijkheden, Laney. Ik kan niet eeuwig rustig aan blijven doen.'

Eéuwig? Henry was nog geen week dood, nog geen vierentwintig uur geleden begraven. Het moment van contact met haar moeder was weer voorbij, en ze liet Gwens schouders los. 'Ik ga even naar buiten,' zei ze, en liep de achterdeur uit voordat de teleurstelling haar zou overmannen. Een ochtendbriesje deed de bomen ruisen en de dennenlucht prikkelde in haar neus. Ze haalde diep adem en liep over het terras de achtertuin in.

Teleurstelling was misschien wel het beste woord om haar familie mee te omschrijven. Ze hadden samen achter een façade geleefd, waardoor het wel heel moeilijk werd om elkaar niet teleur te stellen. Ze had al lang geleden geaccepteerd dat haar moeder oppervlakkig was en uiterlijkheden het meest belangrijk vond.

En ze had geaccepteerd dat Henry een enorme controlfreak was. Als ze zich gedroeg zoals Henry van haar verwachtte, was hij een geweldige vader geweest. Hij had haar tijd en aandacht gegeven, had haar en haar vriendinnetjes meegenomen op boottripjes of hij nam ze mee kamperen in Sawtooth National Park. Maar de Shaws leefden volgens een systeem van straf en beloning, en tot Delaney's verdriet was alles, zelfs de liefde, voorwaardelijk geweest.

Delaney liep langs een hoge den naar de grote hondenkennel op de hoek van het tuinpad.

De namen van de twee weimaraners in de kennel stonden op twee bronzen naamplaatjes op de deur: DUKE en DOLORES.

'Zijn jullie geen prachtige hondjes?' kirde Delaney alsof het schoothondjes waren. Ze aaide hun zachte neuzen door het hek heen. Delaney was dol op honden en ze was opgegroeid met de voorgangers van Duke en Dolores, Clark en Clara. Maar tegenwoordig was ze te vaak van huis om ook maar een goudvis te kunnen hebben, laat staan een echt huisdier. 'Zitten jullie lieve hondjes zomaar opgesloten.' De honden likten haar vingers en ze knielde bij het hek neer. Ze zagen er goed verzorgd uit, en waren onder Henry's verantwoordelijkheid ongetwijfeld goed getraind. Hun droevige blauwe ogen leken haar in stilte te smeken om losgelaten te worden. 'Ik weet hoe jullie je voelen,' zei ze. 'Ik zat hier vroeger ook opgesloten.' Duke jankte zachtjes en Delaney smolt. 'Goed dan, maar niet de tuin uit lopen, hoor!' zei ze terwijl ze opstond. De kenneldeur ging open en de honden schoten als bliksemschichten langs Delaney de tuin in. 'Verdorie, kom terug!' riep ze, maar ze zag nog net hun gecoupeerde staarten in het bos verdwijnen. Even dacht ze erover om ze maar te laten gaan en te wachten tot ze vanzelf terug zouden komen. Daarna dacht ze aan de snelweg die niet ver van het huis lag.

Ze nam twee leren riemen uit de kennel en ging ze achterna. Ze voelde zich niet echt verantwoordelijk voor de honden, maar ze wilde ze ook niet onder een auto laten eindigen. 'Duke! Dolores!' riep ze, terwijl ze zo hard ze kon achter hen aan rende op haar hoge sleehakken. 'Eten. Biefstuk. Brokjes.' Ze draafde achter de honden aan over bospaden die ze als kind vaak had afgestruind.

Torenhoge naaldbomen omringden haar met schaduw en lage twijgen sloegen tegen haar schenen en enkels. De honden stopten even bij de oude boomhut die Henry voor haar had gebouwd toen ze nog klein was. Maar zodra ze een poging deed ze bij de halsband te grijpen, renden ze er weer vandoor. 'Koekjes!' riep ze terwijl ze langs Elephant Rock holde en dwars door de Huckleberry-beek achter hen. Ze had het vast opgegeven de honden achterna te zitten als ze haar niet steeds dichterbij lieten komen om er daarna weer vandoor te gaan. Ze rende onder laaghangende takken door en haalde haar hand open toen ze over een omgevallen boom heen klom.

'Verdomme!' vloekte ze terwijl ze haar schrammen bekeek. Duke en Dolores zaten hijgend en kwispelend met hun stompe staartjes een eindje verderop op de grond te wachten tot ze klaar was. 'Kom hier!' commandeerde ze. Ze lieten hun hoofd gehoorzaam zakken, maar zodra ze een stap in hun richting zette sprongen ze op en renden er weer vandoor. 'Terugkomen!' Weer overwoog ze om het op te geven, maar toen herinnerde ze zich de vergadering van de liefdadigheidsvereniging bij haar moeder thuis. Dan zat ze toch veel liever twee idiote honden achterna in het bos.

Ze volgde ze een heuvel op en bleef even staan om op adem te komen. Ze tuurde vanonder haar wenkbrauwen naar het veld dat zich voor haar uitstrekte onder aan de heuvel. Haar adem stokte. Midden in het veld stonden een bulldozer en een graafmachine naast een grote truck. Verschillende plekken op de grond waren gemarkeerd met feloranje verf, en midden in de chaos stond Nick Allegrezza naast een zwarte Jeep Wrangler, met de honden aan zijn voeten.

Delaney's hart klopte in haar keel. Nick was nu net degene die ze niet tegen het lijf had willen lopen tijdens haar korte bezoek aan Truly. Hij was schuldig aan de meest beschamende ervaring die ze ooit had gehad. Ze vocht tegen de opwelling om zich om te draaien en naar huis te gaan. Maar Nick had haar al gezien, en ze wilde in geen geval bang overkomen. Ze dwong zichzelf om rustig de heuvel af te lopen.

Hij droeg dezelfde kleding als gisteren bij de begrafenis. Wit T-shirt, versleten Levi's, gouden oorringetje, maar vandaag zat zijn haar in een paardenstaart. Hij deed haar denken aan een fotomodel op een billboard, met niets anders aan dan zijn Calvin Klein-onderbroek.

'Hallo,' riep ze hem tegemoet. Hij zei niets en volgde haar alleen maar met zijn grijze ogen, terwijl hij met een van zijn grote handen ontspannen de kop van Duke aaide. Ze vocht tegen het gespannen gevoel in haar maag, terwijl ze voor hem ging staan. 'Ik ben Henry's honden aan het uitlaten,' zei ze, en weer kreeg ze alleen stilte en zijn starende, ondoorgrondelijke blik als antwoord. Hij was langer dan ze zich herinnerde. Haar hoofd reikte maar net tot zijn schouder. Zijn borst was breder. Zijn spieren alomtegenwoordig. De laatste keer dat ze zo dicht bij hem had gestaan had hij haar leven overhoopgegooid en voorgoed veranderd. Ze had in hem een ridder op het witte paard gezien, weliswaar een licht beschadigd paard, zijn oude Mustang. Maar ze had zich vergist.

Altijd was hij voor haar verboden terrein geweest, maar ze had zich haar hele leven vreselijk tot hem aangetrokken gevoeld. Ze was een braaf meisje geweest dat wanhopig naar vrijheid verlangde, en het enige wat hij hoefde te doen om haar voor zich te winnen, was haar wenken met een vinger en het uitspreken van vijf woorden. Vijf prikkelende woorden uit zijn ondeugende mond. 'Kom eens hier, wilde bosmeid,' had hij gezegd, en haar ziel had geantwoord met een onvoorwaardelijk 'ja'. Het was toen alsof hij diep in haar kon kijken, dwars door haar masker heen, alsof hij de echte Delaney kon zien. Ze was achttien en vreselijk naïef geweest. Nog nooit had ze de vrijheid gekend om haar vleugels uit te slaan, of ook maar zelfstandig adem te halen. Nick was als pure zuurstof geweest, waaraan ze zich eindelijk kon laven. Maar ze had er een hoge prijs voor betaald.

'Ze zijn minder gehoorzaam dan Clark en Clara vroeger,' ging ze verder, zich niets aantrekkend van zijn zwijgen.

Toen hij uiteindelijk wel sprak, zei hij iets wat ze niet verwachtte.

'Wat hebben ze met je haar gedaan?' vroeg hij.

Haar vingers raakten haar zachte rode krullen aan. 'Ik vind het mooi.'

'Blond haar staat je beter.'

Delaney liet haar hand vallen en ze staarde naar de honden aan Nicks voeten. 'Ik heb je niet om je mening gevraagd.'

'Je moet je kapper aanklagen.'

Ze vond haar kapsel juist leuk, en bovendien kon ze moeilijk zichzelf aanklagen. 'Wat doe jij hier eigenlijk?' vroeg ze, terwijl ze de riem aan de halsband van Duke vastmaakte. 'Ben je op vrouwenjacht?'

'Nee.' Hij rechtte zijn rug. 'Ik jaag nooit op zondag. Je bent dus veilig.'

Ze keek in zijn donkere gezicht. 'Maar op begrafenissen doe je het wel, hè?'

Hij fronste. 'Waar heb je het over?'

'Over die blonde del, gisteren. Je gebruikte Henry's begraafplaats als een tippelzone. Dat vind ik respectloos en ordinair, Nick. Zelfs voor jouw doen.'

De frons maakte plaats voor een uitdagende glimlach. 'Jaloers?'

'Ja, enorm.'

'Wil je de details weten?'

'Alsjeblieft zeg.'

'Weet je het zeker? Het is best een sappig verhaal.'

'Nee, dank je.' Ze streek haar haar aan een kant achter haar oor en reikte naar de halsband van Dolores.

Voordat ze die te pakken had, greep Nick haar hand. 'Wat is er met jou gebeurd?' vroeg hij terwijl hij haar hand in de zijne nam. Een onverwachte tinteling liep van haar vingertoppen omhoog langs haar arm. Zijn hand was groot en warm en krachtig. Hij liet zijn duim zachtjes over de schram in haar hand glijden. 'O, niks.' Ze trok haar hand weg. 'Ik ben over een omgewaaide boom geklommen.' Hij keek haar aan. 'Ben je over een omgewaaide boom geklommen met deze schoenen?'

Dat was al de tweede keer binnen het uur dat haar favoriete schoenen werden afgekraakt. 'Er is niks mis met deze schoenen.'

'Niet als je een sm-meesteres bent, nee.' Zijn blik gleed naar beneden over haar lichaam en terug omhoog. 'Ben je dat?'

'Ach, hou toch op.' Ze reikte weer naar Dolores en dit keer lukte het haar wel om de riem vast te maken. 'Zweepjes en kettingen zijn niks voor mij.'

'Jammer, zeg.' Hij deed zijn armen over elkaar en leunde met zijn achterste tegen de zwarte Jeep. 'Degene in Truly die nog het meest weg heeft van een sm-meesteres is Wendy Weston, kampioen lasso werpen en zeepkist racen.'

'Zou jij je door twee vrouwen laten bewerken met een lasso?'

'Wel door jou alleen misschien,' zei hij met een grijns. 'Je ziet er beter uit dan Wendy, en je hebt er in ieder geval de geschikte schoenen voor.'

'Gaaf zeg, bedankt. Jammer dat ik morgenmiddag alweer wegga.'

Hij leek enigszins verbaasd door haar antwoord. 'Een kort bezoek.' Delaney haalde haar schouders op en trok de honden naar zich toe. 'Ik ben nooit van plan geweest om lang te blijven.' Misschien was dit wel de laatste keer dat ze hem zou zien, en daarom gunde ze het zichzelf om haar blik over de sensuele lijnen van zijn donkere gezicht te laten glijden. Hij was knapper dan goed voor hem was. Maar misschien was hij toch niet zo erg als ze zich hem herinnerde. Hij zou nooit kunnen doorgaan voor een toffe gozer, maar hij had haar tenminste niet herinnerd aan die nacht dat ze op de motorkap van zijn Mustang had gelegen. Het was nu al tien jaar geleden. Misschien was hij wijzer geworden. 'Tot ziens, Nick,' zei ze en zette een stap achterwaarts. Hij salueerde met twee vingers tegen zijn voorhoofd, en ze draaide zich om en liep met de honden weg.

Boven op de kleine heuvel gluurde ze nog een laatste keer over haar schouder. Nick stond er nog net zo als toen ze hem had achtergelaten, naast zijn Jeep met de armen over elkaar. Hij keek haar na. Terwijl ze tussen de hoge dennen van de bosrand verdween, dacht ze weer aan de blondine die hij bij Henry's begrafenis had opgepikt. Misschien was hij wel wijzer geworden, maar ze durfde wedden dat er geen bloed, maar puur testosteron door zijn aderen stroomde.

Duke en Dolores trokken aan hun riemen en Delaney verstevigde haar greep. Ze dacht aan Henry en aan Nick, en vroeg zich opnieuw af of Henry zijn zoon ook in zijn testament had opgenomen. Zou Henry ooit geprobeerd hebben zich met zijn zoon te verzoenen? En wat zou Henry haar hebben nagelaten?

Zou het geld zijn? Heel even stond ze zichzelf toe om te fantaseren over een grote zak geld en wat ze daarmee zou doen. Eerst zou ze haar auto afbetalen. Daarna zou ze een paar schoenen kopen van een exclusief merk, Jimmy Choo of zo. Dolgraag zou ze een paar schoenen van meer dan achthonderd dollar bezitten.

En als Henry haar nu écht een grote zak geld had nagelaten? Dan zou ze haar eigen kapsalon openen. Zonder enige twijfel. Een moderne kapsalon met veel spiegels, marmer en roestvrij staal. Ze droomde nu al een tijdje van een eigen zaak, maar er waren twee grote hindernissen. De eerste was dat ze nog geen plek had gevonden waar ze zich voor langere tijd wilde vestigen. En de tweede was dat ze geen geld had of voldoende onderpand om een lening te krijgen.

Delaney stopte bij de omgevallen boom waar ze eerder overheen was geklommen. Duke en Dolores probeerden eronderdoor te kruipen, maar zij trok aan de riemen en nam de langere weg om de boom heen. Ze wankelde op haar sleehakken over de rotsblokken en haar tenen zaten onder het vuil. Terwijl ze door dicht struikgewas heen ploeterde, dacht ze ineens aan insectenbeten en bloedzuigende teken. Een rilling ging over haar rug en ze duwde de gedachte aan de beruchte vlekkenkoorts van de Rocky Mountains weg. In plaats daarvan dacht ze aan het ontwerp van de perfecte salon waar ze van droomde. Ze zou beginnen met vijf stoelen, en nu zou zíj eindelijk eens degene zijn die de stoelen aan haarstilisten zou verhuren in plaats van andersom. Omdat zij niet van manicuren hield en helemaal de pest had aan pedicuren, zou ze daarvoor iemand kunnen aannemen. Zij zou alleen doen wat ze leuk vond; knippen en styling en haar klanten cappuccino serveren. Voor wassen, knippen en föhnen zou ze om te beginnen 75 dollar vragen. Een mooi starttarief voor haar klanten, dat ze langzaam op zou schroeven. Leve Amerika met het vrijemarktsysteem, waarin iedereen zijn eigen tarieven mocht vaststellen! Die gedachte bracht haar aandacht weer helemaal terug bij Henry en zijn testament.

Hoe meer ze over haar eigen kapsalon fantaseerde, hoe minder ze verwachtte dat Henry haar daadwerkelijk geld had nagelaten. Het lag meer voor de hand dat hij haar iets naliet waar ze niet op zat te wachten.

Toen Delaney voorzichtig de Huckleberry-beek probeerde over te steken, sprongen de honden in het water en spatten haar nat met ijskoud water. Henry kennende, had hij iets bekokstoofd om haar levensvrijheid te beperken. Iets waar ze heel lang last van zou hebben. Zoals twee onhandelbare weimaraners.

Het centrum van Truly kon bogen op twee supermarkten, drie restaurants, vier bars en een onlangs geïnstalleerd verkeerslicht. De Valley View drive-inbioscoop was vijf jaar geleden gesloten vanwege te weinig klandizie, en een van de twee kapsalons, die van Gloria, was een maand geleden gesloten omdat Gloria plotseling was overleden. De vrouw, die aan ernstig overgewicht leed, had een hartaanval gekregen terwijl ze net mevrouw Hillards haar in de shampoo had gezet. De arme mevrouw Hillard was nog steeds niet van de schrik bekomen. Het oude raadhuis stond naast het politiebureau en het kantoor van de boswachterij. Drie kerken streden om de zielen van Truly: de mormoonse, de katholieke en de protestants-christelijke kerk. Er was een nieuw ziekenhuis gebouwd naast de beide scholen. Maar de meest gevierde plek in de stad, Mort's Bar, lag aan de hoofdstraat van het oude gedeelte van Truly, tussen de ijzerhandel en het Panda-restaurant.

Mort's Bar was niet alleen heel geschikt om je vol te laten lopen. Het was een fenomeen, beroemd vanwege het speciale Coors-bier en de collectie geweien. Er hingen geweien van herten, elanden, antilopen en rendieren tegen de muur achter de bar, die tevens plaats bood aan diverse exemplaren gekleurd damesondergoed. Slipjes. Bikini's. Strings. Allemaal gesigneerd en van een datum voorzien door de beschonken eigenaressen. Een aantal jaren geleden had de eigenaar van de kroeg zelfs een jackalope-hoofd opgehangen naast het rendiergewei: een kruising tussen een haas en een antilope. Maar geen enkele respectabele vrouw, dronken of nuchter, peinsde erover om haar slipje aan zo'n idioot fantasiebeest op te hangen. Daarom was de jackalope al snel naar de achterkamer verbannen, waar hij nu boven de flipperkast hing.

Delaney was nog nooit in Mort's Bar geweest. Tien jaar eerder was ze er nog te jong voor geweest. Nu ze achterin in een hoekje een margarita dronk, viel het haar eigenlijk een beetje tegen. Alleen vanwege de geweien achter de bar onderscheidde Mort's Bar zich van andere kroegen in identieke kleine stadjes. Gedimd licht, harde muziek en de overheersende geur van bier. De bezoekers droegen vrijetijdskleding en Delaney voelde zich prima op haar gemak in haar spijkerbroek en T-shirt.

'Heb jij hier ooit je string achtergelaten?' vroeg ze aan Lisa, die tegenover haar op de blauwe vinyl bank zat. Lisa en zij hadden maar een paar minuten nodig gehad om elkaar weer helemaal te vinden na zo'n lange tijd. Ze kletsten alsof ze elkaar nooit uit het oog waren verloren.

'Niet dat ik me kan herinneren,' antwoordde ze, haar groene ogen vol pretlichtjes. Toen ze op de middelbare school zaten was Lisa's warme en volle lach het begin van hun vriendschap geweest. Ze was aanstekelijk zorgeloos en droeg haar bruine haar altijd in een slordige paardenstaart. Delaney daarentegen was altijd gespannen en in de plooi, met haar kapsel perfect in de krul. Lisa was een vrijbuiter, Delaney verlangde ernaar vrijer te zijn. Ze vonden elkaar in muziek en films en in de pittige zusterlijke gesprekken die ze met elkaar voerden. Ze vulden elkaar aan.

Lisa was na haar eindexamen binnenhuisarchitect geworden. Ze had acht jaar in Boise gewoond en gewerkt bij een designer. Toen ze er genoeg van had dat zij al het werk deed en anderen met de eer streken, nam ze ontslag en keerde ze terug naar Truly. Nu runde ze een drukke designzaak vanuit huis.

Delaney nam Lisa's knappe gezicht en rommelige paardenstaart in zich op. Lisa was slim en aantrekkelijk, maar Delaney had mooier haar. Als ze langer in de stad zou blijven zou ze haar vriendins kapsel eens onder handen nemen. Een ander model kon haar ogen wat meer accentueren, en wat blonde plukken rond haar gezicht zouden haar niet misstaan.

'Je moeder vertelde dat je make-upstiliste bent in Scottsdale. Ze zei dat je een beroemde klantenkring hebt.'

Delaney nam een slokje van haar margarita. Het verbaasde haar niets dat haar moeder de zaken weer mooier voorstelde dan ze waren. Gwen vond Delaney's werk maar niks. Misschien herinnerde het haar wel te veel aan de tijd voordat zij Henry was tegengekomen – de tijd waar Delaney nooit over had mogen praten. Gwen had toen de kost verdiend met het kappen van de dansers op de Strip in Las Vegas. Maar Delaney leek in niets op haar moeder. Zij was dol op werken in een kapsalon. Het had haar jaren gekost om erachter te komen welk werk ze het liefst deed. En ze genoot ervan om andermans haren onder haar handen te voelen, ze hield van de geur van shampoo en conditioner, en ze beschouwde een tevreden klant als een grote beloning. En het scheelde natuurlijk ook dat ze er erg goed in was. 'Ik werk als kapster in een kapsalon in Scottsdale, maar ik woon in Phoenix,' zei ze terwijl ze het zout van haar bovenlip likte. 'Ik vind het heerlijk werk, maar mijn moeder schaamt zich ervoor. Ze lijkt het wel gelijk te stellen met prostitutie of zo.'

'Je bent kapster?' Lisa lachte. 'Dat is ook toevallig! Helen Markham heeft ook een kapsalon op Fireweed Lane.'

'Dat meen je niet. Ik kwam haar gisteren nog tegen. Haar haar zat voor geen meter!'

'Ik zei ook niet dat ze er goed in is.'

'Nou, dat ben ik wel,' zei Delaney. Eindelijk had ze eens iets gevonden waarmee ze haar oude aartsrivaal kon verslaan.

Er kwam een serveerster aan met nog twee margarita's. 'Deze krijgen jullie van die meneer daar,' zei ze terwijl ze naar de bar wees. Delaney keek naar de man die ze herkende als een van Henry's vrienden. 'Bedank hem maar namens ons,' zei ze. De serveerster liep terug naar de bar. Ze had nog geen drankje zelf betaald sinds ze vanavond Mort's Bar was binnengekomen. Mannen die ze zich vaag van vroeger herinnerde zorgden voor een niet-aflatende stroom drank. Ze was nu al bezig aan haar derde drankje, en als ze niet uitkeek zou ze in no time stomdronken zijn.

'Weet je nog dat je Helen met Tommy betrapte op de achter-

41

bank van zijn moeders auto?' vroeg Lisa, die ook al een wat glazige blik begon te krijgen.

'Natuurlijk herinner ik me dat! Hij had gezegd dat hij met zijn vrienden naar de bioscoop ging.' Ze dronk haar glas leeg en reikte naar het volgende. 'Ik besloot hem te verrassen. En dat is gelukt.'

Lisa lachte en leegde haar glas. 'Dat was echt lachen.' Delaney lachte met haar mee. 'Toen was het niet zo leuk, natuurlijk, dat uitgerekend Helen Schnupp er met mijn eerste vriendje vandoor ging.'

'Dat is waar, maar eigenlijk heeft ze je een dienst bewezen. Tommy is bijna nooit thuis. Hij is getrouwd met zijn werk. Hij heeft twee kinderen, maar Helen zorgt voor ze.'

'Hoe ziet hij eruit?' vroeg Delaney, alsof ze nu tot de kern van de zaak kwam.

'Nog steeds knap.'

'Shit.' Ze had stiekem gehoopt dat hij al kaal werd. 'Hoe heette die vriend van Tommy ook weer? Weet je nog, die kerel die altijd die John Deere-pet ophad, waar jij zo gek op was?'

Er verscheen een frons tussen Lisa's wenkbrauwen. 'Jim Bush-head.'

Delaney knipte met haar vingers. 'Ja, die. Jij had een tijdje verkering met hem, maar hij dumpte jou voor een griet met een snor en grote tieten.'

'Tina Uberanga. Ze was Baskisch én Italiaans... Arme meid.'

'En jij kon hem maar niet uit je hoofd zetten, ook nadat hij er met die Tina vandoor was gegaan.'

'Niet waar.'

'Wel waar. We moesten van jou minstens vijf keer per dag langs zijn huis fietsen.'

'Echt niet!'

Er verschenen nog meer drankjes op tafel, besteld door weer een andere bekende van Henry. Delaney zwaaide naar hem en richtte zich weer tot haar vriendin. Ze roddelden verder onder het genot van een gestage stroom margarita's. Om halftien keek Delaney op haar horloge. Ze was de tel van haar drankjes kwijt, en haar wangen begonnen wat gevoelloos te worden. 'Ik neem aan dat er nog steeds geen taxi's in Truly rondrijden?' Als ze nu stopte met drinken, had ze nog ruim drie uur de tijd om nuchter te worden totdat de bar dichtging, en zelf naar huis te rijden.

'Nee. We hebben wel eindelijk een tankstation met een winkeltje erbij. Maar dat gaat om elf uur dicht.' Ze wees met haar vinger naar Delaney en zei: 'Jij mag wel blij zijn dat je nu in een echte stad woont met nachtwinkels. Je kunt hier niet midden in de nacht een zak chips of een burrito halen.'

'Ben je dronken?'

Lisa leunde voorover en zei: 'Ja, en weet je wat? Ik ga trouwen.'

'Wat?' riep Delaney uit. 'Jij gaat trouwen en dat zeg je nu pas?'

'Nou, we houden het nog even stil. Hij wil eerst met zijn dochter praten, voordat het algemeen bekend wordt. Maar zij zit tot volgende week in Washington met haar moeder.'

'Wie dan? Wie is het?'

Lisa keek haar recht in de ogen en zei: 'Louie Allegrezza.'

Delaney knipperde een paar keer met haar ogen en barstte toen in lachen uit.

'Dat is een goeie!'

'Het is echt zo.'

'Gekke Louie.' Ze bleef lachen terwijl ze haar hoofd schudde. 'Je houdt me voor de gek.'

'Nee, echt niet! We zijn al acht maanden samen. Vorige week vroeg hij me ten huwelijk. En ik heb ja gezegd. We gaan 15 november trouwen.'

'De broer van Nick?' Haar lach stierf weg. 'Je meent het echt, hè?'

'Ja. Maar we kunnen het nog niet aan de grote klok hangen totdat hij met Sophie gesproken heeft.'

'Sophie?'

'Zijn dochter uit zijn eerste huwelijk. Ze is dertien en gek op haar vader. Als hij het haar vertelt als ze terugkomt, heeft ze nog bijna zes maanden om aan het idee te wennen.'

'Gekke Louie,' zei Delaney verbijsterd. 'Zat hij niet zijn tijd uit in de gevangenis?'

'Nee. Hij doet geen gekke dingen meer.' Ze stopte even en schudde haar hoofd. 'Trouwens, zo gek deed hij nu ook weer niet.'

Delaney vroeg zich af of haar vriendin de afgelopen tien jaar een keer op haar hoofd was gevallen en sindsdien aan geheugenverlies leed. 'Lisa, hij heeft een auto gestolen toen hij op de lagere school zat.'

'Nee. Wíj zaten op de lagere school. Hij zat al op de middelbare school. En in alle eerlijkheid, hij was juist onderweg om de auto weer terug te brengen toen hij per ongeluk de stoeprand raakte en over de kop sloeg bij dat bankje bij de supermarkt.' Lisa haalde haar schouders op. 'Hij zou zelfs niet eens gepakt zijn als hij niet was uitgeweken voor die hond van de familie Olssen, Bucky.'

Delaney knipperde met haar ogen om helder na te kunnen denken. 'Geef je nu Bucky de schuld?'

'Die stomme hond liep altijd los.'

Alle honden liepen los in Truly. 'Ik kan gewoon niet geloven dat je die arme hond de schuld geeft. Je moet wel heel verliefd zijn.'

Lisa glimlachte. 'Ben ik ook. Ken je dat, dat je zo verliefd bent dat je gewoon in een man wilt wegkruipen en daar blijven?'

'Jawel,' gaf Delaney toe, een beetje jaloers. 'Maar dat duurt altijd maar even.'

'Jammer dat je zo ver weg woont. Ik zou je zeker uitnodigen om erbij te zijn. Weet je nog dat we hadden afgesproken dat we elkaars bruidsmeisje zouden zijn?'

'Ja.' Delaney zuchtte. 'Ik zou met Brad Pitt trouwen en jij met Leonardo DiCaprio.'

'Ja. En nu is Brad Pitt eindelijk getrouwd.' Lisa zuchtte ook. 'Hoe vaak hebben we het daar niet over gehad!'

'Zeker honderd keer. En nu is ie voorgoed ingepikt door Angelina Jolie. Weet je nog...' begon Delaney, maar de stem van de barman klonk door de ruimte.

'Laatste ronde!' riep hij.

Delaney keek weer op haar horloge. 'Nu al? Het is nog geen tien uur.'

'Het is zondag,' zei Lisa. 'Op zondag gaan de bars in Truly om tien uur dicht.'

'Maar we kunnen allebei niet rijden nu,' zei Delaney paniekerig. 'Hoe komen we nu thuis?'

'Louie haalt me zo op. Hij hoopt waarschijnlijk dat ik dronken ben en er wel zin in heb,' knipoogde Lisa veelbetekenend. 'Ik weet zeker dat hij jou ook wel even thuis wil brengen.'

Delaney zag haar moeders ontstelde gezicht al voor zich, als ze gekke Louie Allegrezza de oprijlaan op zou zien rijden. Delaney glimlachte bij de gedachte en wist nu zeker dat ze iets te veel margarita's ophad. 'Oké, als je denkt dat hij dat geen probleem vindt.'

Maar het was niet Louie die even later de bar binnenstruinde alsof hij zelf de eigenaar was. Het was Nick. Hij had een geruit flanellen overhemd over zijn T-shirt heen aangetrokken. Het overhemd was niet dichtgeknoopt en de uiteinden hingen losjes omlaag. Delaney zakte onderuit in haar stoel. Dronken of nuchter, ze was niet in de stemming om hem onder ogen te komen. Ook al had hij het nog niet gehad over hun gênante ontmoeting van tien jaar geleden, ze durfde er niet op te vertrouwen dat hij het voor zich zou houden.

'Nick!' riep Lisa hem toe over de bar. 'Waar is Louie?'

Hij keek in hun richting en staarde naar Delaney terwijl hij naar hen toe liep. 'Nog aan de telefoon met Sophie. Ze belde nogal overstuur op,' legde hij uit terwijl hij naast hun tafel kwam staan. Hij wachtte even en richtte toen zijn aandacht op zijn toekomstige schoonzus. 'Hij vroeg of ik je even op wilde halen.' Lisa stond op. 'Wil je Delaney ook even thuis afzetten?'

'Nee, dat hoeft niet,' zei Delaney snel. Ze pakte haar gehaakte tas en stond op. 'Ik kom zelf wel thuis.' De ruimte om haar heen begon te draaien, en ze zocht met een hand steun tegen de muur. 'Zo dronken ben ik nu ook weer niet.'

Nick fronste met zijn wenkbrauwen. 'Je bent ladderzat!'

'Ik stond gewoon een beetje te snel op,' zei ze en zocht in haar beige tas naar haar mobiele telefoon. Ze moest haar moeder bellen. Uiteraard deed ze dat liever niet, maar als haar moeder van

Louie al van streek zou raken, zou ze van Nick helemaal over de rooie gaan.

'Je kunt niet rijden,' drong Lisa aan.

'Dat was ik ook niet van pl... hé!' riep ze uit naar Nick toen ze hem weg zag lopen met haar tas in zijn hand. Iedere man zou met zo'n beige damestas voor homo doorgaan, maar Nick niet.

Lisa en zij volgden hem de deur uit de donkere avond in. Ze hoopte dat haar moeder al in bed zou liggen. 'Wat is het koud,' sputterde ze terwijl ze de kille berglucht door haar kleren heen voelde. Ze sloeg haar armen over elkaar en moest bijna over de stoep rennen om Nick bij te houden die met grote stappen voor hen uit liep. Ze was de zomeravonden in de bergen van Idaho niet meer gewend. In Phoenix bleven de zomeravonden heerlijk warm. Alleen al daarom kon ze bijna niet wachten om weer terug te gaan.

'Zo koud is het nou ook weer niet,' zei Lisa terwijl ze langs Delaney's gele sportauto liepen. 'Je bent een watje geworden.'

'Jij bent veel meer een watje dan ik. Altijd al geweest. Weet je nog dat je maar liefst drie uur hebt zitten huilen toen je van het klimrek gevallen was in groep zes?'

'Ik was op mijn stuitje gevallen.'

Ze stopten bij Nicks zwarte Jeep. 'Zo'n pijn deed het heus niet. Je was gewoon een zeurpiet.'

'Ik hoefde tenminste niet te janken toen ik op de middelbare school een kikker moest ontleden.'

'Ja, maar toen had ik kikkeringewanden in mijn haar gekregen,' verdedigde Delaney zich. 'Iedereen gaat huilen van kikkeringewanden in zijn haar.'

'Wel godallemachtig, jezus en maria.' Nick zuchtte als een afgematte priester en opende de portier van de auto. 'Waar heb ik dit nu weer aan te danken?'

Lisa klapte de rugleuning van de passagiersstoel naar beneden. 'Ongetwijfeld iets zondigs,' zei ze en klom op de achterbank.

Nick lachte en klapte de leuning weer terug voor Delaney. Als een echte gentleman hield hij de deur voor haar open. Misschien was haar beoordelingsvermogen wat minder door al die drank, maar hij leek wel veranderd. Ze keek naar hem. Hij stond half in

46

de schaduw en alleen de helft van zijn gezicht werd verlicht door de straatlantaarn. Ze wist maar al te goed dat hij met zijn charme iedere vrouw zover kon krijgen om uit de kleren te gaan. Een paar keer in haar leven was hij bijzonder aardig voor haar geweest. Zoals die keer dat ze als tienjarige uit de supermarkt was gekomen met een groot pak kauwgom en ze een lekke band bleek te hebben. Nick had erop gestaan om helemaal naar haar huis te lopen met haar fiets aan de hand. Hij had zijn snoep met haar gedeeld, en zij had hem kauwgom gegeven. Misschien was hij echt wel veranderd en een aardige kerel geworden. 'Dank je wel vast, voor het thuisbrengen, Nick.' Of nog beter, misschien was hij die ergste nacht van haar leven wel vergeten. Misschien was hij vergeten dat zij zich voor zijn ogen volledig had laten gaan.

'Graag gedaan.' Een glimlach krulde zijn sensuele lippen en hij gaf haar haar tas terug. 'Wilde bosmeid.'

Hoofdstuk 3

Delaney ritste haar koffer dicht en keek nog een keer de slaapkamer rond. Er was niets veranderd sinds de dag dat ze hier tien jaar geleden was vertrokken. Het behang met de roosjes, de bank met het kantje erlangs en haar verzameling cd's waren hetzelfde gebleven. Zelfs de fotootjes rondom haar spiegel hingen er nog. Haar spulletjes waren bewaard, voor haar, en hoewel het de bedoeling was dat ze zich hierdoor welkom en op haar gemak zou voelen, beklemde het haar. Alles benauwde haar hier. Ze wilde weg.

Het enige wat ze nog moest doen was aanwezig zijn bij het voorlezen van het testament. En natuurlijk aan haar moeder vertellen dat ze wegging. Gwen zou haar best doen om op Delaney's schuldgevoel in te spelen. Ze keek niet bepaald uit naar die confrontatie.

Ze verliet de slaapkamer en liep naar beneden, naar Henry's studeerkamer, waar het testament zo meteen werd voorgelezen. Ze had zich makkelijk gekleed in een maxi-jurk van zachtblauw tricot en aan haar voeten droeg ze haar hoge houten klompjes die ze makkelijk uit kon schoppen tijdens het rijden.

Bij de ingang van de studeerkamer werd ze begroet door een oude vriend van Henry, Frank Stuart, alsof hij portier was bij het Ritz-Carlton Hotel. 'Goedemorgen, miss Shaw,' zei hij toen ze binnenliep. Max Harrison, Henry's advocaat, zat achter het grote bureau en keek op toen Delaney binnenkwam. Ze schudde zijn hand en sprak even kort met hem, voordat ze naast haar moeder plaatsnam.

'Op wie wachten we nog?' vroeg ze, wijzend op de lege stoel naast haar.

'Nick.' Gwen zuchtte en frunnikte aan het driedubbele parelsnoer om haar hals. 'Hoewel ik niet kan bedenken wat Henry hem na zou kunnen laten. Hij heeft de afgelopen jaren talloze pogingen tot verzoening gedaan, maar Nick is op geen enkele manier op zijn vaders verzoek ingegaan.'

Dus Henry had geprobeerd het goed te maken. Het verbaasde haar amper. Ze had altijd gedacht dat hij zich uiteindelijk zou richten op de zoon die hij altijd had genegeerd, omdat het hem niet was gelukt een wettige erfgenaam te krijgen met Gwen.

Nog geen minuut later kwam Nick de kamer binnen. Hij zag er bijna respectabel uit in een donkergrijze corduroy broek en een zijden polo in dezelfde kleur als zijn ogen. Nu had hij zich wel gekleed voor de gelegenheid, in tegenstelling tot de begrafenis. Zijn haar zat strak naar achteren en hij had zijn oorringetje uit gelaten. Hij liet zijn blik door de kamer dwalen en ging toen op de stoel naast Delaney zitten. Ze keek naar hem vanuit een ooghoek, maar hij keek recht voor zich uit, met zijn handen op zijn benen rustend en zijn benen iets uit elkaar. De geur van zijn aftershave prikkelde haar neus. Ze had hem niet meer gesproken sinds hij haar de avond ervoor voor wilde bosmeid had uitgemaakt. Ze had hem kunnen ontlopen tot ze weer thuis was bij haar moeder, en nu voelde ze zich even machteloos als vroeger. Ze had op dit moment geen behoefte om een praatje aan te knopen met die eikel.

'Hartelijk dank voor jullie komst,' begon Max en trok daarmee de aandacht van Delaney. 'Om tijd te besparen verzoek ik jullie je vragen te bewaren tot ik klaar ben.' Hij schraapte zijn keel, legde de documenten voor hem recht neer en begon met zijn zalvende advocatenstem: 'Ik, Henry Shaw, uit Truly, in de Valley County, in de staat Idaho, maak hierbij mijn laatste wil en testament op, waar- bij alle eerdere testamenten en aanvullingen komen te vervallen.

Artikel I: Ik benoem mijn oude vriend Frank Stuart tot execu- teur testamentair. Daarmee zijn alle andere aanspraken hiertoe nietig verklaard.'

Delaney staarde naar een punt achter Max' hoofd en luisterde met een half oor naar het deel van het testament dat handelde over de taken van de executeur testamentair. Ze gaf niets om die taken. Ze was bezig met belangrijker zaken, zoals haar moeder die naast haar zat, en Nick aan haar andere zij. Die twee hadden een vreselijke hekel aan elkaar. Dat was altijd al zo geweest en de spanning in de ruimte was nu te snijden.

Nicks schouder veegde langs die van Delaney toen hij zijn ellebogen op de stoelleuning legde. Zijn hemd streek even langs haar blote huid. Delaney dwong zichzelf doodstil te blijven zitten, alsof de aanraking niet had plaatsgevonden, alsof ze de zachte textuur van de hemdsmouw niet had gevoeld.

Max was inmiddels bij dat deel van het testament aanbeland waarin Henry's oudste werknemers van de Moose Lodge en zijn broers werden bedeeld. Toen zweeg hij even en Delaney richtte haar blik weer op hem. Nauwlettend keek ze toe hoe hij een pagina omsloeg voordat hij verderging. 'Artikel III: (A) Ik vermaak de helft van mijn bezittingen, mits niet op andere wijze vergeven, tezamen met mijn nog lopende verzekeringen daaromtrent aan mijn vrouw Gwen Shaw. Gwen was een uitstekende echtgenote en ik hield zielsveel van haar.

(B) Aan mijn dochter, Delaney Shaw, vermaak ik de andere helft van mijn bezittingen, mits niet op andere wijze vergeven, op die voorwaarde dat zij gedurende één jaar binnen de stadsgrenzen van Truly, Idaho, zal verblijven en niet zal vertrekken, zodat zij voor haar moeder kan zorgen. Dit jaar zal ingaan na lezing van het testament. Als Delaney weigert in te stemmen met deze voorwaarden, dan zal het erfdeel zoals besproken in dit Artikel III (B) komen te vervallen aan mijn zoon, Nick Allegrezza.'

'Wat betekent dit?' onderbrak Delaney hem. Het enige wat haar weerhield om uit haar stoel op te staan was de hand van haar moeder op haar arm.

Max keek even op, maar richtte zich al spoedig weer op het document voor hem. '(C) Aan mijn zoon Nick Allegrezza vermaak ik de bezittingen die bekendstaan als Angel Beach en Silver Creek, om daarmee te doen wat hij wil, onder de voorwaarde dat hij gedurende één jaar geen seksuele betrekkingen zal aangaan met Delaney Shaw. Als Nick weigert aan deze voorwaarde te voldoen dan zal het bovengenoemde bezit vervallen aan Delaney Shaw.'

Delaney zat stokstijf en als verdoofd in haar stoel, het leek alsof ze was getroffen door een taserpistool. Ze voelde een blos over haar gezicht trekken en het leek alsof haar hart was opgehouden met kloppen. De stem van Max ging nog even door, maar Delaney was te verward om ernaar te luisteren. Het was te veel om te bevatten en ze begreep het meeste van wat er was voorgelezen niet. Behalve het deel waarin het Nick werd verboden 'seksuele betrekkingen' met haar te hebben. Dat was een klap in het gezicht van hen beiden geweest. Een herinnering aan het verleden, toen Nick haar had gebruikt om Henry een hak te zetten en ze hem had gesmeekt dat te doen. Zelfs na zijn dood wilde Henry haar daarvoor nog straffen. Ze schaamde zich zo dat ze ter plekke wilde sterven. Ze vroeg zich af hoe Nick erover dacht, maar durfde niet naar hem te kijken.

De jurist was klaar en keek op. Het bleef akelig stil in het kantoor en het duurde zeker tien seconden voor iemand sprak. En toen stelde Gwen de vraag die iedereen op de lippen brandde.

'Is dat wettelijk en juridisch in orde?'

'Ja,' antwoordde Max.

'Dus ik krijg onvoorwaardelijk de helft van zijn bezittingen, maar Delaney moet, om haar erfdeel te krijgen, een jaar in Truly blijven?'

'Inderdaad.'

'Wat belachelijk,' snoof Delaney, die haar best deed Nick te vergeten en zich te concentreren op haar eigen erfdeel. 'We leven in moderne tijden. Henry kan wel denken dat hij God is, maar dit snijdt juridisch toch geen hout.'

'Ik verzeker je dat het wel zo is. Om jouw erfdeel te kunnen krijgen moet je voldoen aan de voorwaarde uit het testament.'

'Vergeet het maar.' Delaney stond op. Haar koffers waren al gepakt. Deze controle van Henry, vanuit zijn graf, ging haar te ver. 'Ik geef mijn erfdeel wel aan moeder.'

'Dat kan niet. Het is voorwaardelijk. Jij krijgt pas jouw erfdeel als je voldoet aan de voorwaarde dat je een jaar in Truly blijft. Tot na die voorwaardelijke periode wordt de nalatenschap voor jou beheerd. Dus je kunt, kort gezegd, niet aan je moeder geven wat je niet in bezit hebt. En als je besluit het testament niet te aanvaarden, dan gaat jouw deel van de nalatenschap naar Nick, niet naar Gwen.'

En als Delaney dat zou doen, zou haar moeder haar vermoorden. Maar dat kon Delaney niets schelen. Ze ging haar ziel en zaligheid niet verkopen om haar moeder te sparen. 'En wat als ik het testament aanvecht?' vroeg ze, licht wanhopig.

'Je kunt een testament niet aanvechten omdat de voorwaarden je niet bevallen. Je moet wettelijke gronden hebben, zoals fraude of aannemelijke redenen dat iemand niet toerekeningsvatbaar was.'

'Nou, da's duidelijk dan.' Delaney straalde opluchting uit. 'Het is duidelijk dat Henry ontoerekeningsvatbaar was.'

'Ik ben bang dat de rechter daar anders over denkt. De voorwaarde moet aantoonbaar ongegrond zijn of tegen jurisprudentie indruisen, en dat is geen van beide het geval. Hij kan grillig worden genoemd, maar het is in overeenstemming met de wetgeving. Het feit is, Delaney, dat jouw erfdeel wordt geschat op drie miljoen dollar. Henry maakt van jou een zeer rijke jonge vrouw. Het enige wat je hoeft te doen is een jaar lang in Truly wonen en geen enkele rechtbank gaat die voorwaarde nietig verklaren. Je kunt hem aanvaarden of weigeren. Zo simpel is het.'

Delaney zakte in elkaar op haar stoel, happend naar adem. *Drie miljoen*! Ze had gedacht dat het om een paar duizend dollar zou gaan.

'Als je het testament aanvaardt,' ging Max verder, 'dan krijg je een maandelijkse toelage waarmee je in je levensonderhoud kunt voorzien.'

'Wanneer heeft Henry dit testament opgemaakt?' wilde Gwen weten.

'Twee maanden geleden.'

Gwen knikte, alsof dat alles verduidelijkte. Maar dat was niet zo, niet voor Delaney tenminste.

'Heb jij nog vragen, Nick?' vroeg Max.

'Ja. Staat een keertje neuken al gelijk aan seksuele betrekkingen?'

'O, mijn god,' Gwen hapte naar adem.

Delaney balde haar handen tot vuisten en keek hem aan. Uit zijn grijze ogen straalde woede en zijn mond stond strakgespannen. Dat snapte Delaney; zij was ook laaiend. Ze staarden elkaar aan, als twee strijders die snakten naar een knokpartij. 'Jij,' zei ze, haar neus optrekkend en naar hem kijkend alsof hij iets smerigs onder haar mooie schoenen was, 'bent een smeerlap.'

'En hoe zit het met orale seks?' vroeg Nick, met zijn blik strak op Delaney gericht.

'Eh... Nick,' begon Max aarzelend. 'Ik geloof niet dat we–'

'Ik geloof van wel,' onderbrak Nick hem. 'Het was duidelijk dat Henry daarmee worstelde. Anders had hij het er niet over gehad in zijn testament.' Hij richtte zijn felle blik nu op de advocaat. 'Ik denk dat we goed moeten weten hoe het in elkaar steekt, zodat er geen verwarring ontstaat.'

'Ik ben niet verward,' maakte Delaney hem duidelijk.

'Zo vind ik bijvoorbeeld,' ging Nick onverstoorbaar verder, 'een onenightstand niet hetzelfde als seksuele betrekkingen. Het is niet meer dan twee naakte lichamen dicht tegen elkaar aan, helemaal bezweet, die genieten van elkaar. En 's ochtends sta je weer alleen op. Geen beloftes om je aan te moeten houden. Geen ontbijtje samen. Alleen maar seks.'

Max schraapte zijn keel. 'Ik geloof dat het Henry's bedoeling is helemaal geen seksueel contact te hebben.'

'Hoe kun je dat nou weten?'

Delaney wierp hem een woedende blik toe. 'Nogal makkelijk. Ik zou nooit van mijn leven seks met jou willen.'

Hij keek naar haar met een sceptisch opgetrokken wenkbrauw.

'Nou,' wierp Max tussenbeide, 'als executeur-testamentair is het Frank Stuarts taak om te controleren of aan de voorwaarden wordt voldaan.'

Nick wendde zich vervolgens tot de executeur, die achter in de kamer stond. 'Ga je me nu bespioneren, Frank? Door mijn ramen turen?'

'Nee, Nick. Ik geloof je op je woord als jij zegt dat je instemt met de voorwaarden van het testament.'

'Ik weet het niet hoor, Frank,' zei hij en keek weer naar Delaney.

Zijn blik bleef hangen op haar mond en daalde vervolgens af naar haar hals en borsten. 'Het is wel een lekker ding. Wat als ik mezelf niet kan beheersen?'

'Hou onmiddellijk op!' Gwen stond op en wees naar Nick. 'Als Henry hier was geweest, zou jij je niet zo gedragen. Als Henry hier was geweest, zou je meer respect tonen.'

Hij keek Gwen aan en stond op. 'Als Henry hier was geweest, had ik hem een schop onder zijn kont gegeven.'

'Hij was je vader!'

'Hij was niet meer dan een spermadonor,' zei hij spottend, waarna hij zich naar de deur begaf en zich omdraaide voor een laatste oneliner voordat hij definitief vertrok: 'Gelukkig voor ons allemaal bleef het bij één ongelukje.' Het was een poosje muisstil.

Pas nadat ze de voordeur dicht hoorden vallen zei Gwen: 'Laat het maar aan Nick over om een onplezierig sfeertje te creëren. Henry probeerde het goed te maken, maar Nick wees hem keer op keer af. Ik denk dat het komt omdat hij jaloers is op Delaney. Zijn gedrag hier vandaag bewijst dat maar weer eens, vinden jullie ook niet?'

Delaney's hoofd begon te bonzen. 'Ik weet het niet.' Ze bracht haar handen naar haar wangen. 'Ik heb nooit begrepen waarom Nick zich zo gedraagt.' Nick was altijd al een mysterie voor haar geweest, al toen ze nog klein waren. Hij was compleet onvoorspelbaar en ze had nooit geprobeerd zijn gedrag te begrijpen. De ene dag deed hij alsof hij haar aanwezigheid nauwelijks kon verdragen, en de andere zei hij iets aardigs tegen haar of zorgde ervoor dat de jongens op school haar niet langer plaagden. En net als ze ging denken dat hij wel aardig was, deed hij iets volkomen onverwachts zodat ze totaal van haar à propos was. Zoals vandaag, en die keer dat hij haar in haar gezicht had geraakt met een sneeuwbal. Dat was in de derde geweest. Ze stond voor school te wachten tot haar moeder haar kwam ophalen. Ze wist nog dat ze van een afstandje toekeek hoe Nick en zijn vriendjes een sneeuwfort bouwden, bij de vlaggenmast. Ze kon zich zijn dikke zwarte haar en die donkere huid nog goed herinneren; het stak scherp af tegen al die sneeuw. Hij droeg een donkerblauwe trui met leren opzetstukken en zijn wangen waren rood van de kou. Ze had naar hem gelachen en hij had een sneeuwbal naar haar gegooid waardoor ze bijna bewusteloos raakte. Ze moest de volgende dag naar school met twee blauwe ogen, die vervolgens alle kleuren van de regenboog kregen voordat ze weer wegtrokken.

'Wat nu?' vroeg Gwen, waarmee ze Delaney terughaalde naar het heden.

'Als niemand het testament bestrijdt kunnen we redelijk snel verdergaan.' Max keek naar Delaney. 'Ben jij van plan het te bestrijden?'

'Wat is het nut? Je hebt al duidelijk gemaakt dat ik niet onder Henry's voorwaarde uit kan, of ik kan de erfenis vergeten.'

'Dat klopt.'

Ze had kunnen weten dat Henry voorwaarden zou stellen. Ze had kunnen weten dat hij zou proberen haar de zaak te laten overnemen, om alles en iedereen nog vanuit zijn graf te bestieren. Er bleven haar twee opties over. Het geld of haar ziel. Een halfuur geleden zou ze gezegd hebben dat haar ziel niet te koop was, maar dat was voordat ze de prijs had gehoord. Een halfuur geleden had alles zo duidelijk geleken. Nu was alles vaag en onscherp en wist ze niet meer wat ze moest denken.

'Kan ik Henry's bezittingen verkopen?'

'Zodra ze wettelijk van jou zijn.'

Drie miljoen dollar in ruil voor een jaar van haar leven. Daarna kon ze doen en laten wat ze wilde. Sinds ze Truly tien jaar geleden had verlaten, was ze nooit lang ergens gebleven. Ze werd altijd rusteloos na een tijdje, kon nergens lang blijven. Zodra ze voelde dat het tijd werd om te vertrekken, had ze haar biezen alweer gepakt. Met al dat geld kon ze overal heen waar ze maar wilde. Alles doen wat ze wilde, misschien zelfs een plekje vinden dat ze thuis kon noemen.

Het laatste wat ze wilde, was terug naar Truly verhuizen. Ze zou knettergek worden van haar moeder. Ze zou wel gek zijn om een jaar lang hier te blijven.

Ze zou wel gek zijn als ze het deed.

Hij stopte de Jeep op een paar meter van de verbrande ruïne van wat eens een grote boerenschuur was geweest. Het vuur was zo heet geweest dat het gebouw was ingestort, een hoopje onduidelijke resten achterlatend. Links herinnerde slechts een zwartgeblakerd staketsel, een hoop as en wat glasscherven, aan wat eens Henry's tuigschuur was geweest.

Nick zette de pook in P en draaide het contact uit. Hij durfde er heel wat om te verwedden dat die ouwe niet opzettelijk zijn paarden had verbrand. Hij was er die ochtend bij geweest toen de lijkschouwer de resten van Henry's lijk uit de brandende puinhopen had gehaald. Nick had niet verwacht dat hij er iets bij zou voelen. Hij was verrast toen dat wel het geval bleek.

Op de vijf jaren na dat Nick had gewoond en gewerkt in Boise, had hij in hetzelfde stadje gewoond als zijn vader, maar ze hadden elkaar volkomen genegeerd. Pas toen hij en Louie hun aannemersbedrijf hadden verhuisd naar Truly, had Henry besloten Nick eindelijk als zijn zoon te erkennen. Gwen was net veertig geworden en Henry had zich er inmiddels bij neergelegd dat hij met haar samen geen kinderen zou krijgen. De tijd begon te dringen en dus richtte hij zijn pijlen op zijn enige zoon. Tegen die tijd was Nick achter in de twintig en toonde hij geen enkele belangstelling zich te verzoenen met de man die altijd had geweigerd hem te erkennen. Wat hem betreft kwam Henry's plotselinge belangstelling veel te laat.

Maar Henry was vastbesloten. Hij bleef aandringen bij Nick door hem geld of onroerend goed aan te bieden. Hij bood hem duizenden dollars om zijn naam in Shaw te veranderen. Toen Nick weigerde verdubbelde Henry het aanbod. Dat was het moment waarop Nick zei dat hij het aanbod in zijn reet kon schuiven.

Hij bood Nick een deel van zijn bedrijf aan als hij zich zou gedragen als de zoon die Henry voor ogen had. 'Kom langs om te eten,' alsof dat een heel leven van gebrek aan belangstelling goed kon maken. Nick wees het voorstel af.

Uiteindelijk ontstond er toch een soort van stroeve verstandhouding. Nick bracht de beleefdheid op om naar zijn vaders voorstellen te luisteren, voordat hij ze afwees. Zelfs nu nog moest Nick toegeven dat enkele van die voorstellen zeer aantrekkelijk waren geweest. Toch kon hij ze makkelijk van de hand wijzen. Henry beschuldigde hem van koppigheid, maar het was eerder gebrek aan belangstelling. Het kon Nick niets meer schelen, zelfs als het een aanlokkelijk aanbod was. Alles had zijn prijs. Niets was gratis. Er zat altijd een addertje onder het gras.

Tot zes maanden geleden. In een laatste poging de kloof tussen hen beiden te overbruggen had Henry Nick bedacht met een buitengewoon gulle gift. Een zoenoffer, zonder voorwaarden. Hij overhandigde hem gewoon de eigendomsakte voor Crescent Bay. 'Zodat mijn kleinkinderen voor altijd van het mooiste strand van Truly kunnen genieten,' zo zei hij.

Nick nam het cadeau aan en binnen een week had hij een plan ingediend bij de gemeente om er een reeks appartementen te bouwen. Het voorlopige plan werd opvallend snel goedgekeurd, voordat Henry er lucht van kreeg en het kon torpederen. Dat die ouwe het pas hoorde toen het al beklonken was, was ongelooflijke mazzel.

Henry was razend geweest. Maar daar was hij vrij snel overheen, omdat er iets was wat hij nog liever wilde. Hij wilde het enige wat Nick hem kon geven: een kleinkind. Een directe afstammeling. Henry had geld en bezit en prestige, maar tijd had hij niet meer. De diagnose was dat hij leed aan prostaatkanker in een vergevorderd stadium. Hij wist dat hij zou sterven.

'Kies gewoon een vrouw,' had Henry maanden geleden verordonneerd, toen hij Nicks kantoor in het centrum was binnen komen stormen. 'Het zou jou toch moeten lukken iemand zwanger te maken. God weet dat je vaak genoeg geoefend hebt.'

'Ik zei toch al dat ik nooit een vrouw heb ontmoet die ik graag zou trouwen.'

'Je hoeft niet te trouwen, verdomme.'

Nick had er geen trek in voor iemand anders een bastaardkind te maken en hij had er de pest over in dat Henry dat van hem, zijn eigen bastaardzoon, verlangde. Alsof dat niets was.

'Dit doe je gewoon om mij dwars te zitten. Ik laat alles aan jou

57

na als ik dood ben. Alles. Ik heb al met mijn advocaat gesproken. Ik zal Gwen iets nalaten zodat ze mijn testament niet kan aanvechten, maar jij krijgt de rest. En het enige wat je hoeft te doen is zorgen dat je een vrouw zwanger maakt voordat ik doodga. Als jij niet kunt kiezen, zoek ik wel een meisje voor je uit. Iemand van goede komaf.'

Nick had hem de deur gewezen.

Zijn mobiel, op de stoel naast hem, ging over. Maar hij negeerde het geluid. Hij had er niet van opgekeken toen hij hoorde dat Henry's doodsoorzaak een schotwond was geweest, en niet de brand. Hij wist dat het snel achteruitging met Henry en Nick zou hetzelfde gedaan hebben.

Sheriff Crow was degene geweest die Nick had verteld van Henry's zelfmoord, maar slechts weinigen wisten de waarheid. Gwen wilde het zo. Henry was ertussenuit gepiept onder zijn eigen voorwaarden, maar niet voordat hij een testament had opgesteld met vreselijke voorwaarden.

Nick had al gedacht dat Henry iets uit zou halen met dat testament, maar hij had nooit verwacht dat Henry een eis zou stellen met betrekking tot wat Nick wel of niet zou uitspoken met Delaney. Waarom met haar? Er begon iets te knagen aan zijn geweten, helemaal aan het randje, omdat hij wel wist wat het antwoord was. Het klonk afschuwelijk, maar het leek erop dat Henry de moeder van zijn kleinkind al had uitgezocht.

Om redenen waarop hij niet al te diep wilde ingaan, had Delaney altijd heibel veroorzaakt voor hem. Vanaf het begin. Zoals die keer dat ze voor de school had staan wachten. Gekleed in een mooie blauwe jas met een witte bontkraag. Haar glanzende blonde krullen omlijstten haar gezicht. Haar grote bruine ogen hadden hem aangekeken, een lief glimlachje om haar roze lippen. Hij had het er benauwd van gekregen. Toen had hij, voordat hij zich realiseerde wat hij deed, een sneeuwbal gemaakt en deze keihard tegen haar hoofd aan gegooid. Hij wist niet waarom hij dat had gedaan, maar het was de enige keer geweest dat hij een pak slaag had gekregen van zijn moeder. Niet omdat hij Delaney had geraakt, maar omdat hij een meisje had geraakt. De volgende keer dat hij haar op school was tegengekomen, had ze eruitgezien als Zorro, met twee donkere kringen onder haar ogen. Hij had haar aangekeken, met een misselijk gevoel in zijn maag, en gewild dat hij naar huis kon hollen om zich te verstoppen. Hij probeerde zijn excuses aan te bieden, maar ze ging er direct vandoor toen ze hem zag. Hij kon het haar niet kwalijk nemen.

Na al die jaren kon ze hem nog steeds raken. Het was de manier waarop ze hem soms aan kon kijken, alsof hij te min voor haar was. Nee, het was nog erger, alsof ze door hem heen keek, alsof hij niet eens bestond. Dan wilde hij haar aanraken en knijpen, gewoon om haar 'au' te laten zeggen.

Het was niet zijn bedoeling geweest haar vandaag te kwetsen of uit te dagen. Nou vooruit, tot ze hem weer die blik van 'je bent te min' had toegeworpen. Als hij daaraan dacht werd hij opnieuw kwaad. Denkend aan Henry en Delaney kreeg hij die rottige prikkeling in zijn nek weer.

Nick startte de auto en reed terug naar de stad. Hij had een paar vragen en Max Harrison was de enige die hem daar antwoord op kon geven.

'Wat kan ik voor je doen?' vroeg de advocaat zodra Nick het ruime kantoor aan de voorkant van het gebouw binnenkwam.

Nick verspilde geen tijd aan prietpraat. 'Is Henry's testament wettelijk in orde of kan ik het bestrijden?'

'Zoals ik je al eerder uitlegde toen ik het testament voorlas, het klopt. Je mag je geld verspillen aan een rechtszaak.' Max keek Nick vermoeid aan en voegde eraan toe: 'Maar je zult het niet winnen.'

'Waarom regelde hij dat zo? Al heb ik mijn vermoedens.'

Max bestudeerde de jongeman in zijn kantoor. Er ging iets onvoorspelbaars en intens schuil achter dat koele uiterlijk. Max mocht Allegrezza niet. De manier waarop hij zich eerder had gedragen stelde hij absoluut niet op prijs. Hij vond het gebrek aan respect dat hij tentoonspreidde ten opzichte van Gwen en Delaney niet door de beugel kunnen – een man mocht niet vloeken in het bijzijn van dames. Maar hij had een nog grotere hekel aan Henry's testament. Hij ging zitten in zijn leren bureaustoel en gebaarde naar Nick tegenover hem plaats te nemen. 'Wat houden die vermoedens in?'

Nick keek Max met zijn onderkoelde blik recht in de ogen en sprak onomwonden: 'Henry wil dat ik Delaney zwanger maak.'

Max overwoog of hij Nick de waarheid zou vertellen. Hij voelde geen genegenheid of loyaliteit tegenover zijn vroegere cliënt. Henry was een moeilijk man geweest en had zijn professionele advies herhaaldelijk in de wind geslagen. Hij had Henry gewaarschuwd dat het testament te grillig en potentieel onrechtmatig zou zijn, maar Henry Shaw wilde alles altijd op zijn eigen manier doen en hij betaalde Max te goed om hem een andere advocaat aan te raden. 'Ik geloof dat dat inderdaad zijn bedoeling was, ja,' antwoordde hij naar waarheid, deels omdat hij zich een beetje schuldig voelde over zijn eigen aandeel.

'Waarom vermeldde hij dat dan niet gewoon in het testament?'

'Henry wilde om twee redenen dat zijn testament zo werd opgesteld. Ten eerste dacht hij dat je geen kind zou willen maken om het geld of de bezittingen. Ten tweede meldde ik hem dat als jij de voorwaarde voor het bezwangeren van een vrouw zou bestrijden, je waarschijnlijk zou winnen vanwege een moreel conflict. Henry dacht dat geen enkele rechter zou denken dat jij enig moreel besef had op het gebied van vrouwen, maar dat het testament bestrijden niet doelmatig was...' Max zweeg even en zag hoe Nicks kaakspieren zich aanspanden. Het deed hem plezier dat hij enige respons zag, al was het weinig. Misschien had deze man toch nog menselijke emoties. 'Er is altijd een kans dat je bij een rechter terechtkomt die de voorwaarde nietig verklaart.'

'Maar waarom Delaney? Waarom geen andere vrouw?'

'Hij had het idee dat jij en Delaney in het verleden stiekem iets hadden gehad,' legde Max uit. 'En hij dacht dat als hij je zou verbieden Delaney aan te raken, je geneigd zou zijn tegen dat verbod in te gaan. Kennelijk heb je dat in het verleden al laten zien.'

Woedend klemde Nick zijn kaken op elkaar. Er was nooit sprake geweest van een geheime verbintenis tussen hem en Delaney. Zo klonk het net als die vervloekte Romeo en die stomme Julia. Wat dat andere betreft, die theorie over de aantrekkingskracht van het verbodene, waarover Max het had gehad, dat was ooit waar geweest. Maar Henry had te hard zijn best gedaan. Nick was geen kind meer en werd niet langer aangetrokken door iets wat hij niet kon hebben. Hij deed geen dingen meer om die ouwe een hak te zetten en hij werd niet langer aangetrokken door een porseleinen popje dat er altijd voor zorgde dat hij op zijn lazer kreeg.

'Dank je,' zei hij en stond op. 'Ik weet dat je me dat niet had hoeven vertellen.'

'Dat klopt. Dat hoefde ook niet.'

Nick schudde Max' uitgestoken had. Hij voelde dat de jurist hem niet graag mocht, maar dat deerde Nick niet.

'Ik hoop dat Henry al die moeite voor niets heeft gedaan,' zei Max. 'Voor Delaney hoop ik dat hij ongelijk krijgt.'

Nick verwaardigde zich niet om daarop te reageren. Hij zou Delaney's deugdzaamheid niet schenden. Hij verliet het kantoor en liep over de stoep naar zijn auto. Hij hoorde zijn telefoon gaan op het moment dat hij het portier opendeed. Meteen daarna hield het geluid op, om even later weer opnieuw te beginnen. Hij startte de auto en reikte naar zijn mobieltje. Het was zijn moeder die van alles over het testament wilde weten en hem eraan herinnerde dat hij bij haar zou komen lunchen. Die herinnering had hij niet nodig. Hij at met Louie een paar keer per week bij zijn moeder. Dan maakte ze zich minder zorgen om hun eetgewoonten en kwam ze niet bij hen thuis langs om hun sokkenlades opnieuw in te ruimen, of erger.

Maar vandaag had hij niet zo'n zin om zijn moeder te zien. Hij wist hoe ze zou reageren op Henry's testament en had eigenlijk geen zin er met haar over te praten. Ze zou gaan tieren en razen en haar woede op iedereen met de achternaam Shaw richten. Al vond hij dat ze heel legitieme redenen had om Henry te haten.

Haar echtgenoot Louis was omgekomen terwijl hij reed op een van Henry's vrachtwagens die hout vervoerden, waardoor zij alleen achterbleef met een zoontje. Een paar weken na Louis' begrafenis was Henry naar haar huis gekomen om haar te troosten. Toen hij later die avond vertrok, had hij de kwetsbare jonge weduwe een document laten ondertekenen, waarmee hij alle verantwoordelijkheid voor de dood van Louis afwees. Daarnaast had hij haar een cheque overhandigd en haar zwanger gemaakt van haar tweede zoon. Toen Nick was geboren had Benita Henry ermee geconfronteerd, maar hij had ontkend dat het kind van hem was. En dat was hij gedurende Nicks leven zolang mogelijk blijven doen.

Hoewel Nick vond dat zijn moeders woede gerechtvaardigd was, verbaasde de kracht van haar tirade, later die dag, hem toch. Ze vervloekte het testament in drie talen: Spaans, Baskisch en Engels. Nick begreep maar de helft van wat ze zei, maar haar boosheid was voornamelijk gericht op Delaney. En hij had haar niet eens verteld over die absurde voorwaarde over seks. Hij hoopte dat dat ook niet nodig zou zijn.

'Die meid!' tierde ze, snijdend in een brood. 'Hij heeft die *neska izugarri* altijd voorgetrokken boven zijn eigen zoon. Ze betekent niets, helemaal niets. En toch krijgt ze alles.'

'Het kan zijn dat ze weggaat,' zei Nick. Het kon hem niet schelen of Delaney bleef of al op weg was naar huis. Hij hoefde Henry's zaak of zijn geld niet. Henry had hem allang het enige gegeven wat hij graag wilde hebben.

'Bah! Waarom zou ze vertrekken? Je oom Josu heeft hier vast ook nog wat over te zeggen.'

Josu Olechea was de enige broer van zijn moeder. Hij was een schapenboer, van de derde generatie, en grootgrondbezitter in de buurt van Marsing. Omdat Benita geen man had, beschouwde ze hem als hoofd van de familie, ook al waren haar zonen volwassen mannen.

'Val hem er nou niet mee lastig,' zei Nick, leunend tegen de koelkast. Toen ze jonger waren, werden hij en Louie door haar altijd in de zomervakantie naar Josu en zijn schaapherders gestuurd, als ze lastig waren of wanneer ze vond dat ze mannelijke aandacht nodig hadden. Dat hadden ze allebei heerlijk gevonden. Tot ze de meisjes ontdekten.

De achterdeur ging open en zijn broer stapte de keuken in. Louie was kleiner dan Nick. Steviger ook, en met de zwarte haren en ogen die hij van zowel zijn moeder als zijn vader had geërfd.

'En,' begon Louie, terwijl hij de hordeur achter zich sloot, 'wat heb je geërfd van die ouwe?'

Nick moest glimlachen en ging rechtop staan. Zijn broer zou het verhaal wel kunnen waarderen. 'Het is geweldig.'

'Hij heeft bijna niets gekregen,' onderbrak zijn moeder hem, waarna ze het gesneden brood naar de eetkamer bracht.

'Hij heeft me Angel Beach en het land bij Silver Creek nagelaten.'

Louie trok zijn forse wenkbrauwen op en er verscheen een glinstering in zijn donkere ogen. 'Godgloeiende,' fluisterde de vierendertigjarige projectontwikkelaar, zodat zijn moeder hem niet hoorde vloeken.

Nick begon te lachen en met zijn tweeën volgden ze Benita naar de eetkamer, waar ze aan de glimmend gepoetste eikenhouten tafel plaatsnamen. Ze keken toe hoe hun moeder het kanten kleedje keurig terugvouwde en weer naar de keuken liep om de lunch te halen.

'Wat ga je neerzetten bij Angel Beach?' vroeg Louie, die geheel terecht aannam dat Nick het land wilde gaan ontwikkelen. Benita kon de waarde van Nicks erfenis misschien niet goed inschatten, maar zijn broer wel.

'Ik weet het nog niet. Ik heb nog een jaar om erover na te denken.'

'Een jaar?'

Benita zette de diepe borden *guisado de vaca* voor haar zoons neer en ging ook zitten. Het was warm buiten en Nick vond stoofvlees eigenlijk niet zo lekker. 'Ik krijg de grond pas als ik een bepaald ding doe. Of eigenlijk, een ding níét doe.'

'Wil hij weer dat je je naam verandert?'

Nick keek op van zijn bord. Zijn moeder en broer staarden hem aan. Hij kon er niet omheen. Ze waren familie en ze geloofden dat familie het door God gegeven recht had hun neus in zijn zaken te steken. Hij brak een stukje brood af en stak het in zijn mond. 'De voorwaarde,' begon hij toen hij het had doorgeslikt, 'is dat ik de grond krijg als ik een jaar lang geen relatie met Delaney aanknoop.'

Langzaam pakte Louie zijn lepel op. 'Een relatie? Hoezo?'

Nick wierp een schuine blik op hun moeder, die hem strak aanstaarde. Ze had het met beide jongens nooit over seks gehad. Ze had het onderwerp zelfs nooit genoemd. Hét gesprek had ze overgelaten aan oom Josu, al wisten de beide jongens Allegrezza tegen die tijd het meeste al. Hij keek weer naar zijn broer en tilde één wenkbrauw op.

Louie nam een hapje stoofvlees. 'En wat gebeurt er als je dat wel doet?'

'Hoe bedoel je dat?' Nicks gezicht betrok en hij keek zijn broer bozig aan, terwijl hij naar zijn lepel reikte. Zelfs als hij gek genoeg was om iets met Delaney te willen, wat niet het geval was, dan was er nog haar haat jegens hem. 'Het klonk alsof je dat wel zag gebeuren.'

Louie zei niets terug. Dat hoefde ook niet. Hij kende Nicks verleden.

'Wat gebeurt er dan?' vroeg zijn moeder, die er niets vanaf wist, maar vond dat ze het recht had alles te weten.

'Dan krijgt Delaney alle grond.'

'Uiteraard. Is het al niet genoeg dat ze alles heeft geërfd waar jij recht op hebt? Nu gaat ze jou belagen om je bezittingen te krijgen, Nick,' voorspelde zijn moeder, bij wie het bloed van achterdochtige en geheimzinnige Baskische voorouders door de aderen stroomde. Haar donkere ogen waren tot spleetjes geknepen. 'Pas maar op voor die meid. Die is net zo inhalig als haar moeder.'

Nick betwijfelde of hij moest oppassen voor Delaney. Gisteravond, toen hij haar naar het huis van haar moeder had gereden, had ze een heel goede imitatie gegeven van een standbeeld, met het maanlicht dat haar profiel in grijze schaduwen hulde, waarmee ze hem liet weten dat ze behoorlijk kwaad was. En na vandaag wist hij vrijwel zeker dat ze hem zou mijden als de pest.

'Beloof het, Nick,' ging zijn moeder verder. 'Ze heeft jou altijd ellende bezorgd. Dus kijk maar uit.'

'Ik pas wel op.'

Louie bromde wat.

Nick keek fronsend naar zijn broer en veranderde met opzet van onderwerp. 'Hoe is het met Sophie?'

'Die komt morgen thuis,' antwoordde Louie.

'Wat een geweldig nieuws.' Benita glimlachte breed en legde een snee brood naast haar bord.

'Ik had gehoopt dat ik iets meer tijd kon doorbrengen met Lisa, voordat ik Sophie over onze trouwplannen kan vertellen,' zei Louie. 'Ik weet niet hoe ze het nieuws zal opvatten.'

'Ze zal zich uiteindelijk wel verzoenen met haar nieuwe stiefmoeder. Het zal allemaal wel goed komen,' voorspelde Benita. Ze mocht Lisa wel, al was ze niet Baskisch en evenmin katholiek, wat inhield dat Louie, tot haar schande, niet in de kerk zou trouwen. Al was Louie al gescheiden en kón hij niet eens meer voor de kerk trouwen. Maar Benita maakte zich nooit zorgen om Louie. Met Louie kwam het wel goed. Om Nick daarentegen was ze wel bezorgd. En helemaal nu die meid terug was. Nu maakte ze zich alleen maar meer zorgen.

Benita haatte iedereen met de achternaam Shaw. Vooral aan Henry had ze een hekel, vanwege de manier waarop hij haar en haar zoon had behandeld, maar die meid haatte ze ook. Net als haar moeder. Jarenlang had ze moeten toekijken, terwijl Delaney rondliep in beeldige kleertjes, terwijl Benita de afdankertjes van Louie moest vermaken voor Nick. Delaney kreeg nieuwe fietsen en nieuw speelgoed, terwijl Nick nooit wat kreeg, hooguit iets tweedehands. En al die tijd dat zij moest aanzien hoe Delaney veel meer kreeg dan een klein meisje nodig had, zag ze ook haar eigen zoon, met zijn trotse schouders en zijn kin in de lucht. Een stoïcijns jongetje. En elke keer dat ze hem zag doen alsof het hem niets kon schelen, raakte ze steeds meer verbitterd.

Benita was trots op haar jongens en hield evenveel van hen allebei. Maar Nick was anders dan Louie. Nick was zo verschrikkelijk gevoelig.

Ze keek naar de andere kant van de tafel waar haar jongste zoon zat. Nick zou altijd haar hart breken.

Hoofdstuk 4

Eigenlijk waren de plastic hondenpoepzakjes in de zak van Delaney's korte broek een mistroostige afspiegeling van haar huidige leven. Shit, meer was het niet. Haar leven stond gelijk aan stront sinds ze haar ziel had verkocht voor geld. En ze had niet de indruk dat daarin de komende elf maanden ook maar iets zou verbeteren. Bijna al haar eigendommen stonden in een opslagruimte in een buitenwijk van Phoenix, en haar meest nabije vrienden waren de twee weimaraners die naast haar liepen.

Delaney had er ongeveer vijf uur over gedaan om een besluit te nemen over het al dan niet accepteren van de voorwaarden in Henry's testament. Een wel heel korte tijd, maar ze had het geld gewoon nodig. Ze had een week dispensatie gekregen om naar Phoenix te gaan en haar baan en woning op te zeggen. Het was moeilijk geweest om zo onverwacht afscheid te moeten nemen van haar vrienden bij Valentina's. En een nog grotere opgave om afscheid te nemen van haar vrijheid. Het was nog maar een maand geleden, maar het voelde alsof ze al een jaar in de gevangenis zat. Ze had geen werk en besteedde nauwelijks aandacht aan haar uiterlijk, omdat ze toch maar bij haar moeder woonde.

De zon brandde op haar hoofd terwijl ze langs Grey Squirrel Lane naar het centrum liep. Toen ze jong was hadden de meeste straten in Truly nog geen naam gehad. Maar tegenwoordig kwamen er steeds meer mensen de zomer in Truly doorbrengen, waardoor de huizenbouw een enorme vlucht had genomen. Sindsdien had de stad zichzelf overtroffen in het bedenken van creatieve straatnamen zoals Woelmuis, Rat en Eekhoorn. De buurt waar Delaney woonde was klaarblijkelijk de knaagdierenbuurt geworden. Lisa trof het misschien iets gunstiger. Haar woning stond in de plantenbuurt.

Maar dat was niet de enige verandering die Delaney was opgevallen. Het bedrijventerrein was zeker drie keer zo groot geworden, en het oude gedeelte had een facelift ondergaan. Om de ware invasie van boten en jetski's te kunnen bedienen waren er twee nieuwe jachthavens bij gekomen, en er waren maar liefst drie nieuwe parken aangelegd. Maar naast al die vernieuwingen waren er nog twee opvallende tekenen dat Truly eindelijk in de eenentwintigste eeuw was beland. De eerste was de Mountain Java espressobar die gevestigd was tussen het makelaarskantoor en de pizzeria. En de tweede was dat de oude houtzagerij was verbouwd tot bierbrouwerij. Beide waren voor Truly's begrippen een enorme verandering. Voordat Delaney de stad had verlaten, dronk men in Truly alleen maar de voor de stad vertrouwde biermerken, Folgers en Coors. En in die tijd had men een latte macchiato geldverspilling genoemd. Als iemand toen alleen al het woord frambozenbier had durven uitspreken, zou hij de stad uitgezet zijn.

Het was 4 juli en de stad hing vol met uitingen van vaderlandsliefde. Overal hingen Amerikaanse vlaggen en alles was met driekleurige linten versierd, van het spandoek met WELKOM IN TRULY tot de totempaal bij Howdy's handelspost, de souvenirwinkel. Later zou natuurlijk de optocht plaatsvinden. In Truly werd ter gelegenheid van bijna elke feestdag een optocht gehouden. Misschien kon ze hier wat in de stad blijven en straks die parade bekijken. Ze had toch niks anders te doen.

Op de hoek van Beaver en Main Street wachtte Delaney op een langsrijdende bus met dagjesmensen. De honden bleven braaf naast haar staan en Delaney beloonde ze met de hondenkoekjes die ze had meegenomen. Het had een aantal frustrerende weken geduurd, maar nu was haar rol als alfahond gevestigd en wisten ze wie er de baas was. Maar ze had er ook alle tijd voor gehad. Ze had de laatste maand niet veel aanspraak, ook al had ze een paar keer wat oude schoolvrienden ontmoet. Die waren alleen allemaal getrouwd en hadden een gezin. Ze vonden het maar vreemd dat zij nog vrijgezel was.

Ze had graag meer tijd met Lisa doorgebracht, maar Lisa was druk met haar werk en haar verloofde; weer twee dingen die

Delaney niet had. Ze zou Lisa graag willen vertellen over Henry's testament en de echte reden waarom ze terug was in Truly. Maar ze durfde niet. Als de bepalingen van het testament bekend werden in Truly zou Delaney's leven in een hel veranderen. Ze zou het kleine beetje vrijheid dat ze nog had helemaal kwijtraken en continu over de tong gaan. En als het gedeelte over Nick bekend zou worden, zou ze waarschijnlijk een eind aan haar leven moeten maken.

Maar voorlopig leek het er eerder op dat ze van verveling zou sterven voordat het jaar om was. Ze bracht haar dag door met talkshows op de televisie. Of ze maakte een wandeling met Duke en Dolores, als smoesje om het huis te ontvluchten, of om zich te onttrekken aan de controle van haar moeder. Sinds Delaney had besloten een jaar in Truly te blijven was Gwen druk bezig geweest met het vormgeven van Delaney's leven. Zo moest Delaney bij dezelfde projecten, organisaties en vergaderingen betrokken zijn als Gwen zelf. Ze was zelfs al zover gegaan dat ze Delaney had opgegeven als voorzitter van een plaatselijk drugscomité. Delaney had beleefd geweigerd. Ten eerste was er niet echt een drugsprobleem in Truly. Ten tweede zou Delaney nog liever aan de marihuana gaan dan dat ze zitting nam in dat comité.

Ze liep met de honden door Main Street en kwam langs een delicatessenzaak en een winkel waar uitsluitend T-shirts werden verkocht. Beide zaken waren net geopend als onderdeel van de vernieuwing in Truly en leken het goed te doen gezien het aantal bezoekers. De zolen van haar touwschoenen sloegen tegen haar hielen terwijl ze langs een klein boekwinkeltje liep. Voor het raam hing een poster met de aankondiging van een dancefestival. De poster verbaasde haar, en ze vroeg zich af wanneer Truly van de country-and-western was overgegaan op dance.

Ze stopte voor een klein gebouw van twee verdiepingen. Het grensde aan de ene kant aan een ijssalon, aan de andere kant aan het kantoor van Aannemersbedrijf Allegrezza. Op de ruit van de winkel op de begane grond stonden de woorden: GLORIA'S KAPSALON: NET EEN PUNTJE EXTRA! KNIPPEN EN STYLEN VOOR $10. Delaney vond de tekst niet echt pleiten voor Gloria's knipkunsten.

Ze krabbelde de honden tussen de oren terwijl ze door het grote raam naar binnen gluurde. Ze zag kunstlederen kapstoelen staan. Het was haar al vaker opgevallen dat de kapsalon gesloten was.

'Hallo, wat doe jij hier?'

Delaney herkende Lisa's stem en draaide zich naar haar om. Het verraste haar niet dat Louie haar vergezelde. Delaney werd nogal zenuwachtig van zijn doordringende blik. Maar misschien kwam dat doordat hij Nicks broer was. 'Ik kijk even bij deze kapsalon naar binnen,' antwoordde ze.

'Ik moet ervandoor, *alu gozo*,' zei Louie terwijl hij zijn hoofd boog om zijn verloofde te kussen. Dat duurde even, en Delaney tuurde omlaag naar een punt tussen Dukes oren. Haar laatste relatie had maar een maand of vier geduurd en was inmiddels meer dan een jaar geleden. Ze kon zich de laatste keer niet herinneren dat een man haar had gekust alsof hij haar op wilde eten, zonder zich druk te maken om eventuele toeschouwers.

'Tot later, Delaney.'

Ze keek op. 'Tot later, Louie.' Ze keek hem na en zag hem het gebouw naast de kapsalon binnengaan. Misschien werd ze wel zenuwachtig van hem omdat hij, net als zijn broer, enorm mannelijk was. Nick was langer en leek wel gebeeldhouwd, als een standbeeld. Louie had meer de bouw van een buffel. Een Allegrezza zou nooit een Versace-sjaal of een minuscuul Speedozwembroekje dragen.

'Wat betekent *alu gozo*?' vroeg ze, hakkelend over de vreemde woorden.

'Zoiets als "lieveling". Louie kan zo romantisch zijn.'

Delaney voelde een onverwacht steekje jaloezie.

'Wat waren jullie aan 't doen?'

Lisa knielde neer naast de honden en aaide ze over hun kop.

'We hebben samen geluncht, en ik bracht hem even terug naar kantoor.'

'Waar hebben jullie gegeten?'

De honden likten Lisa's handen en ze glimlachte. 'Bij mij thuis.'

Nu werd de jaloezie nog heviger. Ze was nog eenzamer dan ze

dacht. Het was 4 juli én vrijdagavond. Ze ging een lang, leeg weekend tegemoet. Ze miste haar vrienden in Phoenix. Ze miste haar drukke leven.

'Goed dat ik je tegenkom trouwens. Wat doe jij vanavond?' vroeg Lisa.

Geen donder, dacht Delaney. 'Ik weet het nog niet.'

'Louie en ik wilden een paar vrienden uitnodigen. Kom je ook? Hij woont op Horseshoe Bay, aan de rand van het meer waar ze vanavond het vuurwerk afsteken. Je kunt het vanaf zijn strand heel mooi zien.'

Delaney Shaw op een feestje bij Louie Allegrezza thuis? De broer van Nick? De zoon van mevrouw Allegrezza? Ze was Benita laatst bij de supermarkt tegengekomen en alles wat ze zich over haar herinnerde was nog hetzelfde. Van niemand ging meer minachting uit dan van Benita Allegrezza. Verachting en arrogantie streden om de voorrang in haar donkere ogen.

'Dank voor de uitnodiging, maar dat kan ik beter niet doen.'

'Lafaard.' Lisa stond op en veegde haar handen af aan haar spijkerbroek.

'Ik ben geen lafaard.' Delaney verplaatste haar gewicht op een been en hield haar hoofd schuin. 'Ik kom gewoon liever niet op plekken waar ik niet welkom ben.'

'Je bent wel welkom. Ik heb het met Louie besproken en hij heeft er niks op tegen als je komt.' Lisa haalde diep adem en zei: 'Hij vertelde dat hij jou wel mag.'

Delaney lachte. 'Leugenaar.'

'Oké, hij zei dat hij jou niet goed kende. Maar als hij je leert kennen weet ik zeker dat hij je aardig vindt.'

'Komt Nick ook?' De belangrijkste voorwaarde om het jaar goed door te komen was om Nick zo veel als mogelijk te vermijden. Hij was lomp en onbehouwen, en herinnerde haar met opzet aan dingen die ze liever wilde vergeten. Ze werd al gedwongen om in dezelfde stad te wonen als hij, maar dat betekende nog niet dat ze gezellig met hem hoefde te doen.

'Nick gaat vanavond met een paar vrienden het meer op, dus hij is er niet bij.'

'En mevrouw Allegrezza?'

Lisa keek haar aan alsof ze een idioot was. 'Natuurlijk niet. Louie nodigt wat collega's van de zaak uit. Sophie is er ook met een paar vriendinnen. We gaan rond zes uur hotdogs en hamburgers eten. Je moet gewoon komen. Wat zou je anders gaan doen?'

'Nou, ik zou naar de optocht gaan kijken.'

'Die is om zes uur al afgelopen. Je wilt toch zeker niet alleen thuis zitten?'

Delaney schaamde zich voor haar zichtbaar lege bestaan. Ze keek naar de overkant van de straat en dacht aan de avond die voor haar lag. Alleen een beetje zappen zag ze ook niet zitten. 'Nou ja, ik kan wel even langskomen. Als je zeker weet dat Louie het niet erg vindt.'

Lisa wuifde Delaney's bezwaren weg en maakte aanstalten om te vertrekken. 'Ik zei net toch dat we het erover gehad hebben. Het maakt hem niet uit. Ik weet zeker dat hij je aardig vindt als hij je beter leert kennen.'

Delaney keek haar vriendin na. Ze zag het allemaal wat minder rooskleurig dan Lisa. Louie was tenslotte Nicks broer en de spanning en vijandigheid tussen Nick en haar was bijna voelbaar. Ze had Nick niet meer gesproken sinds het voorlezen van Henry's testament, maar ze had hem wel een paar keer vanuit de verte gezien. Ze zag hem vorige week langs denderen op zijn Harley over Wagon Wheel Road. En later spotte ze hem met een roodharige vrouw bij Mort's Bar. De laatste keer dat ze hem had gezien was midden op het kruispunt van Main en First Street. Hij stak de straat over terwijl zij voor het rode stoplicht stond te wachten. *Ik weet het niet hoor, Frank. Het is wel een lekker ding. Wat als ik mezelf niet kan beheersen?*

Ze had in het stuur geknepen en haar wangen waren vuurrood geworden. Hij was bezig een folder te bekijken die hij in zijn hand had. Ze vroeg zich af wat hij zou doen als ze zomaar onopzettelijk tegen hem aan reed. Stel dat haar voet per ongeluk van de rem was gegleden en ze gas had gegeven? Als ze hem nu gewoon eens omverreed, en dan de auto voor de zekerheid nog even in zijn achteruit zette?

Ze had de motor van haar Miata laten grommen alsof ze een formule 1-rijder was die wachtte tot de vlag omlaagging. Daarna had ze haar versnelling even losgelaten zodat de auto een sprong maakte richting het zebrapad. Nick had met een ruk opgekeken en was opzij gesprongen. Zijn grijze ogen hadden zich in die van haar geboord. Op een haar na had ze zijn rechterbeen geraakt. Ze had hem vriendelijk toegelachen. Heel even was het leven goed geweest.

Een paar uur lang had Delaney getwijfeld of ze naar Lisa's feestje zou gaan. Ze was er nog niet helemaal uit, totdat ze merkte dat ze bezig was om zich met een pak tijdschriften en een fles wijn op de bank te nestelen. Ze was verdorie negenentwintig. Als ze niet snel in actie kwam zou ze zo'n vrouw worden die haar haar kort knipte om er niks meer aan te hoeven doen, of die haar hakken verruild voor gezondheidsschoenen. Voordat ze van gedachten kon veranderen trok ze een vlot zwarte truitje aan met een knalgroen suède jasje erover. Eronder droeg ze een strakke zwarte spijkerbroek, en haar gymschoenen waren net als haar jasje groen. Ze kneep wat mousse in haar krullen en deed gouden knopjes in haar oren.

Het was iets over achten toen ze uiteindelijk op het feestje aankwam. Ze werd ontvangen door drie giechelende meisjes van dertien jaar die haar naar het achterste gedeelte van het huis begeleidden. Het huis was enorm en gebouwd van stoere materialen.

'Hier is iedereen,' zei een van de meisjes met donkere ogen. 'Wil je je tas in mijn vaders kamer leggen?'

Ze had een klein leren tasje bij zich om haar portemonnee en een bordeauxrode lipstick in mee te nemen. Haar portemonnee kon haar niet veel schelen, maar haar Estée Lauder lipstick wilde ze absoluut niet kwijt. 'Nee dank je. Ben jij Sophie?'

Het meisje keek nauwelijks om terwijl ze haar voorging door de keuken. 'Yep. En wie ben jij?'

'Ik ben Delaney, een vriendin van Lisa.'

Sophie keek ineens met grote ogen om. 'O jee. Mijn oma praat wel eens over jou.' Aan haar gezicht te zien had Benita niet veel goeds over Delaney gezegd. 'Oké...' mompelde Delaney terwijl ze om de drie meisjes heen liep. Ze ging door een paar openslaande deuren naar de houten veranda. Op het witte zandstrand daarachter stonden twee enorme dennenbomen en aan de steiger dobberden verschillende boten op Lake Mary.

'Hé hallo,' groette Lisa haar terwijl ze zich excuseerde bij de groep mensen met wie ze stond te praten. 'Ik was al bang dat je niet kon komen. Ben je eerst naar een receptie geweest of zo?' Delaney keek omlaag naar haar kleding en daarna naar de andere gasten, die korte broeken en T-shirts droegen. 'Nee hoor. Ik vind het nog steeds koud hier,' antwoordde ze. 'Weet je zeker dat ik hier welkom ben?'

'Natuurlijk. Hoe was de optocht?'

'Bijna hetzelfde als de laatste keer dat ik erbij was. De groep oorlogsveteranen was alleen gekrompen. Die bestond slechts uit twee oude mannen die achterin een schoolbus werden rondgereden.' Ze lachte, en voelde zich voor het eerst sinds een maand weer een beetje ontspannen. 'En het allerleukste van de optocht is nog steeds wachten op het moment dat de trombonespeler in de paardenstront trapt.'

'Hoe was de fanfare van de highschool? Sophie zei dat die redelijk goed was dit jaar.' Delaney zocht naarstig naar een compliment voor de schoolband. 'Nou ja, de uniformen zijn mooier dan in onze tijd.'

'Dat dacht ik al.' Lisa lachte. 'Heb je honger?'

'Ik heb net gegeten.'

'Kom, ik zal je even voorstellen aan de rest. Er zijn een paar die je nog wel van vroeger kent.'

Delaney volgde Lisa naar de andere gasten die rond twee barbecues op het terras stonden. De groep bestond uit ongeveer vijftien mensen. De meesten kenden Lisa en Louie al hun hele leven, en een paar mensen werkten bij Aannemersbedrijf Allegrezza.

Delaney praatte met Andrea Huff, die op school de beste softbalster was geweest. Andrea was getrouwd met John French, de jongen die ooit een van Andrea's snoeiharde ballen in zijn maag had gekregen en vervolgens zijn macaroni met kaas op het veld had uitgekotst. Delaney vroeg zich af of er een verband was tussen dit voorval en hun huwelijk. Ze leken in ieder geval blij met elkaar te zijn.

'Ik heb twee zoons.' Ze wees naar het strand verderop, leunde toen even over de terrasafscheiding om naar een groep pootjebadende kinderen te schreeuwen: 'Eric! Eric French, je weet dat je niet in het water mag zo snel na het eten!'

En jongen met geel piekhaar draaide zich om en schermde met een hand zijn ogen af. 'Ik sta er maar tot aan m'n knieën in!'

'Prima, maar als je kopje-onder gaat hoef je niet bij mij aan te komen,' zuchtte Andrea terwijl ze weer rechtop ging staan. 'Heb jij kinderen?'

'Nee. Ik ben niet getrouwd.'

Andrea keek naar haar alsof ze een buitenaards wezen was. Blijkbaar was je in Truly een rariteit als je op je negenentwintigste nog ongetrouwd rondliep. 'Wat heb je dan allemaal gedaan sinds je eindexamen?'

Delaney vertelde haar waar ze had gewoond en hun gesprek ging al spoedig over hun herinneringen aan het opgroeien in een stadje als Truly. Ze spraken over het sleeën aan de voet van Shaw Mountain, en ze lachten bij de gedachte aan het waterskiën op het meer waarbij Andrea een keer haar bikinibovenstukje was verloren. Het gesprek met Andrea deed Delaney goed. Het leek alsof ze iets terugvond wat ze ooit was kwijtgeraakt en vervolgens was vergeten. Zoals oude, afgedragen pantoffels die je verving voor een nieuw, modieuzer paar.

Later stelde Lisa Delaney voor aan een aantal vrijgezelle mannen die voor Louie werkten. Zo bevond ze zich een tijdje in het centrum van mannelijke aandacht en liet haar ego strelen. De meeste vrijgezelle bouwvakkers waren jonger dan zij. Sommigen zagen eruit als de mannen uit een Coca-Cola-reclame, gebruind en met een stalen borstkas. Delaney was blij dat ze niet voor de wijn thuis op de bank had gekozen. Helemaal toen ze van Steve, een jongen met babyblauwe ogen, een Budweiser kreeg aangereikt. Steve bediende graafmachines. Zijn haar had de kleur van zongebleekte karamel, en hij had een soort ruige uitstraling waar

Delaney onmiddellijk voor gevallen was als die niet zo overduidelijk kunstmatig was geweest. Zo zat zijn haar opzettelijk door de
war met veel te veel gel. Steve vond zichzelf wel een lekker ding.

'Ik ga even bij Louie kijken,' grijnsde Lisa, terwijl ze haar duimen achter Steves rug omhooghield alsof ze nog op de middelbare school zaten en elkaars potentiële vriendjes moesten goed-
keuren.

'Ik heb je wel eens eerder gezien,' zei Steve zodra ze alleen waren.

'O, ja?' Ze nam een slok van haar bier. 'Waar?'

'In je kleine gele autootje.' Hij glimlachte zijn spierwitte, licht
scheve tanden bloot. 'Jij moet wel opvallen.'

'Ja, met zo'n gele auto wel.'

'Nee, niet je auto. Jíj valt op.'

Ze had zich zo onzichtbaar gevoeld in de saaie T-shirts en korte
broeken die ze de laatste tijd droeg, dat ze verbaasd naar zichzelf
wees en vroeg: 'Ik?'

'Ga me nou niet vertellen dat jij zo'n vrouw bent die net doet
of ze niet weet dat ze mooi is.'

Mooi? Nee, Delaney wist dat ze niet mooi was. Ze was best
aantrekkelijk en als ze haar best deed kon ze er goed uitzien. En
als Steve met alle geweld wilde zeggen dat ze mooi was, zou ze
daar niet moeilijk over doen. Want al was zijn eigen uiterlijk nog
zo kunstmatig, hij was tenminste geen hond, letterlijk en figuur-
lijk. Ze had zoveel tijd met Duke en Dolores doorgebracht dat ze
graag openstond voor deze aandacht.

'Hoe oud ben je?' vroeg ze hem.

'Tweeëntwintig.'

Zeven jaar jonger. Toen zij tweeëntwintig was had ze erop los
geleefd. Ze had zich gedragen als een gevangene op verlof, een
verlof dat vijf jaar duurde. Tussen haar negentiende en vieren-
twintigste was ze onbezonnen, losbandig en helemaal vrij geweest. Ze had mooie tijden beleefd, maar ze was blij nu ouder en
wijzer te zijn.

Ze keek naar de tienermeisjes beneden op het strand die met
hun armen zwaaiend naar de rand van het water renden. Zoveel
was zeven jaar nou ook weer niet. Ze was niet zóveel ouder dan

Steve, en ze was sowieso niet op zoek naar een echte relatie. Delaney bracht het flesje bier aan haar lippen en nam een slok. Misschien kon ze hem gebruiken om de zomer door te komen. En hem daarna dumpen. Zij was al zo vaak door mannen gebruikt en gedumpt. Waarom kon zij mannen niet behandelen zoals zij haar behandeld hadden? Wat was het verschil?

'Oom Nick is er!' riep Sophie naar Louie die met een paar mensen stond te praten. Delaney bevroor. Haar blik gleed naar de boot die langzaam de steiger naderde. Naar de man die achter het roer van de speedboot stond, wijdbeens, met wapperende haren. De grote naaldbomen weerspiegelden in het water en wierpen lange schaduwen over hem en zijn drie vrouwelijke passagiers. Sophie rende met haar vriendinnen de boot tegemoet, hun opgewonden gekwebbel steeg boven het geluid van de motor uit. Delaney hoorde Nicks lach van een afstand. Ze zette haar bier op tafel en draaide zich om. Lisa stond in een hoekje schuldig te kijken.

'Sorry Steve,' zei ze en liep naar haar vriendin toe.

'Ga je me vermoorden?' fluisterde Lisa.

'Je had het moeten zeggen.'

'Was je dan gekomen?'

'Nee.'

'Dan ben ik blij dat ik gelogen heb.'

'Waarom? Zodat ik hier zou komen en meteen weer kon vertrekken?'

'Doe niet zo lullig. Je moet gewoon eens over je vijandigheid voor Nick heen stappen.'

Delaney keek haar jeugdvriendin aan en deed haar best gekwetst te zijn door haar opmerking. Ze moest zichzelf eraan herinneren dat Lisa niet op de hoogte was van Henry's testament, en ook niet van die nacht dat Nick haar tien jaar geleden gebruikt had. 'Hij mag dan wel jouw zwager worden, toch heb ik goede redenen om boos op hem te blijven.'

'Louie heeft het me verteld.'

Delaney keek over haar schouder naar Louie, die naar het meer keek. Ze had liever gehad dat niemand iets van dat testament wist, maar dat was nog niet het ergste. Als het verleden maar niet opgerakeld zou worden.

'Hoe lang weet je het al?'

'Ongeveer een maand. Je had het me moeten vertellen. Ik wilde je uitnodigen voor mijn trouwdag, maar dat kon niet, omdat je eerder had gezegd dat je er niet zou zijn. Ik zat te wachten tot je me ging zeggen dat je toch hier bleef. Het was wel moeilijk om net te doen alsof ik het niet wist. Maar nu kan ik je wel vragen of je een van mijn bruidsmeisjes wilt zijn. Ik wilde je eigenlijk als getuige vragen, maar omdat het te lang duurde heb ik mijn zus gevraagd. Maar ik...'

'Wat heeft Louie je precies verteld?' viel Delaney haar in de rede terwijl ze haar aan haar arm meetrok naar een rustiger gedeelte van het terras.

'Dat als jij uit Truly weggaat, Nick jouw deel van Henry's bezit erft. En dat als jullie met elkaar naar bed gaan, jij zijn deel krijgt.'

'Wie weet het nog meer?'

'Benita denk ik.' Natuurlijk. 'En Sophie misschien ook. Ze zei dat ze haar oma laatst iets had horen zeggen.'

Delaney voelde een golf van afgrijzen en ze liet Lisa's arm los. 'Dit is zo vernederend. Nu weet iedereen binnenkort hoe het zit, en kan ik nergens meer heen zonder dat de hele stad me nakijkt. Iedereen gaat controleren of ik wel in de stad blijf, of bij Nick uit de buurt.' Een rilling liep over haar rug bij de gedachte. 'Alsof ik ooit iets met Nick zou krijgen.'

'Niemand anders komt erachter. Als je je zorgen maakt over Sophie, dan zal ik wel met haar praten.'

'Zou ze naar jou luisteren?'

'Als zij hoort dat Nick er problemen mee heeft luistert ze zeker. Ze aanbidt hem. Voor haar is hij een heilige die niks verkeerd kan doen.' Delaney keek over haar schouder en zag de heilige Nick met zijn harem dichterbij komen. Hij gaf Sophie een grote papieren zak en die rende met haar vriendinnen naar een picknicktafel op het strand. Met zijn wijde groene overhemd, zijn versleten spijkerbroek met de scheur boven zijn rechterknie en zijn slippers zag hij eruit alsof hij net uit bed kwam. Delaney liet haar blik over zijn drie vrouwelijke metgezellen glijden. Misschien kwam hij wel net uit bed.

'Waar zou hij die nu hebben opgepikt,' zei Lisa, die de blonde vrouw en de twee brunettes ook had opgemerkt. 'Hij ging alleen even naar huis om vuurwerk voor Sophie op te halen.'

'Blijkbaar moest hij niet alleen een paar vuurpijlen ophalen. Wie zijn dat?'

'Die blonde heet Gail. Voordat ze trouwde heette ze Tanner. Ze is de dochter van rechter Tanner. Die twee daarachter zijn volgens mij de Howell-tweeling, Lonna en Lanna.'

Delaney herinnerde zich Gail Tanner wel. Ze was een paar jaar ouder dan Delaney, en haar ouders hadden een tijdje met de familie Tanner opgetrokken. Zij was de vrouw die Nick kwam ophalen op de begrafenis. De Howell-tweeling kende ze niet. 'Dus Gail is getrouwd?'

'Gescheiden.'

Delaney draaide zich om zodat ze haar beter kon zien. Ze had een strak hemdje aan dat in haar spijkerbroek zat. Delaney had de vrouwen graag als snollen afgedaan, maar dat beeld klopte niet. Ze waren eerder van het type dat alleen maar naakt poseert voor een mannenblad. Geen beroepshoeren. 'Heeft Gail iets aan haar borsten laten doen? Ik kan me haar niet herinneren met zo'n voorgevel.'

'Ja, een borstvergroting. En ze heeft ook een liposuctie gehad.'

'Hm.' Delaney's blik gleed naar Nick en het driehoekige stukje dijbeen dat zichtbaar was door de scheur in zijn spijkerbroek. 'Laatst zag ik een liposuctie op tv. Mijn kont deed gewoon pijn tijdens het kijken.'

'Dat vet wat eruit komt ziet er zo walgelijk uit.'

'Zou jij ooit een liposuctie laten doen?'

'Ja hoor. Jij?'

Delaney keek haar vriendin aan terwijl ze erover nadacht. 'Ik denk het niet, maar ik zou misschien wel mijn borsten laten liften als ze echt tot mijn navel hangen. Hopelijk is dat de eerstkomende twintig jaar nog niet het geval.' Lisa keek onwillekeurig naar Delaney's voorkant. 'Jij had altijd al prima borsten. Ik niet, maar ik heb wel een mooie kont.' Delaney bekeek Lisa's achterste. 'Mooier dan de mijne,' gaf Delaney toe, waarna ze weer naar Nick en de drie vrouwen keek die nu bij de trap naar het terras waren aangekomen. 'En welke is nu zijn vriendin?'

'Ik weet het niet.'

'Vast alle drie.'

'Waarschijnlijk wel.'

'Niet een,' hoorden ze Louie ineens achter hen zeggen. Delaney kreunde in stilte en sloot haar ogen. Ze was betrapt terwijl ze over Nick roddelde. Erger nog, ze was betrapt door Louie. Ze vroeg zich af hoe lang hij daar al stond. Zou hij gehoord hebben wat ze zei over het liften van haar borsten? Ze durfde het hem niet te vragen. Langzaam draaide ze zich om en keek hem aan, zich naarstig afvragend wat ze moest zeggen.

Gelukkig had Lisa daar helemaal geen last van. 'Weet je zeker dat hij niets met die tweeling heeft?'

'Nee,' antwoordde hij. 'Nick is van het soort dat genoeg heeft aan één vrouw.' Delaney gluurde naar Lisa en ze barstten beiden in lachen uit.

'Wat is er zo grappig?' wilde Louie weten. Hij deed zijn armen over elkaar en zijn donkere wenkbrauwen vormden een donkere streep boven zijn ogen. 'Jij,' antwoordde Lisa en kuste zijn stevige mond. 'Je bent gek, maar daarom hou ik van je.' Louie legde een arm om Lisa's middel en trok haar dicht tegen zich aan. 'Ik hou ook van jou, alu gozo.'

Delaney had nooit zulke exotische koosnaampjes te horen gekregen. Niemand had ooit zoveel van haar gehouden als Louie overduidelijk van Lisa hield. En dat zou ook niet zo gauw gebeuren zolang ze in Truly niks anders te doen had dan wandelen met de honden. Er moest toch iets beters te doen zijn dan het opruimen van hondenpoep. 'Weet jij wie de eigenaar is van dat gebouw naast jullie kantoor?'

'Ja, jij,' zei Louie. 'Of je moeder. Het hangt ervan af hoe de zaken in je vaders testament zijn verdeeld.'

'Ik?' Een brede glimlach verscheen op haar gezicht bij het horen van dit nieuws.

'Ja. Dat hele blok was van Henry.'

'Jullie kantoor ook?'

'Ja.'

Ze had ineens een hoop stof tot nadenken en zette een stap achteruit. 'Nou, bedankt voor het feestje,' zei ze, van plan om ervandoor te gaan voordat Nick te dichtbij zou komen.

'Maar je bent er nog maar net.' zei Lisa. 'Blijf dan tot na het vuurwerk! Louie, zeg nou dat ze moet blijven.'

'Waarom blijf je niet?' zei Louie terwijl hij haar de Baskische *bota* aanbood die hij om zijn nek had hangen.

Geweldig, nu zou ze echt kinderachtig lijken als ze weg zou gaan. Ze nam de varkensleren drinkzak van hem aan en vroeg: 'Wat zit erin?'

'*Txakoli*.' Toen ze geen aanstalten maakte om een slokje te nemen voegde hij eraan toe: 'Rode wijn. Een oud gebruik bij speciale gebeurtenissen en feestdagen.'

Delaney tilde de zak omhoog en voordat ze hem aan haar mond zette droop er al een straaltje rode wijn over haar kin. De wijn was zoet en krachtig, en toen ze de bota weer liet zakken knoeide ze opnieuw. 'Ik geloof dat ik maar beter uit een glas kan drinken,' zei ze lachend terwijl ze haar kin en hals afveegde.

Van achter haar greep iemand de leren zak uit haar hand. Ze draaide zich vliegensvlug om en tuurde van Nicks lippen omhoog naar zijn grijze ogen. De Allegrezza-jongens hadden allebei de neiging om je van achteren te besluipen.

'Mond open,' zei hij.

Ze staarde hem aan en hield haar hoofd schuin.

'Mond open,' zei hij weer en hij hield de bota ter hoogte van haar gezicht.

'Wat ga je nou doen als ik mijn mond niet opendoe? Wijn over me heen gieten?'

Hij glimlachte, langzaam en sexy. 'Ja.'

Daar twijfelde ze geen moment aan. Zodra ze haar mond opende stroomde er wijn tussen haar lippen. Vanuit haar ooghoeken zag ze hulpeloos hoe Lisa en Louie wegliepen. Ze zou met ze mee zijn gelopen als ze niet heel stil moest blijven staan. Toen stopte de stroom wijn zonder ook maar één keer na te druppelen. Ze slikte en likte haar mondhoek schoon. Ze zei niets.

'Graag gedaan.'

Een paar lokken van zijn dikke haar vielen rond zijn gezicht en een briesje bracht zijn geur mee in haar neusgaten. Hij rook tegelijkertijd naar frisse berglucht en donkere, sensuele mannelijkheid.

'Ik heb niet om je hulp gevraagd.'

'Nee, maar je hebt een heleboel txakoli nodig om een beetje los te komen.' Hij leunde iets achterover en bracht de drinkzak naar zijn mond. Een rode straal liep zijn mond in en ze zag zijn keel bewegen terwijl hij dronk. Ze zag fijn zwart haar in zijn oksel en voor het eerst zag Delaney de tatoeage op zijn rechterbovenarm. Het was een dunne doornenkrans, en de zwarte inkt stak mooi af tegen zijn zachte bruine huid. Hij liet de bota zakken en zoog een druppel wijn van zijn onderlip. 'Wilde je laatst over me heen rijden, wilde bosmeid?'

Ze probeerde hem te negeren. 'Noem me niet zo, alsjeblieft.'

'Hoe? Wilde bosmeid?'

'Ja.'

'Waarom niet?'

'Omdat ik het niet leuk vind.'

Het kon Nick niets schelen wat ze wel of niet leuk vond. Ze wilde zonder enige twijfel over hem heen rijden. Hij liet brutaal zijn blik over haar rondingen glijden en draaide de dop op de tuit van de drinkzak. 'Dat is dan jammer.' Hij had haar al gezien voordat hij een voet op de veranda had gezet. En dat kwam niet alleen door haar winterse outfit tussen de strandkleding van de andere gasten. Het waren haar haren. De ondergaande zon liet de verschillende kleuren rood in haar haar oplichten als vurige vlammen.

'Dan zal ik de volgende keer niet remmen als ik je op het zebrapad zie lopen.'

Nick kwam zo dicht bij haar staan dat ze haar hoofd moest optillen om hem aan te kunnen kijken. Zijn blik gleed over de gave, porseleinen huid van haar wangen tot aan haar roze lippen. De laatste keer dat hij zo dicht bij haar was, was ze naakt geweest. 'Doe je best.' Wit en roze. Dat herinnerde hij zich nog het best. Stevige witte borsten en mooie roze tepels. Witte zijdezachte dijen. Ze deed haar mond open om iets te zeggen, maar Gail kwam tussenbeide.

'Hier zit je,' zei ze, terwijl ze haar arm door die van Nick stak. 'Kom, dan zoeken we een plek vooraan op het strand voordat het vuurwerk begint.'

Nick staarde in Delaney's grote bruine ogen en kreeg een gevoel in zijn kruis dat niets te maken had met de vrouw die aan zijn arm hing. Hij deed een stap achteruit en richtte zich tot Gail. 'Ga maar vast vooruit als je zo'n haast hebt.'

'Nee, ik wacht wel.' Gail keek van Nick naar Delaney. Ze verstevigde haar greep om zijn bovenarm. 'Hallo Delaney. Ik hoorde dat je terug bent.'

'Voor even.'

'De laatste keer dat ik je moeder sprak zei ze dat je stewardess was bij United Airlines.'

Delaney keek met gefronste wenkbrauwen om zich heen op zoek naar een uitweg. 'Dat is al vijf jaar geleden, en ik was geen stewardess, ik regelde de bagage.' Ze deed nog een stap achteruit. 'Nou, leuk je weer te zien, Gail. Ik moet gaan. Ik zou Lisa helpen met… iets.' Zonder Nick nog aan te kijken draaide ze zich om en liep weg.

'Wat was dat tussen jullie?' vroeg Gail.

'Niets.' Hij wilde niet over Delaney praten en al helemaal niet met Gail. Hij wilde niet eens aan haar denken. Delaney betekende altijd moeilijkheden. Altijd al. Sinds de eerste keer dat hij in haar grote bruine ogen had gekeken.

'Toen ik jullie zo zag staan leek het zeker ergens op.'

'Hou erover op.' Hij maakte zich los uit Gails greep en liep het huis binnen. Toen hij eerder op de avond even naar huis was gegaan om het vuurwerk op te halen dat hij Sophie had beloofd, stonden Gail en de tweeling voor zijn deur. Hij hield er niet van als vrouwen zomaar bij hem langskwamen. Ze haalden zich van alles over hem in hun hoofd. Vooral over zijn interesse. Maar omdat het 4 juli was had hij voor deze ene keer hun opdringerige gedrag geaccepteerd en ze meegenomen naar Louie's feestje. Nu had hij er spijt van. Hij kende die vastbesloten blik in Gails ogen, en ze zou er zeker niet over ophouden.

Gail liep vlak achter Nick aan, maar hield haar mond totdat ze in de verlaten keuken stonden. 'Weet je waarom Delaney tien jaar geleden weg is gegaan? Ze was zwanger. En een heleboel mensen zeiden dat jij de vader was.'

Nick gooide Louie's bota op het aanrecht en keek in de koelkast. Hij pakte twee flesjes Miller bier die hij opende. Hij kende die roddels wel. Het hing er een beetje van af wie het zei, maar alle versies van het verhaal kwamen erop neer dat Nick en Delaney het op honderd verschillende plekken hadden gedaan, in alle mogelijke standjes. Het einde was in alle versies hetzelfde. Nick Allegrezza had de prinses bezoedeld en haar zwanger gemaakt.

Henry had niet geweten welke versie hij moest geloven. Hij raakte al buiten zinnen van woede als één mogelijk scenario waar kon zijn. Hij had geëist dat Nick het zou ontkennen. Nick had dat uiteraard niet gedaan.

'Klopt dat?'

Later werd het de ironie ten top. Henry's obsessie voor een erfgenaam had hem zover gedreven dat hij wilde dat Nick Delaney zwanger zou maken.

Nick gaf Gail een van de koude biertjes. 'Hou erover op, zei ik toch.'

'Volgens mij heb ik het recht het te weten, Nick.'

Hij keek haar in haar blauwe ogen en lachte zonder humor. 'Je hebt helemaal nergens recht op.'

'Ik heb het recht om te weten of jij iets met andere vrouwen hebt.'

'Je weet dat ik met andere vrouwen omga.'

'En als ik je nou eens vroeg om daarmee te stoppen?'

'Dat zou ik maar niet doen,' waarschuwde hij.

'Waarom niet? We zijn zo close sinds we met elkaar naar bed zijn gegaan. We zouden het samen heel leuk kunnen hebben als jij daarvoor openstond.'

Hij wist zeker dat Gail er een lijstje met mogelijke echtgenoten op na hield. Hij stond bovenaan. Even was het leuk geweest om nummer één te staan in Gails seksuele hitparade. Maar de laatste tijd irriteerde haar bezitterige gedoe hem vooral. 'Ik heb vanaf het begin gezegd dat je van mij niets moet verwachten. Seks en liefde hebben niks met elkaar te maken, en het moet wel heel raar lopen als ik ze door elkaar ga halen.' Nick bracht het bierflesje naar zijn lippen en voegde eraan toe: 'Je moet het niet persoonlijk opvatten, maar ik hou niet van je.'

Ze deed haar armen over elkaar en leunde tegen het aanrecht. 'Je bent echt een lul. Ik snap niet waarom ik nog met jou omga.'

Nick nam een grote slok. Ze wisten allebei heel goed waarom.

Delaney voelde de sterke, mannelijke arm van Steve rond haar middel terwijl hij haar stevig tegen zich aan drukte. Rode, witte en blauwe lichtflitsen werden met harde knallen door de inkt-zwarte lucht geschoten en weerkaatsten in het meer. Delaney probeerde goed te voelen wat Steves omarming met haar deed. Ze besloot dat het fijn voelde. Ze genoot van het contact en de warmte, en ze voelde zich springlevend.

Aan haar linkerkant zag ze Nick een vuurpijl in het zand ste-ken. Ze had het vuurwerk dat 'oom Nick' voor zijn nichtje had meegenomen eens goed bekeken. Het was allemaal illegaal. Even zag ze Nicks profiel omringd door een gouden lichtgloed en ze keek de andere kant op. Ze zou hem niet langer ontwijken. Ze zou zichzelf niet meer beperken in haar bewegingsvrijheid alleen om hem niet tegen te hoeven komen. En ze zou de rest van haar tijd in Truly anders gaan doorbrengen dan de afgelopen maand. Ze had een plan. Haar moeder zou het maar niks vinden, maar dat kon haar niet schelen. Bovendien had ze ook nog een bruiloft in november om naar uit te kijken. Lisa had haar nogmaals ge-vraagd om haar bruidsmeisje te zijn en deze keer had ze dankbaar toegezegd. Ze kon zich nog zo goed herinneren hoe ze als kleine meisjes met theedoeken in hun haar zogenaamd naar het altaar waren gelopen. Hoe ze gespeculeerd hadden over wie er het eerst zou gaan trouwen. Het liefst waren ze tegelijkertijd getrouwd in één grote, dubbele bruiloft. Ze hadden niet verwacht dat ze bei-den tot hun negenentwintigste single zouden blijven.

Négenentwintig. Voor zover ze kon nagaan was zij de enige van haar schoolvriendinnen die zelfs nog niet verloofd was. In februari zou ze dertig worden. Een vrouw van dertig zonder huis en zonder man in haar leven. Over dat huis maakte ze zich niet zo'n zorgen. Met drie miljoen in het verschiet kon ze makkelijk een huis kopen. Maar die man... Niet dat ze er een nodig had, maar een vriendje zou toch leuk zijn geweest zo nu en dan. Ze had al een tijdje geen relatie gehad en ze miste de intimiteit.

Weer werd haar blik naar het donkere silhouet getrokken van de man die vuurpijlen afstak bij de waterkant. Hij draaide zich half om en keek over zijn schouder in haar richting. Ze voelde een raar kriebeltje in haar maagstreek, en ze keek snel naar de donkere hemel boven hem.

De stad sloot de vierde juli af met een zo spectaculaire vuurwerkfinale dat het meer helemaal oplichtte en de oude veerpont van kolonel Mansfield in brand leek te vliegen. De mensen genoten en lieten bij wijze van waardering hun eigen vuurwerk afgaan vanaf hun eigen strand of balkon. Fonteinen, waaiers, gillende keukenmeiden en Bengaals vuur zetten de lucht in lichterlaaie. Delaney was de pyromane inslag van de inwoners van deze streek vergeten. Een schril fluitende raket vloog over haar hoofd en explodeerde in een rode vonkenregen op Louie's terras.

Welkom in Idaho. De staat van aardappelen. En van brandstichters.

Hoofdstuk 5

De greep van het portier drukte tegen Delaney's billen toen Steve zich hard tegen haar aan drukte. Ze legde haar handen op zijn borstkas en maakte een einde aan de kus.

'Kom met me mee naar huis,' fluisterde hij bij haar oor.

Delaney trok zich net ver genoeg terug om zijn donkere gezicht te kunnen zien. Ze wilde dat ze hem kon gebruiken. Ze wilde dat ze naar hem kon verlangen. Ze wilde dat hij niet zo jong was en leeftijd onbelangrijk was, maar dat was niet het geval. 'Ik kan het niet.' Hij was zo knap, had spieren van staal en leek oprecht aardig. Maar ze voelde zich een echte *cougar*.

'Mijn huisgenoot is niet thuis.'

Huisgenoot. Natuurlijk woonde hij op kamers. Hij was twee-entwintig. Hij leefde vast op blikvoer en Budweiser. Toen zij twee-entwintig was, had een voedzame maaltijd voor haar bestaan uit tortillachips, tomatensalsa en sangria, mét citrusfruit. Destijds woonde ze in Las Vegas, werkte ze in het Circus Circus hotel en maakte ze zich vooral geen zorgen over de rest van haar leven. 'Ik ga nooit met iemand die ik net ken mee naar huis,' zei ze en duwde hem weg tot hij een stap naar achteren moest nemen.

'Wat doe je morgenavond?' vroeg hij.

Delaney schudde haar hoofd en deed het portier open.

'Je bent een leuke vent, maar ik wil nu eigenlijk niets beginnen.'

Toen ze wegreed keek ze nog lang naar Steves rug, die in haar spiegel verdween. Eerst was ze gevleid geweest door zijn aandacht voor haar. Maar toen de avond vorderde, had ze zich steeds ongemakkelijker gevoeld. In die zeven jaar leeftijdsverschil zat een hele fase van volwassen worden. Dat je meubels bij elkaar pasten werd even belangrijk als goede muziek, en op een bepaald moment kreeg het principe 'feesten als een beest' steeds minder aantrekkingskracht. Maar zelfs als ze zich echt had laten verleiden tot het misbruiken van Steves lichaam voor haar eigen gerief, dan had Nick dat pleziertje wel bedorven. Ze was veel te veel met hem bezig en er was gewoon te veel gebeurd tussen hen om hem helemaal te kunnen negeren. Zelfs als het haar lukte hem eventjes te vergeten, dan voelde ze opeens zijn blik, als hete laserstralen, op haar gericht. En als ze dan naar hem keek, bleek hij nooit haar kant op te kijken.

Delaney reed de lange oprit op en duwde op het knopje van de afstandsbediening om de garagedeur te openen. Zelfs als Nick er niet was geweest, en Steve niet zo jong was geweest, betwijfelde ze of ze met hem mee naar huis was gegaan. Ze was negenentwintig, woonde bij haar moeder en was te paranoïde om te genieten van seks voor één keertje.

Nadat ze haar autootje had geparkeerd naast de twee identieke Cadillacs van Henry en Gwen, liep ze naar de keukendeur. Op de veranda brandden enkele citronellalichtjes en een vliegenlamp, die de hoofden van Gwen en een bezoeker zacht verlichtten. Pas toen Delaney dichterbij kwam zag ze dat het Henry's advocaat was, Max Harrison. Die had ze niet meer gezien sinds de dag waarop hij Henry's testament had voorgelezen.

'Wat goed om jou weer te zien,' zei hij, terwijl hij opstond toen ze naderbij kwam. 'Hoe vind je het om weer in Truly te wonen?'

Verschrikkelijk, dacht ze, en ging zitten in de smeedijzeren stoel tegenover die van haar moeder, aan het bijpassende tafeltje. 'Het is even wennen.'

'Was het feestje leuk?' vroeg Gwen.

'Ja,' antwoordde ze naar waarheid. Ze had leuke mensen ontmoet en ondanks Nick Allegrezza had ze zichzelf vermaakt.

'Je moeder vertelde me net dat je Henry's honden aan het trainen bent.' Max ging weer zitten. Zijn glimlach zag er gemeend uit. 'Misschien heb je wel een nieuwe roeping gevonden.'

'Eerlijk gezegd vind ik mijn oude roeping nog steeds leuk,' sprak ze. Sinds de mededeling van Louie over het leegstaande pandje was ze er al over aan het nadenken. Ze wilde haar plannetjes liever niet bespreken met haar moeder tot ze zeker was dat het zou lukken, maar de persoon die ze daarover het eerste moest spreken, zat aan de tafel, en haar moeder zou het vroeger of later toch horen. 'Wie is de eigenaar van het gebouw naast dat van de Allegrezza's?' vroeg ze aan Max. 'Het is een smal pandje van twee verdiepingen, met op de begane grond een kapsalon.'

'Ik geloof dat Henry dat hele blok onroerend goed aan jou heeft nagelaten. Hoezo?'

'Ik wil de kapsalon heropenen.'

'Ik denk niet dat dat een goed idee is,' begon haar moeder. 'Er zijn zoveel andere dingen die je kunt doen.'

Delaney negeerde haar. 'Hoe krijg ik dat voor elkaar?'

'Om te beginnen heb je een kleine zakelijke lening nodig. De vorige eigenaresse is overleden, dus je zou de notaris die haar nabestaanden vertegenwoordigt moeten vragen wat de waarde is van haar zaak,' begon hij. Toen hij een halfuur later klaar was, wist Delaney precies wat ze moest doen. Maandag ging ze eerst naar de bank die haar geld beheerde om daar om een lening te vragen. Voor zover ze kon bedenken was er maar één addertje onder het gras. De kapsalon zat vlak naast Nicks aannemersbedrijf. 'Kan ik de huur voor het pand ernaast verhogen?' Misschien kon ze hem dwingen te verhuizen.

'Pas als de huidige termijn eindigt.'

'Wanneer is dat?'

'Nog een jaar, geloof ik.'

'Verdomme.'

'Niet vloeken, alsjeblieft,' vermaande haar moeder haar, die vervolgens een hand op de hare legde. 'Als je een winkeltje wilt openen, waarom begin je dan geen cadeauwinkeltje?'

'Ik wil geen cadeauwinkeltje beginnen.'

'Dan kun je dat speciale kerstservies van Wedgwood verkopen.'

'Ik wil geen servies verkopen.'

'Ik vind het een geweldig plan.'

'Dan verkoop jij het toch. Ik ben kapster. Ik wil die kapsalon heropenen.'

Gwen leunde naar achteren. 'Dit doe je gewoon om mij dwars te zitten.'

Dat was niet zo, maar ze had lang genoeg met haar moeder samengewoond om te weten dat als ze ruziemaakten, zij degene was die achteraf het kinderachtigst leek. Soms leek praten met Gwen op worstelen met een vliegenplakstrip. Hoe harder je worstelde om je los te maken, des te steviger kwam je vast te zitten.

Het kostte Delaney meer dan drie maanden om de lening te regelen en daarna de kapsalon gereed te krijgen voor gebruik. Terwijl ze daarmee bezig was, maakte ze een zeer onwetenschappelijke studie van het zakelijke hart van het stadje, vooral van het aantal klanten dat Helens Haarpunt binnenstapte. Met een blocnote en een pen bij de hand, parkeerde ze in steegjes om haar aartsvijandin, Helen Markham, te bespioneren. Als Lisa niet aan het werk was of druk met de voorbereidingen voor haar huwelijk, moest ze aan Delaney alles rapporteren wat zij zag of wist. Delaney maakte een demografisch statistiekje en nam daarin op een visuele manier de verzamelde gegevens op over gelukte permanentjes en mislukte kapsels. Ze ging zelfs zover om zich een namaak Brits accent aan te meten, zodat Helen haar niet zou herkennen, en per telefoon te vragen wat haar concurrente vroeg voor het bijkleuren van uitgroei. Maar pas toen ze op een avond in Helens afvalcontainer wroette om te zien welke goedkope producten ze gebruikte, realiseerde ze zich een aantal dingen. Terwijl ze daar tot aan haar dijen in het afval stond, en met een voet in een kuipje bedorven kwark, besefte ze dat ze iets te ver was gegaan met haar onderzoek. Ze besefte bovendien dat het succes van de salon net zo veel te maken had met het vervullen van haar eigen wensdroom, als met het uit de markt drukken van Helen. Ze was tien jaar weg geweest en alweer in precies dezelfde patronen vervallen als tien jaar geleden. Maar dit keer was ze niet van plan ook maar iets te verliezen aan Helen.

Toen het onderzoekje klaar was, kon ze uitrekenen dat Helen een goedlopende zaak runde. Toch maakte Delaney zich geen zorgen. Ze had de kapsels van Helen gezien. Ze kreeg de klanten van haar rivale wel in haar eigen stoel – zonder veel problemen.

Zodra de lening erdoor was, legde Delaney haar blocnote weg

en ging aan de slag met het pandje. Er lag een vies laagje stof over alles, van de kassa tot de krulspelden. Alles moest worden gepoetst en gesteriliseerd. Ze checkte ook de boeken van de vorige eigenaresse, maar de getallen klopten niet met de inventaris. Ofwel Gloria was een slechte zakenvrouw geweest, of iemand had na haar dood dozen vol haarproducten gestolen. Niet dat Delaney het erg vond; ze hoefde de erfgenamen van Gloria niets te betalen voor de ontbrekende spullen. Daarbij was alles in de winkel toch al drie jaar uit de mode. Toch voelde het wat ongemakkelijk dat iemand toegang had kunnen krijgen tot de kapsalon. In haar ogen was de hoofdverdachte natuurlijk Helen. Die was vroeger al een dievegge en wie zou er anders spullen kunnen gebruiken als watten, handdoekjes en speldjes?

Er was Delaney op het hart gedrukt dat zij de enige sleutel had van de voordeur en de achterzijde van het pand, die ook op het appartement erboven paste. Maar ze was niet overtuigd en belde de enige slotenmaker in de stad, die haar beloofde dat hij er over een week zou zijn. Maar omdat ze in Truly woonde, wist ze dat een week ook wel een maand kon betekenen als het jachtseizoen was.

Negen dagen voordat haar zaak openging, had ze de oude naam van de etalageruit gekrabd en er in goud de woorden GEKNIPT VOOR U op geplakt. Haar nieuwe voorraad lag in het magazijn en voor in de zaak stonden glanzende nieuwe zwarte stoelen. De vloer was geschuurd en opnieuw gelakt en de muren waren stralend wit. Ze had mooie posters opgehangen en de spiegels vervangen door grotere. Toen ze klaar was, was ze verschrikkelijk trots en blij. Het was geen droomkapsalon, vol chroom en marmer en gevuld met de beste stilisten, maar ze had heel veel bereikt in zeer korte tijd.

Ze introduceerde zichzelf bij de eigenaar van Bernards Delicatessenzaak op de hoek en de T-shirtwinkel ernaast. En op een dag, toen ze Nicks Jeep niet op de achterste parkeerplaats kon ontwaren, marcheerde ze het kantoor van de Allegrezza's binnen en stelde zichzelf voor aan zijn secretaresse Hilda en officemanager Ann Marie.

Twee dagen voor de opening gaf ze een feestje. Ze nodigde Lisa en Gwen uit en alle vriendinnen van haar moeder. Ze stuurde uitnodigingen naar alle winkeliers in de omgeving. Alleen Aannemersbedrijf Allegrezza ontving niets, terwijl bij Helens Haarpunt een persoonlijke uitnodiging werd bezorgd. Twee uur lang was haar kapsalon stampvol mensen, die genoten van haar aardbeien met chocoladedip en roze champagne. Alleen Helen kwam niet opdagen.

Gwen wel, al kwam ze na een halfuurtje met een vreselijk smoes aanzetten dat ze zo verkouden was en wilde vertrekken. Dat was de zoveelste uiting van haar moeders ongenoegen. Maar Delaney had het al lang geleden opgegeven te leven voor haar moeders goedkeuring. Ze wist dat ze die toch nooit zou krijgen.

De volgende dag verhuisde Delaney naar het appartement boven de kapperszaak. Ze schakelde wat verhuizers in die haar meubilair uit de opslag haalden en naar het appartementje vervoerden. Gwen voorspelde dat Delaney wel gauw terug zou komen, maar Delaney wist dat dat niet zo was.

Vanaf een kleine parkeerplaats achter de winkelstraat leidde een oude houten trap naar de groene deur van haar nieuwe thuis. Het appartement was nogal oud en kon bijvoorbeeld wel een nieuwe vloer, gordijnen of fornuis gebruiken, omdat die alle nog uit de jaren vijftig stamden. Maar Delaney was er dol op, vanwege de erkers in de woonkamer en de slaapkamer en vanwege het oude bad op pootjes en het grote boogvenster waardoor ze op Main Street kon kijken. Ze had absoluut in mooiere appartementen gewoond en het flatje was niet te vergelijken met haar moeders luxueuze huis. Maar misschien was dat wel de reden dat ze er zo dol op was. Alles wat erin stond was van haarzelf. Ze had zich niet gerealiseerd hoezeer ze haar eigen spulletjes had gemist, tot haar eigen borden weer in de kastjes stonden. Ze sliep in een antiek ijzeren ledikant, zat op haar eigen witte bank met haar eigen kussens erop, in zebraprint, en keek naar haar eigen flatscreen. De salontafel en andere bijzettafeltjes waren van haar, evenals de eettafel in een hoek van de woonkamer. De keuken en het eetgedeelte waren van de rest gescheiden door een laag muurtje en je kon het hele appartement in één oogopslag zien. Niet dat er veel te zien was.

Delaney pakte haar zakelijke kleding in de kast. Ze ging inkopen doen bij de supermarkt, nam daar een douchegordijn mee, met grote rode harten erop, en twee kleedjes voor op de versleten keukenvloer.

Het enige wat ze nu nog nodig had was een zakelijke telefoon en een nieuw slot.

Drie dagen nadat ze haar kapsalon had geopend had ze een nieuwe telefoon, maar wachtte ze nog steeds op de slotenmaker. Ook wachtte ze nog op een stormloop aan klanten.

Delaney zette haar eerste klant in de kappersstoel en nam de handdoek weg. 'Weet u zeker dat u een watergolfje wilt, mevrouw Van Damme?' Ze had al in jaren geen watergolf meer gedaan. Vier jaar geleden tijdens haar examen van de kappersvakschool was de laatste keer geweest. Bovendien was het veel werk.

'Ja. Precies zoals ik hem altijd had. De vorige keer ging ik naar die zaak om de hoek,' zei ze, verwijzend naar Helens Haarpunt. 'Maar die kan het niet zo goed. Het leek net of ik een stel slangen op mijn kop had. Ik heb al geen fatsoenlijke watergolf meer gehad sinds Gloria is overleden.'

Delaney trok haar jasje uit en stak haar armen in een jasschort. Eronder ging een kort suède jurkje schuil. Alleen haar maillot en zwarte enkellaarsjes waren nog zichtbaar. Ze dacht aan haar oude baan bij Valentina's in Scottsdale, waar haar klanten wel het een en ander begrepen van mode en trends. Ze reikte naar haar kam en begon de klitten uit het haar van de oude vrouw te kammen. Ze had nog wat watergolfvloeistof gevonden in het magazijn. Die was niet gestolen. Normaal gesproken zou ze dit niet doen, vooral niet omdat de vorige eigenares de prijs omlaag had gebracht naar tien dollar. Delaney's talent lag vooral in haar vermogen om te zien waar moeder natuur het liet afweten en dat met een knip- en verfbeurt te verhelpen. Met het juiste kapsel zagen neuzen er kleiner uit, werden ogen groter en leken kinnen niet te wijken.

Maar ze was wanhopig. Niemand wilde hier meer dan tien dollar betalen voor een knipbeurt. In de afgelopen drie dagen was mevrouw Van Damme de enige geweest die niet onmiddellijk rechtsomkeert had gemaakt bij het zien van haar prijzen. Maar deze vrouw kon natuurlijk amper lopen.

'Als je een goede watergolf zet, dan zal ik je bij al mijn vriendinnen aanbevelen. Maar die zullen niet meer betalen dan ik.'

O, jottem, dacht ze. Een buslading oude wijfies. Een heel jaar lang watergolf en permanentjes. 'Hebt u de scheiding op links of op rechts, mevrouw Van Damme?'

'Aan de linkerkant. En aangezien je nu toch met je handen in mijn haar zit, mag je me Wannetta noemen.'

'Hoe lang heb je dit kapsel al, Wannetta?'

'O, een jaar of veertig. Sinds mijn overleden echtgenoot vond dat ik op Mae West leek.'

Delaney betwijfelde of Wannetta ooit op Mae West had geleken. 'Misschien wordt het eens tijd voor wat anders,' stelde ze voor en deed rubberen handschoenen aan.

'Nee hoor. Ik hou vast aan wat werkt.'

Delaney knipte het topje van het flesje af en bracht de vloeistof aan op het hoofd van de vrouw. Daarna begon ze met haar vingers, een kam en wat klemmen de golven aan te brengen aan de rechterkant van het hoofd van de vrouw. Na enkele pogingen had ze de eerste golf erin, zodat ze de volgende golven kon zetten. Terwijl ze aan het werk was, kletste Wannetta onophoudelijk door.

'Mijn vriendin Dortha Miles woont in zo'n bejaardentehuis in Boise. Ze vindt het er heerlijk. Het eten is er ook goed, zegt ze. Ik heb erover gedacht om ook naar zo'n tehuis te verhuizen. Sinds mijn echtgenoot Leroy vorig jaar is overleden.' Ze zweeg even en tilde een magere hand onder de kappersmantel vandaan om aan haar neus te krabbelen.

'Hoe is uw man overleden?' vroeg Delaney, die in de weer was met de kam.

'Hij is van een dak gevallen en op zijn hoofd terechtgekomen. Je moest eens weten hoe vaak ik die oude gek had gezegd er niet op te klimmen. Maar hij luisterde nooit naar me en moet je zien wat het hem gebracht heeft. Hij moest er gewoon op, om aan de televisieantenne te morrelen. Hadden we maar kabel gehad. Nu ben ik alleen en als die waardeloze kleinzoon van me, Ronnie, er niet was geweest, die maar geen baan kan houden en altijd geld moet lenen, dan kon ik het me veroorloven om in zo'n oord te gaan wonen, zoals Dortha. Alleen weet ik niet zeker of het wel verstandig is, aangezien haar dochter een' – hier zweeg ze even en fluisterde – 'een lesbienne is. Ik heb toch het idee dat het genetisch bepaald is. Nu zeg ik niet dat Dortha een' – weer dat zwijgen en die fluistertoon – 'lesbienne is, al heeft ze altijd wel heel kort haar en makkelijke schoenen, zelfs voordat ze last kreeg van haar voeten. Maar ik zou het vreselijk vinden als ik met iemand samenwoonde en er dan pas achter kwam. Dan durf ik niet te douchen, en ben ik bang dat ze naakt door het appartement zou hollen. Of misschien stiekem zou gluren als ik me uitkleedde.'

Het beeld dat bij dit verhaal voor Delaney's geestesoog verscheen was inderdaad angstaanjagend. En ze moest hard op haar wang bijten om niet in lachen uit te barsten. Daarna ging het gesprek van Wannetta's vrees voor lesbiennes naar de andere zorgen van het ouder worden. 'Na die roofoverval op het huis bij Cow Creek vorig jaar,' vertelde ze, 'sluit ik tegenwoordig maar mijn deuren af. Dat hoefde ik vroeger nooit te doen. Maar nu woon ik alleen en ik kan maar beter voorzichtig zijn. Ben jij getrouwd?' vroeg ze, turend naar Delaney via de spiegel tegenover haar.

Delaney werd doodmoe van die vraag. 'Ik heb de juiste man nog niet gevonden.'

'Ik heb een kleinzoon, Ronnie.'

'Nee, dank je.'

'Hm. Woon je alleen?'

'Ja, inderdaad,' antwoordde Delaney, die net de laatste golf aanbracht. 'Ik woon hierboven.'

'Hierboven?' Wannetta wees naar het plafond.

'Klopt.'

'Waarom, als je mama zo'n mooi huis heeft?'

Om wel een miljoen redenen. Ze had haar moeder amper gesproken sinds ze verhuisd was en ze kon niet zeggen dat ze er rouwig om was. 'Ik vind het prettig alleen,' antwoordde ze en vormde een rij krulletjes op het voorhoofd van de oude dame.

'Nou, als je maar uitkijkt voor die gekke Baskische jongens hiernaast. Ik ben wel eens uit geweest met zo'n schaapherder. Die hebben vreemde gewoontes.'

Delaney beet weer op haar wang. Voordat ze de salon had geopend, was ze nog bezorgd geweest dat ze Nick tegen het lijf zou lopen, maar al had ze zijn Jeep vaak zien staan op de parkeerplaats achter hun gebouwen, en lagen de achterdeuren vlak naast elkaar, ze had hem geen één keer gezien. Volgens Lisa had zij Louie de laatste tijd ook weinig gezien. Aannemersbedrijf Allegrezza maakte overuren met de afronding van een aantal grote klussen, voordat de winter inviel, wat vanaf begin november wel eens het geval zou kunnen zijn.

Toen Delaney klaar was, bleek mevrouw Van Damme nog steeds oud en gerimpeld en zag ze er totaal niet uit als Mae West. 'Wat vind je?' vroeg ze, terwijl ze de vrouw een handspiegel overhandigde.

'Hm, draai me eens om.'

Delaney draaide de stoel zo ver dat Wannetta haar achterhoofd kon zien.

'Ziet er goed uit, maar ik betaal je wel vijftig cent minder, vanwege die krulletjes hiervoor. Ik heb niet gezegd dat ik zou betalen vanwege extra krullen.'

Fronsend maakte Delaney de kappersmantel los.

'En je geeft toch wel ouderenkorting? Helen is niet zo goed als jij, maar ze geeft wel ouderenkorting.'

Op die manier was ze binnen afzienbare tijd failliet. Zodra mevrouw Van Damme de deur uit was, sloot Delaney de boel af en trok haar groene jasschort uit. Ze reikte naar haar jack en liep naar achteren. Net op het moment dat ze naar buiten stapte en zich omdraaide om de deur achter zich te sluiten, stopte er een stoffige zwarte Jeep op de parkeerplek die gereserveerd was voor de buren. Ze keek over haar schouder en liet bijna haar sleutels vallen.

Nick draaide het sleuteltje van de Jeep om en stak zijn hoofd uit het raampje. 'Hé, wilde bosmeid, waar ga jij zo hoerig gekleed naartoe?'

Heel langzaam draaide ze zich om en stak haar armen in haar jack. 'Ik zie er niet hoerig uit.'

Hij kwam de auto uit en bekeek haar van top tot teen. Hij begon onderaan, bij haar laarzen en liet zijn blik verder naar boven glijden. Er verscheen een lui glimlachje om zijn lippen. 'Je ziet eruit alsof iemand het heerlijk vond om zich door jou vast te laten binden.'

Ze trok haar haren uit de kraag van het jack en bestudeerde hem even grondig als hij haar. Zijn haar zat in een paardenstaart en van zijn blauwe werkoverhemd waren de mouwen afgeknipt. Zijn spijkerbroek was op sommige plekken versleten en zijn laarzen zaten onder het stof. 'Heb je die tatoeage in de gevangenis laten zetten?' vroeg ze, wijzend naar de doornenkrans op zijn ontblote biceps.

Zijn glimlach verdween en hij antwoordde niet.

Delaney kon zich niet herinneren dat ze ooit van Nick had gewonnen. Hij was altijd sneller en gemener geweest. Maar dat was verleden tijd, dat was de oude Delaney. De nieuwe Delaney stak haar kin in de lucht en ging verder. 'Waar moest je voor brommen, potloodventen?'

'Een roodharige met een grote bek, die vroeger blond was, het zwijgen opleggen.' Hij kwam wat dichterbij en bleef vlak bij haar staan. 'Het was het waard.'

Delaney keek naar hem op en glimlachte. 'En, heb je daar vaak voorover moeten buigen in de douche?' Ze wist dat hij boos zou worden. Ze wist dat hij iets gemeens zou zeggen. Iets waardoor ze wenste dat ze ervandoor was gegaan zodra ze zijn Jeep had gezien, maar dat deed hij niet.

Hij balanceerde wat op zijn hakken en grijnsde plotseling. 'Dat was een goeie,' zei hij. Toen begon hij te lachen. Het was het lachen vol zelfvertrouwen van een man die zeker wist dat niemand aan zijn seksuele voorkeur zou twijfelen.

Ze kon zich niet herinneren wanneer ze hem voor het laatst had horen lachen, zonder dat het óm haar was. Zoals die keer dat haar moeder haar had gedwongen zich als smurf te verkleden voor de halloweenoptocht en Nick en zijn stomme vriendjes zich hadden bescheurd.

Deze Nick was ontwapenend. 'Ik hoor dat we allebei naar Louie's huwelijk gaan.'

'Ja, wie had nou gedacht dat mijn beste vriendin zou eindigen met die gekke Louie Allegrezza.'

Weer klonk er gemeend gegrinnik. 'Hoe staan de zaken?' vroeg hij, waarmee hij haar compleet van haar à propos bracht.

'Wel goed,' antwoordde ze. De laatste keer dat hij aardig was geweest tegen haar, had ze hem haar kleren laten uittrekken, terwijl hij volledig gekleed bleef. 'Het enige wat ik nodig heb zijn nieuwe sloten en wat grendels.'

'Hoezo, heeft er iemand ingebroken?'

'Ik weet het niet.' Haar blik dwaalde af naar de papieren in zijn borstzak; als ze maar niet in zijn aantrekkelijke ogen hoefde te kijken. 'Ik heb maar één sleutel van de winkel gekregen, en er moeten er meer zijn. Ik heb de slotenmaker al gebeld, maar die is tot op heden niet gekomen.'

Nick reikte naar de deurkruk, naast Delaney's middel en rammelde eraan. Zijn pols streek langs haar heup. 'Dat zal wel niet gebeuren. Jerry is een verrekt goede slotenmaker als hij werkt. Maar hij werkt net genoeg om zijn huur en zijn drank te kunnen betalen. Die zie je pas als zijn whisky op is.'

'Nou, mooi is dat.' Ze keek naar de punten van haar glimmend zwarte laarzen. 'Is er bij jullie wel eens ingebroken?'

'Nee, maar wij hebben stalen deuren en grote sloten.'

'Misschien moet ik het zelf wel doen,' zei ze hardop denkend. Hoe moeilijk kon het zijn? Het enige wat je nodig had was een schroevendraaier en een boor.

Dit keer was zijn lachen wel degelijk om haar. 'Ik stuur over een paar dagen wel een mannetje.'

Delaney keek omhoog, via zijn kin, zag zijn volle mond en zijn koele blik. Ze vertrouwde hem niet. Dat klonk veel te aardig. 'Waarom zou je zoiets voor me doen?'

'Vertrouw je het niet?'

'Nee.'

Hij haalde zijn schouders op. 'Iemand kan met gemak door de kruipruimte van het ene naar het andere pand komen.'

'Ik wist dat je niet zomaar iets aardigs zou doen.'

Hij boog zich voorover en zette zijn handen naast haar hoofd tegen de muur. 'Je kent me al te goed.'

Zijn grote lijf blokkeerde het zonlicht, maar ze weigerde zich te laten intimideren. 'Wat gaat me dat kosten?'

Er verscheen een ondeugend pretlichtje in zijn ogen. 'Wat kun je missen?'

Oké, nu weigerde ze helemaal te laten zien dat hij haar intimideerde. Ze tilde haar kin wat op. 'Twintig dollar?'

'Te weinig.'

Nu ze gevangenzat tussen zijn armen kon ze amper ademhalen. Een dun stroompje lucht scheidde haar mond van de zijne. Hij stond zo dichtbij dat ze zijn aftershave kon ruiken. Ze moest zich wel omdraaien.

'Veertig dan?' vroeg ze, met een stem die schor en buiten adem klonk.

'Nee hoor.' Hij raakte met zijn wijsvinger haar wang aan en leidde haar blik weer terug naar hem toe. 'Ik hoef je geld niet.'

'Wat wil je dan wel?'

Zijn blik vond haar mond en heel even dacht ze dat hij haar zou gaan zoenen. 'Ik bedenk wel iets,' zei hij en zette zich weer af tegen de muur.

Delaney haalde diep adem en keek hoe hij verdween in het gebouw ernaast. Ze durfde niet te denken aan wat dat zou mogen zijn.

De volgende dag hing ze een bordje op dat klanten bij een permanentje of haarkleuring gratis hun nagels gelakt zouden krijgen. Er ging niemand op in, maar ze mocht wel het grijze haar van mevrouw Vaughn strak in de lak zetten. Laverne Vaughn had op de lagere school in Truly lesgegeven tot ze, ver in de zeventig, verplicht met pensioen was gegaan.

Het was duidelijk: Wannetta had woord gehouden. Ze had haar vriendinnen over Delaney verteld. Mevrouw Vaughn betaalde tien dollar, stond erop ouderenkorting te krijgen en eiste een gratis potje nagellak. Delaney haalde onmiddellijk het bordje weg.

Vrijdag waste en föhnde ze het haar van weer een vriendin van Wannetta en op zaterdag kwam mevrouw Stokesberry langs met twee pruiken die schoongemaakt moesten worden. Een witte voor dagelijks gebruik en een zwarte voor speciale gelegenheden.

'Je geeft toch ouderenkorting?' vroeg ze terwijl ze de witte haardos over haar oren trok.

'Ja,' zuchtte Delaney, zich afvragend waarom ze toeliet dat zoveel mensen een loopje met haar namen. Haar moeder, de grijze brigade en Nick. Vooral Nick. Het antwoord klonk als een rinkelende kassa. Ze kon heel wat verstouwen voor drie miljoen groene briefjes.

Zodra de vrouw vertrokken was, sloot Delaney vroeg af en ging naar haar vriendjes Duke en Dolores. De honden kwispelden enthousiast en likten haar gezicht. Eindelijk, vriendelijke gezichten. Ze drukte haar voorhoofd in Dukes flaporen en probeerde niet te huilen. Het lukte niet. Net zoals het niet lukte met de kapsalon. Ze haatte watergolven. Ze haatte getoupeerde en gelakte kapsels. Ze haatte het wassen en stylen van pruiken. Maar ze haatte vooral dat ze niet kon doen wat ze het liefste wilde. En dat was: doodgewone vrouwen omtoveren tot buitengewone vrouwen. Ze was dol op het geluid van de föhn, de schaar; dol op de geur van haarverf en permanentvloeistof. Ze hield echt van het leven dat ze leidde voordat ze naar Truly was gekomen voor Henry's begrafenis. Nog zeven maanden en vijftien dagen, sprak ze zichzelf moed in. Nog zeven maanden en dan kon ze gaan en staan waar ze wilde. Ze stond op en pakte de hondenriemen.

Een halfuurtje later keerde ze terug van haar wandeling met de honden en deed ze terug in hun hok. Ze wilde net haar auto in stappen toen Gwen naar buiten kwam.

'Kom je niet eten?' vroeg haar moeder, met een beige angoravestje om haar schouders gedrapeerd.

'Nee.'

'Het spijt me dat ik zo vroeg van je feestje vertrok.'

Delaney viste haar sleutels uit haar broekzak. Meestal beet ze op haar tong om alles weg te slikken, maar nu was ze niet in de stemming. 'Nee, dat geloof ik niet.'

'Natuurlijk geloof je me wel. Waarom zeg je zoiets?'

Ze keek naar haar moeder, naar haar blauwe ogen en blonde haren in een klassieke boblijn. 'Ik weet het niet,' antwoordde ze en besloot een discussie, die ze toch niet kon winnen, in de kiem te smoren. 'Ik heb een rotdag achter de rug. Ik kom morgenavond wel eten als je dat wilt.'

'Ik heb al plannen voor morgenavond.'

'Maandag dan,' zei Delaney en stapte haar auto in. Ze wuifde nog even en zodra ze weggereden was belde ze Lisa. 'Ben jij vanavond vrij?' vroeg ze, toen haar vriendin opnam. 'Ik kan wel een drankje gebruiken. Twee zelfs.'

'Louie werkt tot laat, dus ik kan wel even naar je toe komen.'

'Waarom ontmoeten we elkaar niet bij Hennessey's? Daar speelt vanavond laat een bluesband.'

'Oké, maar ik ben waarschijnlijk al weg als ze beginnen te spelen.'

Delaney was een beetje teleurgesteld, maar ze was eraan gewend alleen te zijn. Toen ze had opgehangen, reed ze verder naar huis. Daar nam ze een douche en trok een spijkerbroek aan met een groen bloesje erboven. Ze föhnde haar haren en deed make-up op. Daarna trok ze haar Dr. Martens aan, en in haar leren jackje liep ze de drie straten naar Hennessey's. Tegen de tijd dat ze daar aankwam was het halfzeven en was de kroeg al gevuld met werkpubliek.

Hennessey's was een middelgrote kroeg met een bovenverdieping waarvandaan je neerkeek op de ruimte beneden. Op beide verdiepingen stonden de tafels dicht tegen elkaar. Beneden was al een podium gebouwd naast de grote dansvloer. Nu waren de lichtjes boven de bar allemaal aan en was de dansvloer nog leeg. Dat zou later wel anders zijn.

Delaney ging aan een tafeltje zitten aan het einde van de bar en was al aan haar eerste biertje begonnen toen Lisa binnenstapte. Ze wierp een blik op haar vriendin, lichtte een vinger van het glas en wees naar Lisa's paardenstaart. 'Je zou mij je haar eens moeten laten knippen.'

'Geen sprake van.' Lisa bestelde een light biertje en wendde zich weer tot Delaney. 'Weet je nog wat je met Brigitte hebt gedaan?'

'Welke Brigitte?'

'De pop die ik van mijn oma Stolfus kreeg. Je knipte haar gouden krullen af en toen zag ze eruit als Cyndi Lauper. Sindsdien heb ik een trauma voor kappers.'

'Ik beloof je dat ik je er niet uit laat zien als Cyndi Lauper. Ik zal het zelfs gratis doen voor je.'

'Ik zal er eens over nadenken.' Toen kwam Lisa's biertje en

moest ze de serveerster betalen. 'Ik heb vandaag de jurken voor de bruidsmeisjes besteld. Als ze er zijn, moet je komen passen.'

'Zie ik eruit als een Southern belle met hoepelrok en ruches en strikjes?'

'Nee hoor. De jurken zijn van donkerrode fluwelen stretchstof. Gewoon een simpel A-lijntje, anders trekken jullie alle aandacht weg bij de bruid.'

Delaney nam een slok bier en glimlachte. 'Dat zou ik nooit doen, maar je zou er echt over moeten denken om mij je haar te laten doen voor de grote dag. Lijkt me leuk.'

'Ik laat je wel een vlecht maken of zoiets.' Lisa nam een slok. 'Ik heb de cateraar ook al geboekt.'

Toen ze het onderwerp van Lisa's huwelijk hadden besproken, ging het over Delaney's zaak.

'Hoe gaat het dezer dagen in je kapsalon?'

'Klote. Ik had vandaag een klant, mevrouw Stokesberry. Ze bracht haar pruiken langs, en ik heb ze lopen schrobben alsof het zwerfhondjes uit het asiel waren.'

'Leuke baan.'

'Breek me de bek niet open.'

Lisa nam een slok en zei toen: 'Ik wil je niet nog vervelender laten voelen, maar ik reed vandaag langs Helens Haarpunt. Daar was het tamelijk druk.'

Delaney staarde somber in haar bier. 'Ik moet iets doen om haar klanten af te troggelen.'

'Geef iets gratis weg. Mensen komen graag voor iets wat gratis is.'

Dat had ze al geprobeerd met nagellak. 'Ik moet gaan adverteren,' zei ze, de mogelijkheden overdenkend.

'Misschien moet je een showtje doen, op de school van Sophie bijvoorbeeld. Een paar showmodelletjes knippen, zodat iedereen zich door jou wil laten knippen.'

'En hun moeders moeten ze dan steeds komen brengen.' Delaney nipte nadenkend aan haar bier.

'Nu niet direct kijken, maar Wes en Scooter Finley komen net binnenlopen.' Lisa legde haar hand langs haar gezicht, als een soort schild. 'Geen oogcontact maken, dan komen ze gelijk hier-naartoe.'

Delaney schermde haar gezicht ook af, maar tuurde door haar vingers. 'Ze zijn nog net zo lelijk als toen.'

'En ook net zo dom.'

Delaney had tegelijk eindexamen gedaan met de broertjes Finley. Ze waren geen tweelingen, maar leken wel sprekend op elkaar. Wes en Scooter waren precies twee tintjes donkerder dan een albino en hadden heel enge lichte ogen. 'Denken ze nog steeds dat de meisjes voor hen in de rij staan?'

Lisa knikte. 'Ongelooflijk, hè.' Toen de Finley-dreiging voorbij was, liet Lisa haar hand zakken en gebaarde naar de twee mannen aan de bar. 'Wat denk je, boxers of broeken met gulp?'

Delaney wierp een blik op hun shirts met een enorme opdruk van een merk motorolie erop, hun steil met gel achterovergekamde haar en zei: 'Onderbroeken natuurlijk, wit, maat large.'

'En die gozer helemaal op links?'

Het was een lange magere man, met zijn haar in perfecte laagjes. Hij droeg een gele trui om zijn schouders. Dit was voor Delaney het teken dat hij ofwel een nieuwkomer was of een heel moedig mens. Alleen een dappere man zou door de straten van Truly wandelen met een trui om zijn schouders, in wat voor kleur dan ook. 'Ik denk een reetveter. Dit moet een durfal zijn.'

Delaney nam weer een slok en keek naar de deur.

'Katoen of zijde?'

'Zijde. Nu is het jouw beurt.'

Allebei staarden ze nu naar de deur, wachtend op het volgende slachtoffer dat binnen zou lopen. Nog geen minuut later kwam hij al, en zag er nog beter uit dan Delaney zich herinnerde. Het haar van Tommy Markham krulde nog altijd vrolijk achter zijn oren en in zijn nek. Hij was nog steeds slank, in plaats van stevig, en toen hij naar Delaney keek was zijn glimlach nog even charmant als die van een kwajongen. Het was een glimlach waarvoor een vrouw hem bijna alles zou vergeven.

'Je maakt mijn vrouw helemaal gek. Dat wist je zeker nog niet?' sprak hij, terwijl hij op hun tafeltje afliep.

Delaney keek op in Tommy's blauwe ogen en legde een hand op haar borstkas in een gebaar van onschuld. 'Ik?' Er was een tijd geweest dat de aanblik van zijn lange wimpers haar hart sneller deed kloppen. Ze kon de glimlach die om haar lippen speelde niet verbergen, maar haar hartslag bleef normaal. 'Wat heb ik dan gedaan?'

'Je bent teruggekomen.'

Mooi zo, dacht ze. Helen had haar hun hele jeugd dwarsgezeten, háár gek gemaakt. Het haar betaald zetten was niet meer dan eerlijk. 'Nu we het er toch over hebben, waar is dat blok aan je been eigenlijk?'

Hij moest lachen en ging in de stoel naast haar zitten. 'Ze is met de kids naar een trouwerij in Challis. Die komen morgen ergens terug.'

'Waarom ging jij niet mee?' vroeg Lisa.

'Ik moet morgen werken.'

Delaney keek naar haar vriendin, tegenover haar, die met blikken duidelijk probeerde te maken dat hij getrouwd was. Delaney grijnsde terug. Lisa hoefde zich geen zorgen te maken. Ze begon nooit iets met een getrouwde man – echt nooit. Maar dat hoefde Helen niet te weten. Die mocht lekker lijden.

Nick hing op en rolde zijn bureaustoel naar achteren. Boven hem zoemde een tl-lamp en met een glimlach om zijn mond keek hij uit zijn kantoorraam. De zon was al onder en hij zag zijn eigen spiegelbeeld. Nu werd het plaatje compleet. Hij had drie projectontwikkelaars bereid gevonden om samen met hem te investeren en hij ging nu het gesprek aan met de geldverstrekkers.

Hij wierp zijn potlood op het bureau voor hem en streek met zijn handen door zijn haar. De halve stad zou stevig balen als ze wisten wat hij van plan was met Silver Creek. Maar de andere helft zou er heel blij mee zijn.

Toen hij en Louie hadden besloten om het bedrijf naar Truly te verplaatsen, wisten ze dat de oudere bewoners elke ontwikkeling of groei zouden tegenhouden. Maar net als Henry stierven ze langzamaan uit. En werden vervangen door yuppen. Afhankelijk van de verteller waren de jongens Allegrezza gewoon zakenlieden of vreselijke natuurverkrachters. Ze werden geliefd en gehaat. Maar dat was altijd al het geval geweest.

Hij stond op en rekte zich uit. Voor hem lagen de voorlopige bouwtekeningen voor een golfbaan met negen holes en vierenvijftig zeer ruime appartementen. Zelfs met een behoudend budget zou Aannemersbedrijf Allegrezza een fortuin verdienen. En dat was pas de eerste fase van de ontwikkeling. Met de tweede fase zouden ze nog meer verdienen. Er zouden huizen van een miljoen worden gebouwd aan de rand van de green. Het enige wat Nick nodig had was een papier waarop stond dat Henry de veertig hectaren aan hem had nagelaten. Dat zou hij in juni in zijn bezit krijgen.

Nick grijnsde breed. Hij had zijn eerste miljoen vergaard met het verbouwen van allerlei huizen, van krotten tot luxewoningen in Boise, maar een man kon altijd wel wat extra geld gebruiken.

Hij griste zijn jack van de kapstok en begaf zich naar de achterdeur. Als hij klaar was met zijn plannen voor Silver Creek, zou hij eens nadenken over wat hij wilde doen met Angel Beach. Misschien zou hij daar niet eens iets neerzetten. Hij bleef even staan om het licht uit te doen en de deur achter zich op slot te draaien. Zijn Harley Fat Boy stond naast Delaney's kleine Miata. Hij keek even naar haar appartement. De groene deur werd aangelicht door een straatlamp. Wat een rotflatje.

Hij begreep wel waarom ze niet bij haar moeder wilde wonen. Hij kon ook niet lang in de nabijheid van Gwen zijn zonder haar de keel dicht te willen knijpen. Maar wat hij niet begreep was waarom Delaney ervoor had gekozen naar dit krot te verhuizen. Hij wist dat Henry's testament haar had voorzien van een maandelijks inkomen, en hij wist ook dat ze wel wat beters kon betalen. Het was voor een man die kwaad wilde een kleine moeite die deur in te trappen.

Als hij tijd had was hij nog steeds van plan de sloten op haar winkel te vervangen. Maar Delaney was niet zijn probleem. Waar zij ook woonde of wat ze droeg ging hem niets aan. Als zij in een ruïne wilde wonen en alleen maar een stukje zeemleer wilde dragen, in plaats van een fatsoenlijke rok, dan was dat haar probleem.

Het kon hem geen reet schelen. Hij wist zeker dat hij haar geen aandacht zou schenken als ze niet boven op zijn lip zou wonen.

Hij zwaaide een been over de tank van de Harley en zette de motorfiets rechtop. Als het een andere vrouw was geweest, in dat lapje zeemleer, had hij het wel kunnen waarderen. Als Delaney er zo uitzag, als pretcadeautje in strak suède, had hij zin haar helemaal te strippen en zijn tanden in haar te zetten. Het had precies drie seconden geduurd voordat hij een stijve had gekregen.

Hij schopte de standaard omhoog met zijn laars en drukte op de startknop. De motor kwam brullend tot leven en verstoorde de rustige avond. Een stijve krijgen vanwege een vrouw met wie hij het bed niet wilde delen deerde hem niet. Maar een stijve krijgen van díé vrouw wel.

Hij gaf een dot gas en stoof het steegje uit waarna hij, zonder vaart te minderen, First Avenue op reed. Hij voelde zich rusteloos en reed alleen even naar huis om te douchen. Van de rust daar kreeg hij het benauwd en hij wist niet waarom. Hij had afleiding nodig en dus eindigde hij in Hennessey's, met een biertje in zijn hand en Lonna Howell op schoot.

Vanaf zijn tafeltje keek hij uit over de dansvloer, die redelijk donker was en waar langzaam voortschuifelende lichamen bewogen op het sensuele ritme van de blues die uit de speakers knalde. Af en toe streek er een spotje langs de bandleden en hier en daar brandde een lamp, maar verder was de tent zo sfeervol donker gehouden, dat elke zondaar die dat wilde ongezien zijn slag kon slaan.

Nick had nog geen bepaalde zonde voor ogen, maar het was nog vroeg en Lonna leek wel bereidwillig om mee te zondigen.

Hoofdstuk 6

Delaney legde haar armen rond de nek van haar vroegere vriendje en danste met hem op de langzame beat van de bluesgitaar. Het voelde een beetje als vanouds, behalve dan dat Tommy nu een volwassen man was en geen jongen meer. Als jongen had hij al geen gevoel voor ritme gehad, en nog steeds lukte het hem niet om de maat te houden. Vroeger rook hij altijd naar zeep, maar nu had hij een luchtje op dat niet bij hem paste. Hij was haar eerste echte liefde geweest. Hij had haar hart op hol gebracht. Nu had ze daar geen last meer van.

'Hoe kwam het ook weer,' zei hij in Delaney's oor, 'dat wij geen vrienden kunnen zijn?'

'Omdat jouw vrouw een hekel aan me heeft.'

'O ja.' Hij trok haar wat dichter tegen zich aan, maar liet zijn handen netjes op haar rug. 'Maar ik vind je zo leuk.'

Toen Lisa een uur geleden naar huis was gegaan was hij met zijn schaamteloze geflirt begonnen. Hij had haar twee keer ten dans gevraagd en zich zo charmant opgesteld dat ze het hem niet kwalijk kon nemen. Hij maakte haar aan het lachen en ze vergat dat hij ooit haar hart had gebroken door er met Helen vandoor te gaan.

'Waarom wilde je niet met me naar bed op de middelbare school?' vroeg hij.

Ze was juist graag met hem naar bed gegaan, heel graag zelfs. Ze was ontzettend verliefd geweest en bovendien een echte puber; de hormonen hadden door haar lichaam geraasd. Maar de angst voor haar moeder en Henry was groter geweest dan haar lust.

'Jij hebt me gedumpt.'

'Niet. Jij hebt míj gedumpt.'

'Ja, nadat ik jou Helen zag aflebberen.'

'O ja.'

Ze leunde achterover om hem in zijn ogen te kijken, die nauwelijks te zien waren in het donker van de dansvloer. 'Dat was echt een vreselijke rotstreek.' Ze lachten allebei.

'Ja, dat was heel slecht van me. Ik heb me er altijd voor geschaamd, maar ik wist ook niet wat ik tegen je moest zeggen,' bekende hij. 'Ik had wel iets willen zeggen, maar ik was bang dat je het niet zou pikken.'

'Wat dan?'

Zijn tanden lichtten wit op in het donker. 'Dat ik er spijt van had dat ik Helen had afgelebberd, maar dat ik wel met jou verder wilde.'

Ooit had ze zijn naam groot op alle bladzijden van haar agenda en schriften geschreven en was ze in de ban geweest van haar huisje-boompje-beestjefantasieën met Tommy Markham.

'Zou je me nog een kans hebben gegeven?'

'Nee,' antwoordde ze, oprecht dankbaar dat hij haar man niet was geworden.

Hij leunde naar voren en kuste haar zacht op haar voorhoofd. 'Dat herinner ik me nog het beste van je, dat woordje nee,' zei hij tegen haar voorhoofd. De muziek stopte. Hij liet haar los en glimlachte. 'Ik ben blij dat je weer terug bent.' Hij bracht haar naar haar tafeltje terug en pakte zijn jas. 'Ik zie je later.'

Delaney keek hem na en pakte het flesje bier dat ze op tafel had laten staan. Ze bracht het naar haar mond en haalde haar vrije hand door haar haar. Tommy was niet veel veranderd sinds de middelbare school. Hij was nog steeds knap en charmant. En nog steeds een rokkenjager. Bijna had ze medelijden met Helen – bijna.

'Een afspraakje met je oude vriendje?'

Ze herkende de stem al voordat ze zich omdraaide. Ze liet de fles zakken en keek op naar de man die haar meer ellende had gebracht dan al haar vroegere vriendjes bij elkaar.

'Jaloers?' Tommy had ze nog vrij makkelijk kunnen vergeten. Maar die ene broeierige augustusnacht met Nick Allegrezza stond voorgoed in haar geheugen gegrift.

'Stinkend jaloers.'

'Kom je ruziemaken? Daar heb ik nu echt geen zin in. Zoals je zelf al zei, binnenkort gaan we allebei naar de bruiloft van Lisa en jouw broer. We kunnen beter wat normaler met elkaar omgaan. Wat vriendelijker.'

Een langzame, sensuele glimlach krulde zijn lippen. 'Hoe vriendelijk?'

'Gewoon, vriendelijk. Als vrienden,' zei ze, ook al twijfelde ze er zelf aan of dat mogelijk was. Maar ze konden in ieder geval proberen niet steeds naar elkaar uit te halen. Vooral omdat zij altijd het onderspit moest delven.

'Als lotgenoten onder elkaar?'

Dat kon nog net. 'Oké.'

'Of als echte maatjes?'

'Ook goed.'

Hij schudde zijn hoofd. 'Dat gaat niet gebeuren.'

'Waarom niet?'

Hij gaf geen antwoord. In plaats daarvan nam hij de fles uit haar hand en zette hem op tafel. De zanger van de kleine liveband zette een heerlijk langzaam nummer in en Nick trok haar mee naar de drukke dansvloer. Hij drukte haar tegen zich aan en bewoog zijn heupen op de maat van de gevoelige muziek. Ze werd nog steviger tegen hem aan getrokken toen ze probeerde wat ruimte tussen zijn borstkas en haar borsten te scheppen. Zijn grote handen op haar rug hielden haar echter op de plek waar hij haar wilde hebben. Ze had geen keus en moest haar handen wel op zijn brede schouders laten rusten. De warmte van zijn sterke, harde lichaam drong dwars door alle lagen katoen en spijkerstof heen en verwarmde haar huid. In tegenstelling tot Tommy zat het ritmegevoel Nick in het bloed. Hij bewoog makkelijk en natuurlijk op de muziek, als een trage stroom die geen haast had om ergens op tijd te zijn.

'Je had me ten minste kunnen vragen of ik wilde dansen,' zei ze, haar wilde hartslag negerend.

'Klopt. Dat had ik kunnen doen.'

'De meeste mannen leven niet meer in het stenen tijdperk.' De geur van pas gewassen katoen en zijn mannelijkheid vulde haar hoofd.

'Je bedoelt mannen zoals je oude vriendje?'

'Ja.'

'Tommy denkt met zijn pik.'

'Jij ook.'

'Daar ga je weer.' Hij wachtte even en zijn stem werd iets lager. 'Alsof je me zo goed kent.'

Ze voelde de tegenstrijdige emoties in haar maag samenkomen. Boosheid en opwinding, ademloze hoop en verlammende angst. Tommy Markham, haar eerste liefde, had nooit zo'n onrust in haar veroorzaakt. Waarom deed Nick dat wel? Hij was altijd eerder vervelend dan aardig tegen haar geweest. Ze dacht dat ze hun verleden samen inmiddels achter zich had gelaten.

'Iedereen in de stad weet toch dat je een hele hoop vrouwen afwerkt.'

Hij leunde achterover en keek op haar neer. Slechts de helft van zijn knappe gezicht werd verlicht door de podiumlampen. 'Zelfs als dat waar is, is er een verschil. Ik ben niet getrouwd.'

'Getrouwd of niet, seks met Jan en alleman is walgelijk.'

'Zei je dat net ook tegen je vroegere vriendje?'

'Mijn relatie met Tommy gaat je geen donder aan.'

'Relatie? Wedden dat je een afspraakje met hem hebt voor wat van die seks met Jan en alleman die je zo walgelijk vindt?'

Zijn handen kropen over haar rug omhoog tot in haar nek.

'Of vond je Tommy niet opwindend?'

Hij begroef zijn vingers in haar haar en hield haar hoofd in zijn handen. Zijn blik was zo hard als graniet.

Ze zette zich af tegen zijn schouders, maar hij verstevigde zijn greep en drukte zijn vingers stevig tegen haar achterhoofd. Hij deed haar geen pijn, maar liet haar met geen mogelijkheid gaan.

'Je bent gestoord.'

Hij liet zijn gezicht langzaam zakken en vroeg tegen haar lippen: 'Verlangde je er niet naar?' Ze hield haar adem in.

'Je hunkert ernaar, hè?'

Delaney's hart sloeg tegen haar borst en ze kon geen antwoord geven. Hij liet zijn lippen zachtjes over de hare glijden en zijn tongpuntje raakte even de rand van haar onderlip. Een vleug genot stroomde langs haar borsten over haar lichaam. Ze schrok van haar heftige reactie. Nick was de laatste bij wie ze zo'n pijnlijke hunkering wilde voelen. Ze hadden te veel ellende met elkaar meegemaakt. Ze wilde hem wegduwen, maar hij stookte het vuur hoger op door haar vol op de mond te kussen. Zijn tong drong tussen haar lippen en de zachte zuiging van zijn mond veroorzaakte een stormvloed van hete opwinding die haar weerstand in een oogwenk brak.

Ze wilde hem haten. Ook al kuste ze hem terug, ze wilde hem haten. Ook al moedigde haar tong hem aan om verder te gaan. Ook al sloeg ze haar armen om zijn nek en drukte ze zich tegen hem aan alsof hij haar enige houvast was. Zijn lippen waren zo warm. Zo stevig. Zo dwingend dat ze wel met dezelfde passie moest antwoorden.

Hij bewoog zijn grote handen langs haar lichaam naar beneden om ze daarna onder haar bloesje te laten glijden. Ze voelde zijn vingers strelend op haar blote rug, ze voelde de aanraking van elke afzonderlijke vinger. Hij liet zijn warme, grove handen naar haar middel glijden en zijn duimen streelden lichtjes de naakte huid van haar onderbuik. De knoop in haar maag werd nog strakker en ze voelde speldenprikjes in haar borsten die haar tepels verhardden alsof hij haar daar had aangeraakt. Ze vergat helemaal dat ze op een drukke dansvloer stonden. Ze vergat alles. Haar handen gleden langs zijn nek omhoog en haar vingers woelden door zijn haar.

Ineens veranderde de kus, werd bijna teder terwijl hij zijn duimen zachtjes in haar navel drukte. Met zijn duimen onder de tailleband van haar broek trok hij haar heupen stevig tegen de zijne aan, zodat ze de harde bobbel net rechts van zijn gulp kon voelen.

Haar eigen onderdrukte kreun bracht haar net genoeg bij haar positieven om zich te realiseren wat ze aan het doen was. Ze scheurde haar mond los van zijn lippen en hapte naar adem. Ze schaamde zich en stond versteld van de ongecontroleerde reacties van haar lichaam. Hij had dit al eerder geflikt, alleen had ze hem toen niet onderbroken. Ze duwde hem van zich af en zijn armen vielen langs zijn lichaam. Toen ze hem weer aan durfde te kijken was zijn blik aandachtig maar onpeilbaar. Daarna spande hij zijn kaakspieren en keek hij haar met half toegeknepen ogen aan.

'Je had niet terug moeten komen. Je had weg moeten blijven,' zei hij, draaide zich om en drong zich door de mensenmassa heen naar buiten.

Delaney bleef roerloos op de dansvloer staan, het verlangen nog voelbaar in haar lichaam. Ze was volkomen van haar stuk. De blues klonk nog onverminderd uit de luidsprekers en de mensen om haar heen dansten alsof er niets was gebeurd. Alleen Delaney wist dat er wel degelijk iets was gebeurd. Pas toen de muziek stopte strompelde ze weer terug naar haar tafeltje. Misschien had hij gelijk. Misschien had ze weg moeten blijven. Maar ze had nu eenmaal haar ziel aan de duivel verkocht. Voor geld, een heleboel geld, en ze kon nu niet meer terug.

Delaney trok haar jas aan en liep naar de uitgang van de bar. Ze zou de komende zeven maanden maar op één manier door kunnen komen. Door terug te gaan naar haar eerste plan en Nick zo veel mogelijk te mijden. Met gebogen hoofd liep ze de frisse buitenlucht in. Haar adem bleef in de lucht hangen terwijl ze haar jas dicht ritste.

Het onmiskenbare geronk van Nicks Harley klonk door de avondlucht en Delaney keek over haar schouder. Hij stond met de rug naar haar toe met de Harley tussen zijn gespreide benen. Een versleten zwartleren jas spande zich om zijn schouders. Hij stak zijn hand uit en een van de Howell-tweelingen sprong bij hem achterop en drukte haar perfecte lijf tegen hem aan, alsof het met secondelijm werd vastgeplakt.

Met een ruk draaide Delaney haar hoofd weg en begon met haar handen in haar zakken de korte wandeling naar huis. Nick had altijd al het moreel van een holbewoner gehad. Maar ze kon niet begrijpen dat hij haar zo gekust had terwijl hij uit was met een van de Howell-tweelingen. Ze snapte eigenlijk sowieso niet waarom hij haar gekust had. Het was toch overduidelijk dat hij haar niet leuk vond. Tien jaar geleden had hij haar ook niet gekust omdat hij haar leuk vond. Hij had haar toen alleen maar gebruikt om Henry terug te pakken. Maar Henry was nu dood. Hij kon Henry niet meer dwarszitten door haar te verleiden. Je kon een hoop over Nick zeggen, vooral dat hij gecompliceerd was, maar gek was hij niet. Ze sloeg links af bij de kruising en liep naar de trap die naar haar appartement leidde. Het was raar, maar eigenlijk had ze altijd al weinig van Nick begrepen.

Delaney zou in geen enkele andere stad 's avonds zo onbezorgd alleen over straat kunnen gaan als in Truly. Er werd wel eens ingebroken in een van de zomerhuizen aan de noordkant van het meer. Maar er gebeurde nooit iets ergs. Je hoefde je auto eigenlijk niet op slot te doen, en meestal vond men het niet eens nodig om het huis goed af te sluiten. Maar Delaney had al in te veel grote steden gewoond om haar huis open te laten als ze wegging. Zodra ze de trap op gelopen was en binnenkwam, deed ze de deur op slot en gooide ze de sleutel op de zwartglazen koffietafel.

Terwijl ze haar laarzen uittrok dacht ze aan Nick en haar idiote reactie op hem. Op die schaarse momenten dat ze de controle losliet, wilde ze hem. En hij haar. Dat voelde ze aan de manier waarop hij haar aanraakte, en aan de harde bobbel van zijn erectie.

Delaney's laars viel op de grond en ze fronste in het donker. Ze had op een overvolle dansvloer toegehapt als een hongerige hond die een worst werd voorgehouden. Hij had haar in vuur en vlam gezet, en ze wilde hem meer dan welke man ook. Net als tien jaar geleden. Alsof er naast hem niemand anders was en niets anders ertoe deed. Nick was de enige man die ze kende die haar alles kon doen vergeten. Hij had iets wat haar meteen naar het hoofd steeg. Hij had haar vanavond te pakken genomen, net als die nacht tien jaar geleden voordat ze uit Truly wegging.

Ze wilde er liever niet aan denken, maar ze kon niet anders. De herinneringen die ze altijd had willen vergeten drongen zich weer aan haar op.

De zomervakantie na haar eindexamen was al slecht begonnen en eindigde in een hel. Ze was net achttien jaar geworden en ze had besloten dat ze nu eindelijk volwassen genoeg was om zeggenschap over haar eigen leven te krijgen. Ze wilde nog geen vervolgopleiding doen. Ze wilde een jaar de tijd nemen om te besluiten wat ze wilde gaan studeren. Maar Henry had haar al ingeschreven op de universiteit van Idaho, waar hij zelf alumnus was. Hij had een studie voor haar gekozen en haar ingeschreven voor bijna alle eerstejaarsvakken. Eind juni had ze eindelijk haar moed bijeengeraapt om Henry een compromis voor te leggen. Haar voorstel was om naar de Boise State University te gaan waar Lisa ook heen ging. En ze wilde zich inschrijven voor de vakken die ze leuk vond.

Hij zei nee. Einde verhaal.

De startdatum van de studie in augustus hing als een molensteen om haar nek en in juli probeerde ze het nogmaals bij Henry.

'Haal je nu niks in je hoofd. Ik weet wel wat goed voor je is,' had hij gezegd. 'Je moeder en ik hebben het uitgebreid besproken, Delaney. Je eigen toekomstplannen leiden nergens toe. Je bent duidelijk nog te jong om te weten wat je wilt.'

Maar dat wist ze wel. Ze wist het al heel lang, en om de een of andere reden had ze altijd gedacht dat ze zou krijgen wat ze wilde als ze maar eenmaal achttien werd. Om de een of andere onduidelijke reden was ze ervan overtuigd geweest dat ze tegelijk met haar stemrecht ook eindelijk het recht op vrijheid zou krijgen. Maar haar achttiende verjaardag in februari had geen enkele verandering gebracht, en daarna had ze zich gericht op haar eindexamen. Als ze dat maar haalde, dan zou ze verlost zijn van Henry's controle. Dan zou ze eindelijk Delaney worden. Vrij om te doen wat ze wilde, leuke of gekke dingen. Om zinloze lessen te volgen, om spijkerbroeken met gaten te dragen en te veel make-up op te doen. Om de kleren te dragen die ze leuk vond. Om er desnoods uit te zien als een kleuter, een zwerver, of een hoer.

Ze kon ernaar fluiten. In augustus maakte ze met Henry en haar moeder de vier uur durende reis naar de universiteit van Idaho, in de stad Moscow. Ze schreven haar in voor het eerste semester. Op de terugweg bleef Henry maar herhalen dat hij wel wist wat goed voor haar was en dat ze hem moest vertrouwen.

En hij zei: 'Op een dag zul je me dankbaar zijn. Als je afgestudeerd bent kun je me in mijn bedrijven komen helpen.' Haar moeder sloeg een andere toon aan en noemde haar verwend en onvolwassen.

De avond daarna klom Delaney voor de eerste en de laatste keer stiekem uit haar slaapkamerraam. Als ze Henry om zijn auto had gevraagd had hij haar die waarschijnlijk wel uitgeleend, maar ze wilde hem niets meer vragen. Ze wilde niet dat haar ouders wisten dat ze de deur uit ging, waar ze heen ging, met wie en hoe lang. Het maakte haar niet uit wat ze zou gaan doen, als het maar iets was wat ze nog nooit eerder had gedaan. Iets wat andere achttienjarigen ook deden. Iets wat roekeloos en spannend was.

Ze had haar blonde haar met de krultang bewerkt en een roze zomerjurk aangetrokken met knoopjes aan de voorkant. De jurk reikte tot net boven haar knieën en was het meest gewaagde kledingstuk dat ze had. Hij had dunne schouderbandjes en ze droeg er geen beha onder. Ze dacht er ouder uit te zien dan achttien, ook al maakte dat geen verschil. Ze was de dochter van de burgemeester en iedereen kende haar goed genoeg om te weten hoe oud ze was. Ze liep het hele eind naar de stad op haar gevlochten sandalen met alleen een wit vestje over haar arm. Het was een warme zaterdagavond en er zou vast wel iets te beleven zijn. Iets wat ze nooit durfde, uit angst voor Henry.

Ze vond precies datgene wat ze zocht op de parkeerplaats bij de Hollywood supermarkt op Fifth Street. In het zwakke licht van een lantaarnpaal vlak naast een stenen gebouwtje bleef ze staan om Lisa te bellen. 'Alsjeblieft,' smeekte ze. 'Kom ook hierheen.'

'Ik heb zo'n hoofdpijn dat mijn hoofd zo meteen explodeert,' zei Lisa, die ernstig verkouden was, met een zielig stemmetje. Delaney staarde naar de ingang van de supermarkt en fronste. Ze kon moeilijk in haar eentje een beetje baldadig gaan doen.

'Aansteller.'

'Ik stel me niet aan,' verdedigde Lisa zich. 'Ik ben ziek.'

Ze zuchtte en toen ze opkeek zag ze twee jongens over het parkeerterrein in haar richting lopen. 'O nee.' Ze hing haar vestje over haar andere arm en keerde de jongens haar rug toe. 'De

Finley's komen op me af.' Er waren maar twee andere broers in de stad met een slechtere reputatie dan Scooter en Wes Finley. De Finley-broers waren achttien en twintig en waren net klaar met de middelbare school. 'Niet naar ze kijken,' waarschuwde Lisa voordat ze in een hoestbui uitbarstte.

'Hee, Delaney Shaw,' zei Scooter, die langzaam dichterbij kwam. Hij stond stil naast Delaney en leunde met zijn schouder tegen de muur. 'Wat doe jij hier helemaal alleen?'

Ze staarde in zijn bleke blauwe ogen. 'Niets. Ik zoek wat gezelligheid.'

'Huh huh,' grinnikte hij. 'Dat heb je dan gevonden.'

Delaney had samen met de Finley's eindexamen gedaan en had ze leren kennen als niet al te slimme, maar lollige jongens. Ze hadden het jaar opgevrolijkt met valse brandalarmen en andere grappen. Hun favoriete act was 'moonen' en ze lieten regelmatig hun broek zakken om hun spierwitte blote kont aan iedereen te laten zien, wat tot de nodige hilariteit leidde. 'Wat voor gezelligheid dan, Scooter?'

'Delaney... Delaney!' riep Lisa door de telefoon. 'Ga daar weg. Blijf alsjeblieft uit de buurt van die twee.'

'Nou, een biertje drinken of zo,' antwoordde Wes voor zijn broer. 'Of ergens naar een feestje.'

Ze had in elk geval nog nooit een biertje gedronken met de Finley's. 'Ik ga ophangen,' zei ze tegen Lisa.

'Delaney...'

'Als ze me morgen dood in het meer terugvinden, zeg dan tegen de politie dat ik voor het laatst ben gesignaleerd met de Finley's.' Terwijl ze ophing zag ze een oude omgebouwde Mustang met roestplekken en nog roestiger uitlaten het parkeerterrein op rijden. De koplampen vingen Delaney en haar nieuwe vrienden in een bundel licht. De motor werd uitgezet, de deur ging open, en daar stapte een kleine twee meter aan slechte moraal de auto uit.

Nick Allegrezza had een motorshirt in zijn oude spijkerbroek geropt. Hij keek naar Scooter en Wes en richtte daarna zijn blik op Delaney. De laatste drie jaar had Delaney hem niet vaak gezien. Hij studeerde en werkte in Boise. Maar hij was niet veel veranderd. Zijn haar was nog steeds glanzend zwart, kortgeknipt bij de oren en in de nek. En hij was nog steeds razend knap.

'We kunnen ook zelf een feestje bouwen,' suggereerde Scooter.

'Met ons drieën?' vroeg ze, zo luid dat Nick haar kon horen. Vroeger noemde hij haar een baby, meestal als hij net een sprinkhaan of een ander eng beest naar haar toe had gegooid. Nu was ze in ieder geval geen baby meer. Hij keek haar even fronsend aan, om zich daarna om te draaien en de winkel binnen te gaan.

'Laten we naar ons huis gaan,' zei Wes. 'Onze ouders zijn er toch niet.'

Delaney richtte haar aandacht weer op de broers. 'Eh... Gaan jullie nog meer mensen uitnodigen?'

'Waarom zouden we?'

'Nou, voor dat feestje,' antwoordde ze.

'Kun jij niet wat vriendinnen regelen?'

Ze dacht aan haar enige vriendin die ziek thuis was en schudde haar hoofd. 'Kennen jullie geen andere mensen om te vragen?'

Scooter glimlachte en deed een stap dichterbij. 'Waarom zou ik?'

Nu voelde Delaney een vlaag van bezorgdheid. 'Omdat je een feestje wilt geven, toch?'

'Dat feestje komt er wel hoor, maak je geen zorgen.'

'Je laat haar schrikken, Scoot.' Wes duwde zijn broer opzij. 'Kom mee naar ons huis, dan bellen we daar wel wat vrienden.' Delaney geloofde er niets van en keek naar haar sandalen. Ze wilde graag iets roekeloos doen, maar ze voelde niets voor een triootje. En dat was precies waar ze op aanstuurden. Als Delaney dan haar maagdelijkheid moest verliezen, dan liever niet aan een of aan beide Finley's. Ze had hun witte billen al gezien, nee, alles liever dan dat. Het zou moeilijk worden om van ze af te komen, en ze vroeg zich af hoe lang ze daar moest blijven voordat ze vanzelf weg zouden gaan.

Toen ze weer opkeek zag ze Nick naast zijn auto staan en een sixpack bier op de achterbank leggen. Hij ging rechtop staan, verplaatste zijn gewicht naar een been en keek strak naar Delaney. Hij staarde haar lang aan en zei toen: 'Kom hier, prinses.'

Vroeger was ze tegelijkertijd bang en onder de indruk van hem.

Hij was altijd zo arrogant, zelfverzekerd, en zo verboden. Nu was ze niet bang meer. Ze had nu twee opties: of ze vertrouwde hem, of de Finley's. Hoewel geen enkele keuze optimaal was, wist ze dat Nick, ondanks zijn slechte reputatie, haar niet zou dwingen dingen te doen die ze niet wilde. Van Scooter en Wes wist ze dat zo net nog niet.

'Ik zie jullie nog wel,' zei ze, en ze liep langzaam in de richting van de meest gevaarlijke van de drie. Haar verhoogde hartslag had niets te maken met angst, maar alles met de zwoele, diepe toon van zijn stem.

'Waar is je auto?'

'Ik ben lopend.'

Hij opende de deur van zijn auto. 'Stap in.'

Ze keek in zijn smeulende ogen. Hij was absoluut geen tiener meer. 'Waar gaan we heen?'

Hij maakte een hoofdbeweging richting de Finley's. 'Maakt dat nog wat uit?'

Het zou misschien wel iets uit moeten maken. 'Je gaat me toch niet meenemen op jacht en alleen in het bos achterlaten?'

'Vanavond niet. Je bent veilig.'

Ze gooide haar vestje op de achterbank en stapte zo waardig mogelijk in de auto. Nick startte de Mustang en de dashboard-lampjes gingen aan. Hij reed achteruit de parkeerplaats af en reed Fifth Street op. 'Ga je me nog vertellen waar we heen gaan?' vroeg ze, terwijl ze de opwinding voelde opborrelen. Ze kon gewoon niet geloven dat ze echt naast Nick in de auto zat. Ze zag Lisa's gezicht al voor zich als ze het haar vertelde. Het was ongelooflijk.

'Ik breng je naar huis.'

'Nee!' Ze draaide zich naar hem toe. 'Niet naar huis. Ik wil niet naar huis. Nog niet.'

Hij wierp haar een zijdelingse blik toe en richtte zijn ogen weer op de weg. 'Waarom niet?'

'Stop en laat me eruit,' zei ze in plaats van te antwoorden. Ze kon aan niemand uitleggen dat ze thuis geen adem meer kon halen, en al helemaal niet aan Nick. Henry hield haar het mes op de keel en ze kon simpelweg geen lucht meer in haar longen krijgen. Hoe kon ze Nick nu uitleggen dat ze haar hele leven al wachtte op het moment dat ze onder Henry's vleugels vandaan kon komen? En dat ze nu wist dat dat haar nooit ging lukken? Nick zou nooit begrijpen dat dit haar manier was om terug te vechten. Hij zou haar waarschijnlijk uitlachen en haar onvolwassen vinden, net als Henry en haar moeder. Ze wist dat ze naïef was en dat haatte ze. Tranen van woede prikten in haar ogen en ze draaide haar gezicht weg. Ze wilde absoluut niet dat Nick haar zou zien huilen. Weer een reden voor hem om haar een baby te noemen. 'Laat me er alsjeblieft uit.'

In plaats van te stoppen sloeg hij de weg naar Delaney's huis in. De weg voor hen was een inktzwarte tunnel met aan weerszijden torenhoge dennenbomen en was alleen zichtbaar door de koplampen van de auto.

'Als je me naar huis brengt, loop ik meteen weer weg.'

'Zit je te huilen?'

'Nee,' loog ze en ze sperde haar ogen wijd open in de hoop dat haar tranen snel zouden opdrogen.

'Wat spookte je daar uit met die Finley's?'

Ze wierp een blik op hem. Zijn gezicht weerspiegelde de gouden gloed van de dashboardlampjes. 'Ik was op zoek naar iets gezelligs.'

'Die twee kerels zijn allesbehalve gezellig.'

'Ik kan Scooter en Wes wel aan, hoor,' blufte ze, hoewel ze daar niet zo zeker van was.

'Bullshit,' zei hij en hij stopte de auto aan het begin van de lange oprijlaan naar haar huis. 'Stap hier maar uit.'

'Je hoeft me niet zo te commanderen,' zei ze terwijl ze de deur openmaakte en hem met haar schouder openduwde. Ze werd doodziek van al die mensen die haar de wet wilden voorschrijven. Ze sprong uit de auto en smeet het portier achter zich dicht. Met opgeheven hoofd liep ze terug in de richting van de stad. Ze was te boos om te huilen.

'Waar dacht je nou naartoe te gaan?' riep hij haar na.

Delaney stak haar middelvinger naar hem op, en dat voelde heerlijk. Bevrijdend. Ze liep door en hoorde hem nog net vloeken voordat hij met piepende banden keerde en achter haar aan reed.

'Stap in,' riep hij boos toen hij naast haar reed.

'Bekijk het maar.'

'Ik zei stap in!'

'En ik zei bekijk het maar!'

De auto stopte maar ze bleef doorlopen. Ze had geen idee waar ze heen wilde, maar ze zou niet naar huis gaan voordat ze daar klaar voor was. Ze wilde niet naar de universiteit van Idaho. Ze wilde geen businessdiploma halen. En ze wilde geen tijd meer verspillen in dit kleine rotstadje waar ze stikte.

Nick greep haar arm en draaide haar ruw om. De koplampen schenen achter hem, en in het tegenlicht zag hij er nog groter en imposanter uit. 'Wat is verdomme het probleem?'

Ze duwde hem weg en hij greep haar andere arm.

'Wat interesseert jou dat? Jij vindt me alleen maar lastig en wil me weer bij mijn ouders dumpen.' De tranen rolden over haar wangen en ze voelde zich ellendig.

'Waag het niet om me een baby te noemen. Ik ben achttien.' Zijn blik gleed van haar ogen naar haar mond.

'Ik weet wel hoe oud je bent.'

Ze knipperde en keek door een mist van tranen naar de mooi getekende lijn van zijn bovenlip, zijn rechte neus en zijn heldere ogen. Alle frustratie van de afgelopen maanden overspoelde haar.

'Ik ben oud genoeg om zelf te beslissen wat ik met mijn leven wil doen. En ik wil niet studeren. Ik wil geen bedrijf leiden, en ik wil niet dat mensen mij nog vertellen wat goed voor mij is.' Ze ademde diep in en ging verder.

'Ik wil mijn eigen leven leiden en niet dat van anderen. Ik wil eerst aan mezelf denken en ik word er doodmoe van om altijd maar perfect te moeten zijn. Ik wil er net als ieder ander ook een puinhoop van kunnen maken.' Ze dacht even na en zei: 'Ik wil dat iedereen uit mijn buurt blijft. Ik wil mijn eigen leven leven – mijn leven! Ik wil de bloemetjes buitenzetten, uit mijn dak gaan! Ik wil nu wel eens een stukje van het echte leven proeven!'

Nick trok haar omhoog tot ze op haar tenen stond en keek in haar ogen.

'Ik wil een stukje van jou proeven,' zei hij. Tergend traag bracht hij zijn lippen naar de hare en hij beet haar zachtjes in het vlezige gedeelte van haar onderlip. Delaney stond als aan de grond genageld en voelde haar hartslag razendsnel omhooggaan. Ze was te verbijsterd om te bewegen. Ontelbare emoties gingen door haar heen. Nick Allegrezza kuste haar en beet zachtjes in haar lippen. Haar adem bleef ergens halverwege haar longen steken. Zijn mond was warm en stevig, en hij kuste haar als een man met levenslange ervaring. Zijn handen omvatten haar gezicht en zijn duimen gleden langs haar kaak naar haar kin. Zachtjes duwde hij ze naar beneden totdat haar mond openging. Zijn warme tong gleed haar mond binnen en raakte die van haar. Hij smaakte naar bier. De rillingen liepen langs haar ruggengraat en ze kuste hem terug zoals ze nog nooit iemand gekust had. Niemand had haar ooit het gevoel gegeven dat de huid in haar nek en om haar borsten te strak zat. Niemand had haar ooit zover gekregen dat ze eerst wilde doen en dan pas denken. Ze legde haar handen op de harde muur van zijn borst en zoog zijn tong in haar mond.

Ergens in haar bewustzijn dacht ze nog steeds hoe ongelooflijk het was wat er gebeurde. Dit was dezelfde Nick die haar al jaren pestte en tegelijkertijd fascineerde. Maar de volwassen Nick benam haar de adem en maakte haar gek van verlangen.

Veel te snel stopte hij met zijn kus en ze legde haar handen om zijn nek.

'Laten we hier weggaan,' zei hij en greep haar hand. Deze keer vroeg ze hem niet waar ze heen gingen. Het kon haar niet schelen.

Hoofdstuk 7

Ze reden een paar mijl de stad uit en parkeerden op het strand bij Angel Beach. Het gebied was afgesloten en ze moesten een hek openen om naar binnen te kunnen. Het was een stukje dat Delaney vrij goed kende. Het bos ging hier snel over in het witte strand, en het was allemaal bezit van Henry.

Nick leunde met zijn kont tegen de Mustang en liet een voet rusten op de bumper. Hij maakte twee Coors los uit een sixpack en zette de vier overige biertjes naast zich neer. 'Heb je wel eens bier gedronken?' vroeg hij, waarna hij twee blikjes opentrok en er eentje aan Delaney overhandigde.

Ze mocht soms een slokje van Henry's bier proeven. 'Tuurlijk. Dat drink ik zo vaak.'

Hij keek met een schuin hoofd haar kant op. 'Ja ja, zo vaak.' Hij bracht het blikje naar zijn mond en nam een flinke teug.

Delaney keek toe en nam toen ook een slok. Ze verborg een grimas vanwege het bittere bier door hem de rug toe te keren en over Lake Mary uit te kijken, dat zich op een meter of vijf voor haar bevond. Stroken maanlicht bewogen over de rimpelingen van het wateroppervlak. De maan hing nog laag. Het was een magisch gezicht en leek net een glinsterend pad waarop je kon lopen zonder natte voeten te krijgen. Alsof je over het water naar een exotisch oord kon wandelen. Ze nam nog een slok bier. Dit keer lukte het haar het door te slikken zonder haar mond te vertrekken. Een briesje streelde haar huid, maar ze kreeg het niet koud.

'Ik begrijp dat je niet naar de universiteit wilt?'

Ze draaide zich weer om naar Nick. Het maanlicht glinsterde in zijn donkere haren. 'Nee, ik wil nog niet verder leren.'

'Dan doe je dat toch niet.'

Ze begon te lachen en nam nog een paar slokken bier. 'Ja, makkelijk gezegd. Hoe vaak komt het voor dat er iets gebeurt dat ik wil? Henry heeft niet eens gevraagd wat ik komend studiejaar wél wil gaan studeren. Hij heeft me gewoon ingeschreven en betaald.'

Nick zweeg even en Delaney hoefde niet te vragen waar hij aan dacht. Het was nogal ironisch. Nick had moeten werken om zijn opleiding te kunnen betalen, terwijl zijn vader Delaney een opleiding opdrong. 'Zeg die ouwe dan dat hij erin kan zakken. Dat zou ik doen.'

'Ik weet dat jíj dat zo zou doen. Ik kan het niet.'

Hij bracht het blikje weer bij zijn lippen en vroeg: 'Waarom niet?'

Omdat ze zich altijd schuldig voelde, omdat Henry hen had gered uit die rotcaravan buiten de stadsgrenzen van Las Vegas. 'Dat kan ik gewoon niet.' Ze keek van de donkere bergketen achter het meer weer naar Nick. 'Zo gek dit,' zei ze. 'Ik had nooit gedacht dat jij en ik nog eens drinkebroers zouden worden.'

'Waarom niet?'

Ze keek naar hem alsof hij ze niet helemaal op een rijtje had. 'Omdat jij bent wie jij bent. En ik iemand anders ben,' zei ze, waarna ze het blikje weer aan haar mond zette.

Hij kneep zijn ogen tot spleetjes. 'Je bedoelt omdat jij de burgemeestersdochter bent en ik zijn bastaardzoon?'

Zijn directheid verraste haar. De meeste mensen die ze kende deden zoiets nooit. Ze kusten de lucht naast haar wangen en zeiden dat ze er geweldig uitzag, terwijl dat niet zo was. 'Nou, zo zou ik het niet brengen.'

'Hoe zou jij het dan willen brengen?'

'Dat je familie mij haat en mijn familie niet om me geeft.'

Hij wierp zijn hoofd in zijn nek en dronk het halve blikje leeg. Tegelijkertijd bestudeerde hij haar gezicht. 'Het ligt iets ingewikkelder dan dat.'

'Klopt. Jij hebt bijna je hele leven besteed aan mij het leven zuur maken.'

Hij trok een mondhoek op. 'Ik heb je nooit het leven zuur gemaakt. Ik plaagde je af en toe een beetje.'

'Ha! Toen ik in de derde zat vertelde je me dat Reggie Overton kleine blonde meisjes roofde om ze aan zijn dobermanns te voeren. Ik ben jarenlang doodsbang geweest voor Reggie.'

'En jij stak bijna je hele leven lang je kin in de lucht als je mij zag. Alsof ik stonk.'

'Nietes.' Delaney geloofde niet dat ze ooit zo had gekeken.

'Jawel hoor,' verzekerde hij haar.

'Waarom wilde je mij daarnet dan zoenen?'

Zijn blik daalde af naar haar mond. 'Pure nieuwsgierigheid.'

'Nieuwsgierig om te zien of ik het toe zou laten?'

Hij grinnikte zacht en liet zijn ogen langs het rijtje knopen gaan waarmee haar jurk was gesloten. 'Nee,' zei hij, alsof een afwijzing nooit in zijn hoofd was opgekomen. Hij keek haar weer in de ogen. 'Nieuwsgierig of je net zo heerlijk smaakt als je eruitziet.'

Ze stond zo rechtop als ze kon en nam een paar flinke slokken om zich moed in te drinken en vroeg toen: 'En, wat is het antwoord?'

Hij wenkte met zijn wijsvinger en zei met een lage en sensuele stem: 'Kom eens hier, wilde bosmeid.'

Iets in zijn stem, iets in wat hij zei, trok haar aan. Alsof ze met een touwtje aan elkaar verbonden waren en hij haar gewoon naar zich toe trok. Er begon zich een speels vlindertje te roeren in haar onderbuik.

'Ik vind dat je smaakt naar de zelfgemaakte bosbessenwijn van mijn oom Josu. Wel zoet, maar met een wilde ondertoon.'

Ze verborg haar glimlach achter het blikje Coors. Ze wilde best op wijn lijken. 'Is dat erg?'

Hij nam het blikje van haar over en zette het achter hem op de motorkap. 'Hangt ervan af wat je ermee wilt doen.' Hij zette zijn biertje naast het hare en stond in een vloeiende beweging op. Hij legde twee vingers onder haar kin en staarde haar in de ogen. 'Heeft iemand je wel eens gekust tot je zo heet werd dat je in de fik leek te staan?'

Ze antwoordde niet, want ze wilde niet toegeven dat ze zich nooit eerder zo vol passie had overgegeven, uit angst voor Henry.

Nick verplaatste zijn handen naar haar hals en keek haar recht in de ogen. 'Tot niets anders je meer kan schelen?' Hij bracht zijn gezicht naar haar oor. 'Heeft iemand je borsten wel eens gestreeld?' fluisterde hij. 'Onder je shirt, onder je beha? Waar je huid warm en zacht aanvoelt?'

Haar tong bleef aan haar gehemelte plakken.

'Heeft iemand wel eens een hand in je broekje gestoken?' Zijn geopende, hete mond streek langs haar wang. 'Je betast daar waar je nat en lekker bent?'

Behalve bij biologie had Delaney nooit eerder zo expliciet over seks gesproken. Wat ze ervan wist had ze uit films en van horen zeggen van andere meisjes op school. Zelfs Lisa nam aan dat ze een preutse maagd was, maar Nick kennelijk niet. Nick zag wat anderen niet zagen en in plaats van beledigd te zijn vanwege zijn grove taal, draaide ze haar gezicht naar het zijne en kuste hem. Jarenlang had ze de roddels aangehoord over zijn veroveringen. Ze wilde niet dat hij dacht dat ze naïef en saai was, dus schroefde ze haar passie op en verslond hem met haar mond en tong. En veroorzaakte daarmee een duizelingwekkende hitte die haar hele wezen verzengde. Haar jonge lichaam vulde zich met het hete vocht van haar verlangen en voor het eerst in haar leven liet ze zichzelf helemaal gaan.

Hun zoenen lieten alle verschillen verdwijnen, veegden ze weg met brandende lust. Zijn handen begaven zich naar haar onderrug en toen naar haar billen. Hij nam elke bil in een hand en tilde haar omhoog tot op haar tenen, zodat haar borsten tegen zijn borstkas gedrukt werden. Hij duwde haar onderlichaam tegen zijn eigen bekken en ze voelde zijn harde, grote erectie. Ze was niet bang. Integendeel, ze voelde zich bevrijd. Vrij om te ontdekken wat alle meisjes van haar leeftijd al wisten. Vrij om van een begerenswaardige tiener te veranderen in een gepassioneerde volwassen vrouw. Al die gevoelens overspoelden haar en ze verlangde ernaar dat hij haar zou strelen, zoals hij andere meisjes streelde. Om zichzelf helemaal aan hem over te geven.

Hij nam wat afstand en liet haar langzaam naar beneden glijden. 'We kunnen nu beter ophouden, wilde bosmeid.'

Delaney wilde niet dat hij ophield. Nog niet. Ze drukte zich weer dicht tegen hem aan. Ze likte haar lippen en kon hem proeven. 'Nee.' Er trok een rilling door hem heen en hij staarde haar aan alsof hij haar weg wilde duwen, maar zichzelf er niet echt toe kon brengen. Ze keek hem diep in de ogen en liet haar blik daarna gaan over zijn knappe gezicht. Ze kuste zijn wang vlak onder zijn oor. 'Ik blijf hier.' Ze opende haar mond en likte zijn warme huid. Hij smaakte naar zeep en huid en frisse berglucht.

Zijn handen kropen nu naar haar taille, waar hij de stof van haar jurk omhoogschoof. De zoom streek langs haar dijen omhoog en nu voelde ze zijn stijve in haar onderbuik. 'Weet je zeker dat je dit wilt?'

Ze knikte.

'Zeg het. Zeg het, zodat er geen vergissing mogelijk kan zijn.'

'Streel me, zoals je me net vertelde.'

Hij legde zijn hand om haar rechterborst. 'Zoals dit?'

Haar tepel werd hard onder zijn aanraking. 'Ja.'

'Je hebt mijn vraag nooit beantwoord. Heeft iemand je wel eens zo aangeraakt?'

Ze keek hem in de ogen en het was alsof ze een heel andere kant van Nick zag. Voor het eerst kon ze voorbij het knappe gezicht de man vanbinnen zien. Deze Nick kende ze niet. Zijn blik was zo intens en toch streelde hij haar alsof ze kon breken. 'Nee.'

'Waarom niet?' Hij veegde zacht met zijn duim over haar tepel en ze beet op haar lip om niet hardop te gaan kreunen. 'Je bent beeldschoon, Delaney, en je kunt alle mannen krijgen die je maar wilt. Waarom ik?'

Ze wist dat ze niet beeldschoon was, niet zoals haar moeder. Maar de manier waarop hij haar bekeek en aanraakte en de manier waarop hij sprak deed haar bijna geloven wat hij zei. Hij deed haar geloven dat alles mogelijk was. 'Omdat je ervoor zorgt dat ik geen nee kan zeggen.'

Hij kreunde diep en bracht zijn mond weer op de hare. De zoen begon als een zachte streling van lippen, maar veranderde snel in iets heets, nats en ruws. De aanraking van zijn tong bracht iets dierlijks in haar naar boven en ze kronkelde tegen hem aan. Ze wilde bij Nick naar binnen kruipen, zich compleet omgeven door hem voelen. Toen hij na een poosje wat afstand nam, ademde ze snel en hortend. Hij reikte naar de knoopjes van haar jurk en keek haar strak aan terwijl hij ze van boven naar beneden losknoopte, tot de roze stof openlag tot voorbij haar middel. Er begon iets te knagen aan haar, dwars door de heerlijke waas heen. Nog nooit had een man haar naakt gezien en hoewel ze ernaar verlangde dat hij haar streelde, wilde ze niet per se dat hij haar kon bekijken. Niet een man als Nick, die al behoorlijk wat naakte vrouwen had gezien. Maar hij schoof haar jurk al opzij en toen was het te laat. De wind maakte haar tepels nog harder en hij richtte zijn blik op haar ontblote borsten. Hij staarde er zo lang naar, dat ze bang werd en ze bracht haar handen omhoog om zich tegen zijn blik te beschermen.

'Verstop je nou niet voor mij.' Hij pakte haar beide polsen en verplaatste ze naar achter haar rug. Haar ruggengraat kromde zich en de bandjes van haar jurk zakten naar beneden. Hij ging weer zitten op de motorkap en bracht zijn gezicht naar haar blote borsten. Hij fluisterde haar naam en kuste vervolgens haar decolleté, zijn koele wang strijkend langs haar borst, en meteen was ze alle angst vergeten. 'Je bent zo mooi.' Ze kreeg het warm van zijn woorden; ze deden iets met haar hart en dit keer geloofde ze wat hij zei. Hij vleide zijn voorhoofd tegen haar bovenlichaam en ze keek neer op zijn donkere hoofd, dat sterk contrasteerde met haar bleke huid. 'Ik wist wel dat je zo mooi was. Dat heb ik altijd geweten. Altijd.' Toen streek zijn hete adem langs haar borst en veegde hij met zijn lippen langs de tepel. 'En ik wist dat deze zo mooi roze zouden zijn.'

Een moment vroeg Delaney zich af hoe hij dat kon weten, maar toen had zijn tong haar tepel al omgeven en had haar brein zich afgesloten voor elke rationele gedachte. Haar adem kwam in horten en stoten en ze keek toe hoe zijn tong haar kronkelend likte.

'Vind je dit lekker?'

Achter haar rug balde Delaney haar handen tot vuisten. 'Ja.'

'Hoe lekker?'

'Heel... heel erg.'

'Wil je nog meer?'

Delaney sloot haar ogen en liet haar hoofd naar achteren vallen.

'Ja,' antwoordde ze en hij nam haar tepel in zijn mond. Zijn lippen masseerden en duwden en trokken en ze voelde het tot tussen haar benen; zo lekker. Zo heerlijk dat ze niet wilde dat het ophield. Nooit. Zijn aandacht verplaatste zich nu naar haar andere borst en ook die tepel nam hij in zijn mond. Zijn tong likte en prikte en ze werd er ongedurig van. Verlangde naar meer. 'Nick,' fluisterde ze en trok haar polsen los. Haar jurk viel naar beneden, aan haar voeten. Ze begroef haar vingers in zijn haar, trok zijn hoofd tegen haar borst.

'Meer?'

'Ja.' Ze wist eigenlijk niet precies wat ze wilde, maar ze wilde zeker meer van die hete pijn in haar onderbuik. Meer van hem voelen ook.

Een van zijn grote warme handen gleed tussen haar benen en omsloot teder haar kruis. Het dunne katoen van haar ondergoed was het enige wat hem nog scheidde van haar gulzige vlees. 'Je bent nat.'

Het brandende gevoel werd heviger en ze kon amper praten. 'Sorry,' stamelde ze.

'Hoeft niet. Ik heb altijd al je slipje nat willen maken.' Hij ging weer staan en gaf haar vlug een zoen. Toen pakte hij haar bij haar middel en zette haar pontificaal op de motorkap van de Mustang. Hij plaatste haar voeten op de bumper en zei: 'Ga eens liggen, Delaney.'

'Hoezo?' Ze legde een hand op zijn borstkas en liet hem langzaam naar beneden glijden. Ze betastte de harde bobbel achter zijn gulp.

Hij hapte naar adem en duwde haar tegen de schouders, tot ze achteroverlag op het koude metaal. 'Omdat ik je eens lekker ga verwennen.'

'Ik voel me al zo verwend.' Ze strekte haar armen naar hem uit en hij stapte tussen haar benen.

'Dan ga ik je nog meer verwennen.' Hij zette beide handpalmen naast haar hoofd en kuste haar gulzig. Toen richtte hij zich weer even op en zei: 'Ik ga je in vuur en vlam zetten.'

Delaney keek op in zijn knappe gezicht en wilde graag dat hij de liefde met haar zou bedrijven. Ze wilde weten wat andere jonge vrouwen van haar leeftijd allang wisten. Ze wilde dat Nick haar dat zou leren ervaren. 'Ja,' zei ze daarom uit de grond van haar hart.

Glimlachend en vakkundig trok hij daarop haar broekje naar beneden. Ze voelde de stof even rond haar enkels bungelen en toen was het weg. Met zijn handen duwde hij voorzichtig haar benen uit elkaar en streelde haar met een duim, daar waar ze reikhalzend op hem wachtte. Het gevoel van genot was onbeschrijflijk. Hij streelde haar vochtige plekje tot ze het bijna uitschreeuwde.

'Nog meer?'

'Ja,' mompelde ze met haar ogen dicht. 'Nog meer.' Hij voelde zo heerlijk dat het bijna pijn deed, die opbouwende spanning in haar kruis. Ze wilde dat het voorbij was en tegelijkertijd dat het eeuwig zou duren. Ze wilde dat hij ook naakt zou zijn, en bovenop haar zou liggen, zodat ze zijn warme lichaam in haar armen kon sluiten. Ze deed haar ogen open en zag hoe hij daar stond, tussen haar knieën, van tussen haar halfgesloten ogen. 'Bedrijf de liefde met me, Nick.'

'Ik bedrijf iets wat beter is dan liefde.' Hij ging op een knie zitten en kuste zacht haar dijen. 'Ik ga ervoor zorgen dat je klaarkomt.' Delaney lag ineens doodstil, zeer dankbaar dat het aardedonker was. Toen ze ja had gezegd, had ze niet dát bedoeld. Bijna had ze haar benen tegen elkaar gedrukt, maar Nick zat in de weg. Ze wist niet zeker wat hij zou gaan doen, maar ze wist vrij zeker dat hij dát zou gaan doen.

En hij deed het. Hij schoof zijn handen onder haar achterste en daarna bracht hij haar naar zijn wachtende, hete mond. Doodstil lag ze te wachten. Ze kon niet geloven dat hij het inderdaad had gedaan. Wat hij dééd. Ze wilde hem zeggen dat hij moest ophouden, maar ze kreeg de woorden niet uit haar mond, vanwege het heerlijke genot dat haar lichaam overspoelde. De rillingen liepen langs haar ruggengraat; ze kon niets anders dan haar rug krommen. Zijn tong en mond streelden haar nu tussen haar benen net als bij haar borsten.

'Nick,' kreunde ze en ze bracht haar handen naar zijn hoofd. Het genot zwol aan en haar spieren spanden zich en elke aanraking van zijn tong bracht haar dichter bij een climax. Hij zette een van haar hielen tegen zijn schouder en verplaatste haar bekken. Zo kon hij haar beter benaderen met zijn mond en hij ging meteen aan de slag met haar gevoeligste plekje. Onvoorstelbare gevoelens bouwden zich weer op in haar lichaam, tot ze niet meer kon en ze klaarkwam.

De sterren boven haar hoofd werden omfloerst en ze voelde golf na golf van hete extase over zich heen gaan. Ze riep keer op keer zijn naam en merkte dat haar borsten en benen bloedheet aanvoelden. Ze werd overmand door de bijbehorende onwillekeurige spiertrekkingen en toen het allemaal voorbij was voelde ze zich zo anders. Ze was in shock om wat er was gebeurd en wie dát bij haar had gedaan, maar spijt had ze niet. Ze had zich nog nooit eerder zo close gevoeld met een ander, en ze verlangde ernaar in zijn armen te kruipen.

'Nick?'

Hij kuste zacht haar been. 'Hm.'

Ineens voelde de aanraking van zijn lippen vreemd aan, door de vreemde positie waarin ze lag. Ze begon te blozen, tilde haar voet van zijn schouder en ging rechtop zitten.

Hij ging staan, nam haar gezicht in beide handen en vroeg: 'Nog meer?'

Ze was misschien naïef, maar niet dom en ze wist wat hij bedoelde. Ze wilde dat zij, wat hij bij haar had gedaan, ook bij hem zou doen. 'Nog meer?' Ze trok zijn T-shirt uit zijn spijkerbroek en knoopte zijn gulp los. Hij pakte haar onderarmen beet en hield haar tegen.

'Eventjes wachten,' zei hij en toen viel er ineens een lichtbundel in zijn gezicht. 'Shit!'

Delaney keek over haar schouder en zag twee koplampen recht hun kant op komen. De adrenaline gierde ineens door haar aderen en ze duwde Nick van zich af terwijl ze van de motorkap afsprong. Haar jurk lag aan zijn voeten en ze reikte er net naar toen Henry's zilverkleurige Lincoln naast de Mustang stilhield. Ze trok haar zomerjurkje over haar hoofd, maar haar handen trilden zo hevig dat de knoopjes niet lukten. 'Help,' riep ze in het wilde weg.

Nick draaide zich om en reikte naar de knoopjes bij haar middel. Hij fluisterde iets tegen haar, maar ze hoorde niets omdat haar hart zo bonsde.

'Ga weg bij haar!' brulde Henry zodra hij zijn portier had opengegooid.

Het lukte haar de twee bovenste knoopjes dicht te krijgen, maar ze kon de paniek die in haar opkwam niet tegengaan. Ze staarde naar de grond en zag haar onderbroekje onder Nicks grote voeten liggen. Zacht begon ze te snikken.

'Blijf met je gore poten van haar af!'

Delaney keek op toen Henry hen had bereikt. Hij gaf Nick een zet en duwde haar achter zich. Beide mannen waren even groot, met dezelfde bouw en felle grijze ogen. De koplampen van de Lincoln belichtten alle details. Zelfs de streepjes op Henry's overhemd en zijn grijze haren.

'Ik had nooit gedacht dat je zo diep zou zinken,' zei Henry, wijzend op Nick. 'Ik heb altijd al geweten dat je me haatte, maar ik had nooit gedacht dat je zo diep zou zinken om wraak te nemen.'

'Misschien heeft dit wel helemaal niets met jou te maken,' zei Nick, met zijn wenkbrauwen laag boven zijn ogen.

'Dat jij een nagel aan mijn doodskist bent, heeft niets met mij te maken? Jij haat mij al je hele leven en je bent al jaloers op Delaney sinds de dag waarop ik met haar moeder trouwde.'

'Klopt. Ik haat je al mijn hele leven. Jij bent een klootzak en het grootste plezier dat je mijn moeder hebt gedaan was ontkennen dat je met haar naar bed bent geweest.'

'En nu heb je eindelijk je wraak. De enige reden waarom je Delaney hebt gepakt is omdat je mij wilde pakken.'

Nick sloeg beide armen over elkaar en leunde op een been. 'Misschien heb ik haar wel gepakt omdat ik haar zo lekker vind.'

'Ik zou je helemaal in elkaar moeten slaan.'

'Probeer maar, ouwe.'

'O, mijn god,' kreunde Delaney, die klaar was met het dichtknopen van haar jurkje. 'Henry, we hebben niet–'

'In de auto jij,' onderbrak Henry haar.

Ze keek naar Nick en weg was de tedere minnaar bij wie ze zich zo mooi had gevoeld. 'Zeg het hem dan!' Een paar tellen geleden nog maar had ze zich diep met hem verbonden gevoeld, maar deze Nick wilde ze niet kennen. De boze man die daar stond was de Nick met wie ze was opgegroeid. De man die haar eerder die avond had opgepikt was maar een illusie. 'Alsjeblieft, vertel hem dat er niets is gebeurd,' smeekte ze, om de situatie niet nog erger te maken. 'Zeg hem dat we niets hebben gedaan!'

Hij trok één alwetende wenkbrauw op. 'Waarover wil je dat ik lieg, wilde bosmeid?' vroeg hij. 'Hij heeft je over de motorkap zien liggen als een boegbeeld. Als hij een paar minuten eerder was geweest, had hij nog veel meer kunnen zien.'

'En nu heb je wraak genomen, of niet?' Henry pakte Delaney's arm en duwde haar naar Nick. 'Je hebt een onschuldig meisje bezoedeld, om mij een hak te zetten.'

Delaney keek in de kwade grijze ogen van Nick en wist niet wie ze moest geloven. Ze wilde dat hij een greintje medeleven zou tonen, maar in zijn ogen was niets dan kilte te bespeuren. Een paar minuten geleden zou ze hebben gezegd dat Henry zich had vergist, maar nu wist ze het niet meer. 'Klopt dat?' vroeg ze, met een traan biggelend over haar gloeiende wangen. 'Heb je mij gebruikt om Henry een hak te zetten?'

'Denk je dat?'

Wat hij bij haar had gedaan had zo privé gevoeld, zo intiem, dat ze de gedachte dat hij haar had gebruikt niet kon verdragen. Ze wilde Henry zeggen dat hij zich vergiste, dat hij haar had gekust en gestreeld, omdat hij naar haar verlangde, niet omdat hij Henry haatte. 'Ik weet het niet meer!'

'Weet je het echt niet?'

'Nee.'

Hij bleef zo lang zwijgen dat het wel een eeuwigheid leek, tot hij zei: 'Geloof dan maar wat Henry zegt.'

Er bleef een snik steken in haar keel en ze struikelde naar de Lincoln. Ze had het gevoel dat ze zou instorten. Het lukte haar met moeite de auto te bereiken en de tranen begonnen over haar wangen te stromen. Het koude leer onder haar ontblote achterste herinnerde haar eraan dat ze niets aanhad onder haar jurk. Ze staarde uit het raam naar de twee mannen en boven het bonzen van haar hart uit, hoorde ze Henry's dreigementen naar Nick.

'Blijf uit de buurt van mijn dochter,' schreeuwde hij. 'Je blijft uit haar buurt of anders maak ik je het leven zuur.'

'Je doet je best maar,' sprak Nick, wiens woorden amper hoorbaar waren. 'Maar je kunt me toch niets doen.'

'Dat zullen we nog wel eens zien.' Henry liep naar zijn autodeur toe. 'Blijf weg bij Delaney,' waarschuwde hij nog een laatste keer en ging op zijn stoel zitten. Hij zette de auto in de achteruit en de koplampen beschenen Nick nog even. In die paar seconden was zijn spierwitte T-shirt te zien, en zijn opengeknoopte spijkerbroek. Hij boog zich voorover om iets op te rapen, maar Henry gaf een ruk aan het stuur en de auto draaide de onverharde weg op, voordat ze kon zien wat hij in zijn hand had. Maar ze hoefde het niet te zien om het zeker te weten. Stevig duwde ze haar jurk onder haar blote billen.

'Je moeder is hier goed ziek van,' tierde Henry.

Vast, dacht Delaney. Ze keek naar haar handen en er viel een traan op haar vingers.

'Ze ging nog even naar je kamer om je goedenacht te wensen, maar je was weg.' De auto draaide nu de openbare weg op en Henry gaf een dot gas. 'Ze is ziek van ongerustheid. Bang dat je ontvoerd was.'

Delaney beet op haar lip om de gebruikelijke verontschuldiging in te slikken. Het kon haar niets schelen dat haar moeder zich zorgen maakte.

'Wacht maar tot ze hoort dat de waarheid nog erger is dan ze dacht.'

'Hoe heb je mij gevonden?'

'Het is onbelangrijk, maar een paar mensen zagen je bij Allegrezza instappen. Als jullie het hek niet hadden opengelaten bij Angel Beach, had ik er vast langer over gedaan om je te vinden, maar het was me wel gelukt.'

Delaney twijfelde er niet aan. Ze draaide haar gezicht naar het raam en keek de donkere nacht in. 'Ongelooflijk dat je me bent gaan zoeken. Ik ben achttien en ik kan gewoon niet geloven dat je rond bent gaan rijden om me te zoeken, alsof ik nog tien ben.'

'En ik kan niet geloven dat ik jou helemaal naakt aantrof, als een of andere hoer,' zei hij, en zo bleef hij tegen haar tekeergaan tot de Lincoln de garage in reed.

Zo kalm als mogelijk was onder de omstandigheden stapte Delaney de auto uit en liep het huis in. Haar moeder wachtte haar op in de keuken.

'Waar was je?' vroeg Gwen, starend van Delaney's gezicht naar haar voeten en weer terug.

Delaney liep haar voorbij zonder te antwoorden. Henry zou het haar moeder wel vertellen. Dat deed hij altijd. Dan zouden ze samen over haar lot beslissen. Ze zou waarschijnlijk huisarrest krijgen, alsof ze nog een kind was. Ze liep de trap op naar haar slaapkamer en sloot de deur achter zich. Ze ging zich niet verstoppen, ze wist wel beter. Maar zelfs als dat niet zo was, dan had ze vanavond wel geleerd dat onafhankelijkheid niets betekende.

Ze bekeek zichzelf in haar grote spiegel. De mascarasporen liepen over haar wangen, haar ogen waren rood behuild en haar gezicht zag bleek. Verder zag ze er net zo uit als anders. Niet alsof haar leven voorgoed veranderd was. Haar kamer was nog precies zoals een paar uur geleden, toen ze uit het raam geklommen was. De plaatjes in de spiegellijst, de rozen op haar beddensprei waren onveranderd. Zíj was veranderd.

Ze had Nick dingen met haar laten doen die ze nog niet in haar stoutste dromen had kunnen bedenken. O, natuurlijk had ze over orale seks gehoord. Een paar meisjes hadden bij wiskunde opgeschept dat ze wisten hoe je moest pijpen, maar voor vanavond had Delaney nooit geloofd dat mensen dat daadwerkelijk deden. Nu wist ze beter. Nu wist ze dat een man je niet eens aardig hoefde te vinden om zoiets te doen. Nu wist ze dat een man ongelooflijk intieme dingen kon doen met een vrouw om heel andere redenen dan passie of wederzijdse aantrekkingskracht. Nu wist ze hoe het voelde om gebruikt te worden.

Toen ze dacht aan Nicks warme mond tegen haar kruis, bracht dat een blos op haar bleke wangen en ze wendde haar blik af van haar eigen spiegelbeeld. Ze schaamde zich voor wat ze zag. Ze had zich vrij willen voelen. Vrij van Henry's bemoeizucht. Vrij van het leven.

Ze was een dwaas geweest.

Delaney verkleedde zich in een spijkerbroek en T-shirt. Daarna waste ze haar gezicht. Toen ze zich opgeknapt had liep ze naar Henry's kantoor, waar ze haar ouders verwachtte. Ze stonden bij het mahoniehouten bureau en aan de blik op Gwens gezicht kon ze zien dat Henry haar alles tot in detail had verteld.

Gwen hield haar blauwe ogen opengesperd terwijl ze haar dochter aankeek. 'Nou, ik weet niet wat ik tegen je moet zeggen.'

Delaney ging in een van de leren stoelen aan de andere kant van het bureau zitten. Maar niet weten wat te zeggen, had haar moeder er nog nooit van weerhouden toch haar zegje te doen. Zo ook nu.

'Zeg me dat Henry het verkeerd gezien heeft. Zeg me dat hij jou niet in een compromitterende houding heeft aangetroffen met die jongen van Allegrezza.'

Delaney zei niets. Ze wist dat ze toch niet kon winnen. Dat deed ze nooit.

'Hoe kon je?' Gwen schudde haar hoofd en legde een hand tegen haar hals. 'Hoe kun je je familie zoiets aandoen? Heb je, toen je het raam uit kroop, ook maar een seconde gedacht aan de positie van je vader in deze gemeenschap? Terwijl die Allegrezza-jongen met zijn handen aan je zat, heb je toen één gedachte – eentje maar – gewijd aan wat je vader zou moeten doorstaan vanwege jouw daden?'

'Nee,' antwoordde Delaney. Met Nicks hoofd tussen haar dijen had ze geen seconde aan haar ouders gedacht. Zo druk had ze het gehad zichzelf te schande te maken.

'Je weet hoe dol dit stadje is op roddelen. Tegen tien uur morgenochtend weet iedereen hoe schandelijk jij je hebt gedragen. Hoe kon je?'

'Je hebt je moeder vreselijk gekwetst,' voegde Henry eraan toe. Ze waren net een team beroepsworstelaars, als de ene moe was viel de ander in. 'Als jouw afschuwelijke gedrag bekend wordt, weet ik niet hoe ze zich staande moet houden hier.' Hij wees naar haar. 'Dit hadden we nooit van jou verwacht. Je was altijd zo'n braaf meisje. We hadden nooit verwacht dat je zo'n schande over deze familie zou brengen. Ik denk dat we ons vergist hebben in jou. Ik vermoed dat we jou niet eens goed kennen.'

Delaney's vuisten balden zich. Ze wist wel beter dan iets terug te zeggen. Ze wist dat als ze zichzelf ging verdedigen, alles alleen maar erger werd. Ze wist dat als ze iets zei, Henry dat als ruziemaken zou bestempelen en als Henry iets haatte, dan was het ruzie. Maar Delaney kon zich niet inhouden. 'Dat komt omdat je nooit je best hebt gedaan mij te leren kennen. Je bent alleen maar geïnteresseerd in wat mijn doen en laten voor jouw imago betekenen. Het kan jou niets schelen hoe ik me voel.'

'Laney,' waarschuwde Gwen.

'Het kan jou niets schelen dat ik niet meteen wil gaan studeren. Ik zei al dat ik dat niet wilde, en toch moet ik van jou gaan.'

'Dus daar was het je allemaal om te doen, vanavond,' zei Henry, alsof hij de Almachtige zelf was. 'Je wilde wraak op mij nemen, omdat ik weet wat het beste voor je is.'

'Vanavond was het me alleen om mijzelf te doen,' sprak ze, terwijl ze opstond. 'Ik wilde uitgaan als een gewone achttienjarige. Ik wilde mijn eigen leven leiden. Ik wilde me vrij voelen.'

'Je bedoelt, je wilde vrijen.'

'Ja! Om te vrijen, als ik daar zin in heb, net als iedereen. Ik ben nooit vrij om te doen wat ik wil. Jullie maken alle keuzes voor mij. Ik mag nooit zelf kiezen.'

'En dat is maar goed ook.' Gwen nam het gesprek over. 'Je bent onvolwassen en egoïstisch en vanavond koos je uitgerekend de jongen uit die je familie het meeste kwaad berokkent. Je gaf jezelf aan iemand die alleen maar de bedoeling had om wraak te nemen op Henry.'

Wat Nick haar had laten ondergaan was vernederend geweest en had haar het schaamrood op de kaken gebracht, maar de wanhoop die ze voelde omdat haar het leven onmogelijk werd gemaakt was veel erger. En toen ze zo naar haar ouders keek, begreep ze dat het geen zin had. Ze zouden het nooit begrijpen. Het zou nooit anders worden. En ze zou nooit kunnen ontsnappen.

'Je hebt jezelf zo laten gaan dat ik amper naar je kan kijken,' ging haar moeder verder.

'Dan doe je dat niet. Je zou me volgende week naar de universiteit van Idaho brengen. Dan breng je me morgen vast.' Delaney verliet het kantoor, neergedrukt door het voldongen feit. Ze liep langzaam de trap op, met een hol gevoel in haar buik, maar te uitgeput om te huilen. Ze nam niet eens de moeite om haar kleren uit te trekken voordat ze in bed kroop. Ze staarde naar de roze hemel boven haar bed en wist dat ze niet zou kunnen slapen en bovendien dat ze gelijk had. Alle gebeurtenissen van de afgelopen uren spookten door haar hoofd, met alle gruwelijke details. Wat haar ouders hadden gezegd. Wat zij had gezegd. Hoe alles nooit veranderde. En hoe hard ze ook probeerde niet aan Nick te denken, in haar gedachten kwam hij steeds opnieuw voorbij. Zijn warme handen, de koele en zachte textuur van zijn haren tussen haar vingers en van zijn zachte huid. Ze sloot haar ogen en voelde weer zijn warme, natte mond op haar borsten en verder naar beneden. Ze wist niet waarom ze hem dat allemaal had laten doen. Ze kende hem goed genoeg om te weten dat hij de ene keer heel aardig kon zijn en de andere keer zo vals als wat. Dus, van alle mannen uit het stadje, waarom Nick Allegrezza?

Delaney stompte in haar kussen en draaide zich op haar zij. Misschien omdat hij zo vrij overkwam en ze altijd al gefascineerd was door zijn knappe gezicht en stoere gedrag. Misschien omdat hij zo aantrekkelijk was dat hij haar de adem benam. Vanavond had hij haar het gevoel gegeven dat zij ook aantrekkelijk was. Hij had naar haar gekeken als een man die de liefde wilde bedrijven met een vrouw. Hij had haar aangeraakt alsof hij alleen háár wilde. Maar het was een leugen geweest. Een illusie. En zij was naïef en dom geweest.

Ik zal je iets beters geven dan alleen liefde, had hij gezegd. *Ik zal je een orgasme geven.* Waarom hij daarvoor die ene methode had gebruikt, wist ze niet. Maar hij had onmogelijk iets kunnen doen wat nóg beschamender was, al had hij er jaren over nagedacht. Hij had haar helemaal uitgekleed, terwijl hij al zijn kleren aanhield. Hij had haar over haar hele lichaam kunnen strelen, maar zij had nog geen glimp van zijn borstkas kunnen opvangen.

Haar enige troost was dat niemand te weten zou komen wat er precies gebeurd was op de motorkap van Nicks Mustang, zelfs Henry niet. Tenzij Nick het zelf zou vertellen, zou niemand het ooit te weten komen. Misschien had haar moeder ongelijk. Misschien zou er niet over geroddeld worden.

Maar Gwen bleek zich slechts vergist te hebben in hoe lang het zou duren voordat zij de roddels zou horen. Het was rond het middaguur, niet al om tien uur, de volgende dag, dat Lisa belde en Delaney vertelde dat iemand haar en Nick had gezien bij het motel in het nabijgelegen Garden. Iemand anders had hen poedelnaakt rond zien hollen in Larkspur Park en daarna zien vrijen op de glijbaan. En weer een ander had Nick en haar gespot in een steegje achter de slijterij, waar ze tequilashots dronken en daarna aan de slag waren gegaan achter in zijn auto.

Ineens leek haar vertrek naar de universiteit niet meer zo erg. Die van Idaho was niet Delaney's favoriet, maar het was wel vier uur rijden van Truly. Op vier uur afstand van haar ouders en hun controle. Vier uur verwijderd van de roddels die door het hele stadje gingen. Vier uur weg van Nick en zijn familieleden.

Nee, daarbij vergeleken was de universiteit van Idaho niet meer zo erg.

'Als je goede cijfers haalt en je goed gedraagt,' vertelde Henry haar op weg naar Moscow, 'dan mag je volgend jaar misschien wat minder colleges volgen.'

'Dat zou geweldig zijn,' zei ze zonder al te veel enthousiasme. Volgend jaar duurde nog twaalf maanden, en ze zou in de tussentijd vast iets uithalen wat volgens Henry niet door de beugel kon. Maar ze zou haar best doen. Net als altijd.

Ze probeerde het een maand, maar de echte vrijheid, die ze daar kon proeven, steeg haar naar het hoofd en ze haalde het eerste trimester alleen maar onvoldoendes. Ze werd ontmaagd door iemand met een sportbeurs en de naam Rex, en werd serveerster in Ducky's Bar en Grill, waar meer drank werd geserveerd dan gegrilde eend.

Met het geld dat ze daarmee verdiende, kreeg ze nog meer vrijheid, en toen ze in februari negentien werd, hield ze op met studeren. Haar ouders waren woedend, maar het kon haar niet meer schelen. Ze trok in bij haar eerste echte vriendje, een gewichtheffer die Rocky Baroli heette en ronddde haar studie van zijn borstspieren wél af. Ook oefende ze zich in het tellen van het aantal tequila's dat ze kon drinken, op al die feestjes die buiten de campus plaatsvonden. En ze leerde het verschil tussen een Tom Collins en een wodka Collins, tussen im- en export.

Kortom, ze had haar eigen onafhankelijkheid, nu ze die eindelijk gevonden had, met beide handen aangegrepen en zou die nooit meer opgeven. Ze leefde alsof ze alles maar één keer zou meemaken en haar vrijheid haar elk moment ontnomen kon worden. Als ze nu terugdacht aan die jaren, wist ze dat ze zich gelukkig mocht prijzen dat ze nog leefde.

De laatste keer dat ze Henry had gezien, had hij haar gericht opgespoord omdat hij haar mee naar huis wilde nemen. Tegen die tijd had ze Rocky gedumpt en woonde ze in een souterrain met twee andere meisjes. Henry had maar een blik nodig op het allegaartje aan meubilair, de vieze asbakken en de verzameling lege drankflessen, en verordonneerde haar de koffers te pakken. Ze weigerde en het werd een heel vervelende confrontatie. Hij zei haar dat als ze niet in zijn auto ging zitten, hij haar zou onterven en net zou doen alsof ze zijn dochter niet was. Ze had hem een drammerige, arrogante klootzak genoemd.

'Ik wil jouw dochter niet meer zijn. Dat is veel te vermoeiend. Jij bent eerder dictator dan vader. Ik wil dat je me niet meer komt zoeken,' waren haar laatste woorden tegen Henry geweest.

Nadien had Gwen haar alleen nog maar gebeld als Henry er niet was. Af en toe zocht haar moeder Delaney op in de stad waar ze op dat moment woonde, als het uitkwam, maar Henry kwam natuurlijk nooit mee. Hij hield zich aan zijn woord. Hij onterfde Delaney en ze had zich nog nooit eerder zo vrij gevoeld – vrij van zijn controle, vrij om haar leven te gronde te richten als ze dat wilde. En soms gebeurde dat ook, maar uiteindelijk werd ze gewoon volwassen.

Ze hopte van staat naar staat en van baan naar baan, tot ze had bedacht wat ze de rest van haar leven wilde doen. Uiteindelijk werd dat haar pas zes jaar geleden duidelijk, toen ze de kappersvakschool ging doen. Al na de eerste week wist ze dat ze haar passie had gevonden. Ze was dol op het gevoel en het proces van iets moois en draagbaars creëren bij een ander. Ze kon zich net zo uitbundig kleden als ze wilde, er was altijd wel iemand die nóg buitenissiger gekleed ging dan zijzelf.

Het had misschien langer geduurd dan bij anderen, maar uiteindelijk vond Delaney toch een loopbaan, of in ieder geval iets wat ze leuk vond om te doen en wat ze goed kon.

Als stilist kon ze in alle vrijheid creatief zijn. Het gaf haar ook de vrijheid om te verhuizen als ze zich te veel gevangen voelde op één plek, al had ze al heel lang geen last meer gehad van claustrofobie.

Tot een paar maanden geleden, toen Henry vanuit het graf weer eens zijn autoriteit had doen gelden en haar dat verschrikkelijke testament had opgedrongen, waardoor haar leven werd beheerst.

Delaney raapte haar laarzen op en liep naar de slaapkamer. Ze knipte het licht aan en wierp ze in de richting van de kast. Wat was er mis met haar? Waarom had ze nou, op die hele volle dansvloer, uitgerekend Nick uitgekozen om mee te zoenen? En dat met hun gedeelde verleden? Er waren toch wel andere geschikte mannen in de buurt geweest? Oké, sommigen waren getrouwd of gescheiden of hadden vijf kinderen, en geen van hen was zo knap als Nick, maar met hen had ze tenminste geen pijnlijk gedeeld verleden.

Nick de slang. Dat was hij, net als die grote python met de hypnotiserende blik uit *Jungleboek*. En zij was niet meer dan een hulpeloos slachtoffer.

Delaney bestudeerde zichzelf nog eens in de spiegel boven haar kaptafel en fronste. Misschien zou ze minder onder de indruk zijn geraakt van Nicks hypnotiserende charme als ze niet zo eenzaam was geweest en zich zo doelloos voelde. Ooit was die doelloosheid juist haar opzet geweest. Maar nu niet meer. Ze woonde in een stadje waar ze niet wilde zijn en had een kapsalon die gedoemd was te mislukken. Haar enige doel in het leven was overleven en Helen een hak zetten. Nee, er moest iets veranderen, en ze moest het zelf doen.

Hoofdstuk 8

Op maandagochtend overwoog Delaney om met een advertentie in het plaatselijke krantje haar diensten als manicure meer onder de aandacht te brengen. Maar omdat haar salon nog maar een maand of zeven open zou blijven zag ze ervan af. Ze had die nacht wakker gelegen en verschillende strategieën uitgedacht om haar salon meer naamsbekendheid te geven, ook al was het maar voor een halfjaar. Ze wilde dat ze trots op zichzelf kon zijn. Ze wilde stoppen met de kappersoorlog tegen Helen en bovendien zo ver mogelijk bij Nick uit de buurt blijven.

Ze opende de winkel en pakte een poster van Jennifer Lawrence met haar perfecte lijf gehuld in een Valentino en haar gouden haar in prachtige krullen om haar hoofd gemodelleerd. Niets trok meer aandacht dan zo'n glamourfoto.

Delaney schopte haar schoenen met enorme hakken uit en klom op de vensterbank bij de winkelruit. Ze wilde net de poster voor het raam hangen toen ze de winkelbel hoorde gaan. Ze keek links van haar en legde de tape opzij. Een van de Howell-tweelingen stond bij de ingang de salon te bekijken. Haar lichtbruine haar werd door een rode haarband uit haar gezicht gehouden.

'Wat kan ik voor je doen?' vroeg Delaney terwijl ze voorzichtig uit de etalage klom en zich afvroeg of dit dezelfde was die ze afgelopen zaterdag bij Nick achter op de motor had zien springen. Als dit dezelfde was, had ze grotere problemen dan alleen haar gespleten haarpunten. Haar blauwe ogen screenden Delaney van top tot teen en namen haar zwart-groen gestreepte panty, groene broekje en zwarte shirt in zich op.

'Kan ik zonder afspraak geknipt worden?' vroeg ze.

Delaney wilde niets liever dan klanten, vooral klanten voor wie nu eens geen seniorenkorting gold. Maar ze ergerde zich aan de blik van deze vrouw, die haar bekeek alsof ze op zoek was naar alles wat er mis was met haar verschijning. Het maakte haar niet uit of deze klant zou toehappen of niet, dus zei ze: 'Ja, maar daar reken ik wel vijfentwintig dollar voor.'

'Knip je goed?'

'Ik ben de beste kapper die je hier in de stad zult vinden.' Delaney trok haar schoenen weer aan, enigszins verbaasd dat de vrouw niet allang de deur uit was gerend op zoek naar een knipbeurt van een tientje.

'Dat zegt niks. Helen knipt waardeloos.'

Misschien had ze iets te snel geoordeeld. 'Nou, ik knip niet waardeloos,' zei ze eenvoudig. 'Ik ben goed in mijn werk. Zeer goed zelfs.'

De vrouw trok de rode haarband uit haar haren. 'Ik wil het korter aan de achterkant en de rest in lagen tot hier,' zei ze terwijl ze naar haar kaaklijn wees. 'Geen pony.' Delaney bestudeerde het gezicht van de vrouw uitvoerig. Haar voorhoofd was goed in proportie met de rest van haar gezicht. Dat model zou haar goed staan, maar met die grote blauwe ogen zou iets korters, bijvoorbeeld een rattenkopje, haar helemaal fantastisch staan.

'Loop even mee.'

'We hebben elkaar al eerder gezien op een feestje op 4 juli,' zei ze terwijl ze achter Delaney aan liep. 'Ik ben Lanna Howell.'

Delaney stopte bij de wastafel. 'Ja, ik herkende je al.' Lanna ging zitten en Delaney drapeerde een zilverkleurige cape en een zachte witte handdoek om haar schouders.

'Je hebt een tweelingzus, toch?' vroeg ze, terwijl ze eigenlijk wilde weten of dit de zuster was die zichzelf laatst aan Nick had vastgelijmd.

'Ja, Lonna.'

'O ja,' zei Delaney terwijl ze het haar van haar klant tussen haar vingers analyseerde. Ze legde de kapmantel over de achterkant van de stoel en hielp Lanna achteroverleunen in de stoel totdat haar nek goed in de uitsparing van de wastafel lag. 'Waarmee heb je je haar gebleekt?' Ze pakte de sproeikop en testte de watertemperatuur op haar hand.

'Soms met citroensap, maar ook wel met een haarproduct voor thuis.'

In gedachten rolde Delaney met haar ogen terwijl ze dacht aan de logica die sommige vrouwen hanteerden als ze eerst een hoop geld uitgaven bij de schoonheidsspecialiste en dan thuis gewoon een goedkope fles waterstofperoxide over hun hoofd gooiden.

Met een hand beschermde ze Lanna's gezicht, nek en oren terwijl ze met de andere hand haar haar natmaakte met warm water. Ze gebruikte een milde shampoo en een natuurlijke conditioner en ondertussen praatten de twee vrouwen opgewekt over het weer en de prachtige herfstkleuren. Toen ze klaar was met wassen, wikkelde ze Lanna's haar in een handdoek en begeleidde haar naar een kappersstoel.

'Mijn zus zag jou laatst bij Hennessey's,' vertelde Lanna terwijl Delaney haar haren droogdepte met de handdoek.

Delaney keek in de grote spiegel om Lanna's blik te peilen. Aha, dacht ze, terwijl ze haar kam pakte, het was de ándere tweelingzus geweest die bij Nick achterop had gezeten. 'Klopt, ik was er ook. Er speelde een goede bluesband uit Boise.'

'Dat heb ik gehoord. Ik kon helaas niet komen. Ik werk in het restaurant bij de brouwerij.'

Delaney kamde de klitten uit Lanna's haar en verdeelde het in vijf secties die ze vastzette met haarklemmen. Ze schakelde expres over op een ander onderwerp. Ze vroeg Lanna naar haar werk en het gesprek ging al spoedig over het Winter Festival dat elk jaar in december plaatsvond. Volgens Lanna was het de afgelopen jaren uitgegroeid tot een groot evenement. Als kind was Delaney verlegen en introvert geweest. Maar na jarenlange ervaring als kapster vond ze het niet moeilijk meer om het gesprek met haar klanten op gang te houden. Ze kon inmiddels alle mensen op hun gemak stellen door overal over mee te praten. Of ze nu mee moest fantaseren over Brad Pitt of mopperen over de kwaaltjes waar klanten last van hadden. Sommige mensen leken wel speciaal naar de kapper te gaan om hun hart te luchten of om ontboezemingen over hun eigen leven te doen. Wat dat betreft waren kappers net barkeepers of priesters. Vooral die ontboezemingen miste ze sinds ze Henry's voorwaarden had geaccepteerd. Maar ook de competitie en de vriendschap met collega's, en niet in de laatste plaats de sappige roddels.

'Hoe goed ken jij Nick Allegrezza?'

Delaneys hand stokte even, maar meteen daarna kamde ze een sectie van Lanna's haar los om die te gaan knippen. 'Nou ja, we zijn hier allebei opgegroeid.'

'Maar ken je hem goed?'

Ze keek snel weer in de spiegel en daarna weer naar haar handen die druk aan het werk waren. 'Ik geloof niet dat er iemand is die Nick echt goed kent. Hoezo?'

'Mijn vriendin Gail denkt dat ze verliefd op hem is.'

'In dat geval wens ik haar veel succes.'

Lanna lachte. 'Vind je het niet erg?'

'Natuurlijk niet.' Nick had niets met haar te maken en zij niets met hem. 'Waarom zou ik dat erg vinden?' vroeg ze, terwijl ze een klem uit Lanna's haar haalde en op haar broek vastzette.

'Gail heeft me verteld over Nick en jou en over wat er vroeger gebeurd is.'

Delaney was niet echt verbaasd en kamde een nieuwe sectie haar los om te gaan knippen.

'Wat voor verhalen heb je dan gehoord?'

'Het verhaal dat jij jaren geleden uit Truly weg moest omdat je zwanger van hem was.'

Deze kwam wel aan en voelde als een stomp in haar maag. Even haperden haar handen weer. Ze had het niet moeten vragen. Er waren veel verhalen rondgegaan, maar deze versie kende ze nog niet. Haar moeder had er ook niets over gezegd, maar dat was te verwachten. Gwen praatte liever niet over de echte reden waarom Delaney uit Truly was vertrokken. Ze had het altijd over 'toen je wegging om te studeren'. Het verbaasde Delaney wel dat deze oude roddels haar zo raakten.

'Echt? Dat is nieuw voor mij,' zei ze, terwijl ze met gebogen hoofd Lanna's haar tussen haar vingers nam. Ze legde de schaar langs haar knokkels en knipte in een rechte lijn. Ze kon gewoon niet geloven dat men in de stad had gedacht dat ze zwanger was geweest. Of eigenlijk toch wel. Ze vroeg zich af of Lisa deze roddel kende – of Nick.

'Sorry.' Lanna dacht na. 'Ik dacht dat je het wel wist. Ik heb waarschijnlijk mijn mond voorbijgepraat.'

Delaney keek op. Lanna leek oprecht, maar Delaney kende haar nog niet goed genoeg om er zeker van te zijn.

'Het is eigenlijk wel schokkend om te horen dat ik een baby zou hebben gekregen terwijl ik nooit zwanger ben geweest.'

Ze kamde een volgende lok uit. 'Helemaal dat het van Nick zou zijn. We mogen elkaar niet eens.'

'Ik denk dat Gail wel opgelucht zal zijn. En Lonna trouwens ook. Ze vinden hem allebei leuk.'

'Ik dacht dat ze gewoon vrienden waren.'

'Dat is ook zo. Als je met Nick uitgaat is er één ding waar hij heel duidelijk over is, en dat is dat je niet moet proberen aan te sturen op een huwelijk. Lonna maakt het niet zoveel uit, maar Gail probeert bij hem thuis binnen te komen.'

'Bij hem thuis binnenkomen? Wat bedoel je?'

'Lonna zegt dat Nick het nooit met vrouwen doet bij hem thuis. Ze gaan altijd naar een motel of zo. Gail wil hem nu zover krijgen dat hij haar mee naar zijn huis neemt. Ze denkt dat hij dan wel voor meer te porren is. Ze hoopt natuurlijk dat ze hem kan strikken voor het huwelijk.'

'Nick zal wel torenhoge motelrekeningen hebben.'

'Waarschijnlijk wel.' Lanna lachte.

'Vind jij dat niet vervelend?'

'Ik? Ik heb niks met hem. Mijn zus en ik vallen nooit op dezelfde man.'

Delaney was opgelucht, maar ze snapte niet waarom. Wat zou het haar kunnen schelen als Nick kinky groepsseks had met twee mooie tweelingzussen.

'Vindt je zus het niet vervelend dan?'

'Niet echt. Ze is niet op zoek naar een man. Niet zoals Gail. Gail denkt dat ze hem wel zover krijgt, maar het gaat haar toch niet lukken. Toen Lonna Nick en jou laatst op de dansvloer zag, vroeg ze zich af of jij misschien ook een scharrel van hem was.'

Delaney zette de stoel wat lager en maakte het laatste gedeelte van Lanna's haar los.

'Ben je hier nou gekomen om je haar te laten knippen of om informatie voor je zus in te winnen?'

'Allebei,' lachte Lanna. 'Maar jouw eigen haar was me al opgevallen toen ik het voor het eerst zag.'

'Dank je. Heb je ooit overwogen om het kort te knippen?' vroeg ze. Weer probeerde ze het onderwerp Nick te ontwijken. 'Echt kort bedoel ik, zoals Halle Berry?'

'Ik denk niet dat kort haar me staat.'

'Geloof me, het zou je geweldig staan. Je hebt grote ogen en een perfect hoofd ervoor. Ik heb een nogal smal hoofd, dus ik heb juist langer haar nodig.'

'Ik weet het niet. Daar moet ik echt even over nadenken.'

Delaney legde haar schaar neer en reikte naar een flacon mousse. Ze föhnde Lanna's haar met een ronde borstel droog. Toen ze klaar was, gaf ze Lanna een ovale spiegel. 'Wat vind je ervan?' vroeg ze, zeker van haar succes.

'Ik denk,' zei Lanna langzaam terwijl ze haar kapsel in de spiegel bekeek, 'dat ik de volgende keer niet meer tweehonderd kilometer naar Boise hoef te rijden om mijn haar te laten doen.'

Nadat Lanna vertrokken was, veegde Delaney het haar van de grond op en maakte de wastafel schoon. Ze dacht weer aan de roddel die de stad was rondgegaan na haar vertrek tien jaar geleden. Ze vroeg zich af wat er nog meer over haar gezegd was, terwijl zij op de universiteit zat. Misschien zou ze het aan haar moeder vragen als ze daar vanavond ging eten.

Maar daar kreeg ze de kans niet voor. Toen ze aanbelde deed Max Harrison glimlachend de deur open met een cocktail in zijn hand.

'Gwen is in de keuken bezig met het lamsvlees,' zei hij terwijl hij de deur achter haar dichtdeed. 'Ik hoop dat je het niet vervelend vindt dat je moeder mij ook heeft uitgenodigd.'

'Natuurlijk niet.' Delaney rook de heerlijke geuren van het diner dat haar moeder aan het bereiden was. Niemand kon zo lekker lamskoteletjes klaarmaken als Gwen. De geur van lamsvlees deed haar watertanden en haalde prettige jeugdherinneringen naar boven aan Pasen, of aan haar verjaardagen als haar moeder haar lievelingseten klaarmaakte.

'Hoe gaat het met de salon?' vroeg Max terwijl hij haar uit haar jas hielp.

'Goed hoor.' Het leek erop dat Gwen en Max elkaar steeds vaker zagen de laatste tijd, en Delaney vroeg zich af wat er gaande was tussen haar moeder en Henry's adviseur. Ze kon zich haar moeder niet voorstellen als een minnares. Daarvoor was ze veel te veel in de plooi. Het zou waarschijnlijk gewoon vriendschap zijn tussen die twee.

'Je moet een keer langskomen, dan knip ik je haar.'

Ze hoorde zijn zachte lachje. 'Misschien doe ik dat binnenkort wel,' zei hij terwijl ze naar de achterkant van het huis liepen. Ze kwamen de keuken binnen en Gwen keek op van de zak wortelen in haar hand. Delaney zag in een flits dat de ogen van haar moeder zich heel even vernauwden, en ze wist dat er iets niet in orde was.

Shit! Een van hen had een probleem, en Delaney had niet de indruk dat het Max was. 'Wat is de speciale gelegenheid?'

'Is er niet. Ik wilde gewoon jouw lievelingseten klaarmaken.' Gwen keek naar Max en zei: 'Delaney wilde altijd lamskoteletjes eten op haar verjaardag. Andere kinderen wilden altijd pizza of hamburgers, maar zij niet.'

Misschien was er wel niks aan de hand, maar voor de zekerheid toverde Delaney een vrolijke glimlach op haar gezicht. 'Kan ik nog iets doen?'

'Wil je de salade uit de koelkast halen en er de dressing overheen doen?'

Delaney deed wat haar gevraagd werd en droeg daarna de schalen naar de eetkamer. De tafel was prachtig gedekt met rozen, kaarsen, haar moeders mooiste servies en witte damast. Echt een tafel voor een speciale gelegenheid. En dat kon maar twee dingen betekenen. Dat zij zich zorgen moest maken, of dat er niets aan de hand was. Het kon zijn dat haar moeder gewoon een gezellig diner wilde, of dat ze iets onaangenaams probeerde te verhullen.

Na een paar ogenblikken aan tafel wist Delaney al dat het om het laatste moest gaan. Iets verstoorde het perfecte plaatje. Oppervlakkig gezien verliep het eten gezellig, maar daaronder was de spanning duidelijk voelbaar. Max leek er geen last van te hebben, maar Delaney voelde het tot in haar tenen. Zowel tijdens het voorgerecht als bij haar moeders lamskoteletjes met munt. Ze glimlachte, lachte en hield Max bezig met verhalen over alle plekken waar ze had gewoond. Ze wist hoe ze moest doen alsof, maar tegen de tijd dat ze de tafel hielp afruimen had ze een gloeiende hoofdpijn. Misschien kon ze Max' aanwezigheid gebruiken om er snel vandoor te gaan. 'Zo,' zei ze terwijl ze de stapel borden naast de gootsteen neerzette, 'ik vond het heel gezellig, maar ik moet er helaas meteen weer vandoor.'

'Max,' zei Gwen, 'zou je ons even alleen willen laten?'

O nee.

'Prima, dan kijk ik even naar die contracten die je voor me had klaargelegd.'

'Dank je. We zijn zo klaar.'

Gwen wachtte tot ze de deur van Henry's kantoor dicht hoorde gaan en zei: 'Ik moet even met je praten over je schandalige gedrag.'

'Wat voor schandalige gedrag?'

'Trudie Duran belde me vanmiddag en vertelde dat jij je hebt misdragen met Tommy Markham terwijl zijn vrouw de stad uit was. Volgens Trudie praatte iedereen in de supermarkt erover.'

'Wie is Trudie Duran?' vroeg Delaney terwijl ze haar hoofd voelde verstrakken.

'Wat maakt dat uit? Is het waar?'

Ze deed haar armen over elkaar en fronste.

'Nee. Ik kwam Tommy laatst tegen bij Hennessey's en we hebben even bijgepraat. Lisa was er gewoon bij.'

'O. Nou, dat valt me mee.' Gwen pakte een rol plastic folie en scheurde er een lang stuk af. 'Maar alsof dat niet al erg genoeg was, vertelde ze me ook nog dat haar dochter Gina je had zien zoenen op de dansvloer met Nick Allegrezza.' Kalm legde ze de rol folie terug op het aanrecht. 'Ik zei dat ze zich vergist moest hebben, want ik ga ervan uit dat jij nooit meer zoiets doms zult doen. Nu wil ik dat alleen nog van jou zelf horen.'

'Oké. Ze heeft zich vergist.'

'Is dat de waarheid?'

Delaney dacht even na over wat ze zou antwoorden, maar besloot dat haar moeder er vroeg of laat toch wel achter zou komen. Bovendien was ze geen klein kind meer dat bang was om gestraft te worden, en ze was niet van plan om zich door haar moeder als een kind te laten behandelen. 'Nee.'

'Wat haal jij je in vredesnaam in je hoofd? Mijn god, die jongen en zijn complete familie hebben ons al ons hele leven last bezorgd. Ze zijn onbeschoft en jaloers. Vooral jaloers op jou, hoewel Benita geen gelegenheid voorbij laat gaan om mij haar slechtste kant te laten zien. Ben je vergeten wat er tien jaar geleden is gebeurd? Ben je vergeten wat Nick heeft gedaan? Hoe hij ons heeft vernederd en gekwetst?'

'Júllie? Hij heeft míj vernederd en gekwetst. Mij alleen. Nee, ik ben het niet vergeten. En je maakt het veel groter dan het was,' probeerde ze haar moeder te verzekeren, terwijl het nog veel groter was geweest dan ze zelf durfde toegeven. 'Er is helemaal niets gebeurd. Het stelde niks voor. Zo weinig dat ik er niet eens over wil praten en er zelfs niet aan wil denken.'

'Je moet er wel aan denken. Je weet toch dat de mensen hier gek zijn op roddelen. Vooral over ons.'

In stilte was Delaney het daar wel mee eens. De bewoners van Truly – Gwen inbegrepen – deden niets liever dan roddelen. Maar ze had niet het idee dat dat specifiek over hen, de Shaws, moest gaan. Sappige verhalen trokken altijd de aandacht, wie het ook betrof. Zoals gewoonlijk plaatste haar moeder zichzelf en haar gezin onterecht in het middelpunt.

'Oké, ik zal eraan denken.' Ze sloot haar ogen en drukte haar vingertoppen tegen haar slapen.

'Dat hoop ik dan maar. En blijf in vredesnaam uit de buurt van Nick Allegrezza.'

Drie miljoen dollar, zei ze in zichzelf. Dat moet me lukken voor drie miljoen dollar.

'Wat is er? Ben je ziek?'

'Hoofdpijn.' Ze haalde diep adem en liet haar handen zakken. 'Ik moet gaan.'

'Weet je het zeker? Wil je niet nog een stukje taart? Ik heb het speciaal gehaald bij die banketbakker op Sixth Street.'

Delaney sloeg het af en liep naar Henry's kantoor. Ze zei Max gedag en trok haar jas aan. Haar moeder duwde haar handen weg en knoopte haar jas dicht alsof ze weer een kind van vijf was. 'Ik hou van je, en ik maak me zorgen over jou alleen in dat kleine appartementje in de stad.' Delaney deed haar mond open om te protesteren, maar Gwen hield een vinger over haar lippen. 'Ik weet dat je nu niet terug naar huis wilt komen, maar mocht je je bedenken, dan ben je altijd welkom.'

Het was weer het oude liedje. Haar moeder was weer lief, en als Delaney er eenmaal van overtuigd was dat haar moeder de liefste van de wereld was, veranderde ze weer.

Gwen staarde naar de gesloten voordeur en zuchtte. Ze begreep niets van Delaney. Helemaal niets. Ze kon niet bevatten dat haar dochter liever in dat armoedige huisje wilde wonen terwijl het niet nodig was. Ze snapte niet waarom iemand die zoveel mogelijkheden had, koos voor een simpel leventje als rondzwervende kapster. En ze moest toegeven dat Delaney haar ook een beetje teleurgesteld had. Henry had haar alles gegeven, en zij had geweigerd. Hij had haar kunnen helpen, maar ze wilde liever vrijheid. In haar ogen was vrijheid een begrip dat veel te veel werd opgehemeld. Van vrijheid kun je jezelf en je kind niet voeden. Vrijheid kon niet de angst wegnemen die je midden in de nacht kon overvallen. Sommige vrouwen konden goed voor zichzelf zorgen, maar Gwen was niet zo'n vrouw. Ze wilde een man die voor haar zorgde.

Zodra ze Henry Shaw zag had ze geweten dat hij dé man voor haar was. Een krachtige persoonlijkheid met veel geld. Ze had haar leven als kapster van showgirls in Las Vegas gehaat. Ze hadden elkaar ontmoet na een van de shows toen Henry in de kleedkamers zijn vriendin kwam opzoeken. Hij had Gwen mee naar huis genomen. Hij was echt zo'n knappe man met ouderwetse klasse geweest. Een week later was ze met hem getrouwd.

Ze had van hem gehouden, maar haar dankbaarheid jegens hem was groter dan haar liefde. Dankzij hem kon zij het leven leiden waarvan ze altijd gedroomd had. Dankzij hem had zij niet veel anders om zich druk over te maken dan de vraag wat ze 's avonds op tafel zou zetten, of van welke club zij lid zou worden.

Gwen draaide zich om en liep door de hal naar Henry's kantoor. Natuurlijk had er wel het een en ander tegenover gestaan. Henry had een wettig kind gewild, en toen zij niet zwanger raakte gaf hij haar de schuld. Pas na jarenlang proberen een kind te krijgen had ze hem zover gekregen zichzelf op vruchtbaarheid te laten testen. En zoals ze al vermoedde, bleek Henry onvruchtbaar te zijn. Hij had te weinig spermacellen, en de meeste daarvan waren ook nog misvormd of te traag. Henry was buiten zinnen van woede geraakt door deze diagnose. Hij was tot in het diepst van zijn wezen beledigd geweest en wilde continu met haar vrijen om de artsen te overtuigen van hun ongelijk. Hij was zo extreem koppig geweest en zo zeker van zijn vermogen een vrouw zwanger te maken. Natuurlijk hadden de artsen wel gelijk. Ze had zich steeds maar weer aan zijn woede en frustratie overgegeven en met hem gevreeën, ook al had ze er niet altijd zin in. Maar het was nooit echt erg geweest, en ze had er een hoop voor teruggekregen. Ze had aanzien gehad als burgemeestersvrouw, en een prachtig leven geleid.

Maar ineens liet hij een paar jaar geleden zijn idee over een kind met haar varen. Nick was terug in de stad en Henry vestigde zijn aandacht volledig op het kind dat hij al had. Dat beviel Gwen niet. De hele familie van Nick beviel haar niet, maar ergens was ze wel opgelucht dat Henry's obsessie nu eens niet op haar was gericht.

Toen Gwen het kantoor van Henry binnenkwam, zag ze Max achter Henry's bureau zitten. Hij zat een paar documenten te bekijken en keek glimlachend naar haar op. Zijn haar begon bij de slapen wat te grijzen. Niet voor de eerste keer vroeg Gwen zich af hoe het zou zijn om te worden aangeraakt door een man van haar eigen leeftijd. Een man die zo knap was als Max.

'Is Delaney naar huis?' vroeg hij, toen hij om het bureau heen naar haar toe liep.

'Ja, net. Ik maak me zorgen over haar. Ze is zo doelloos, zo onverantwoordelijk. Ik ben bang dat ze nooit volwassen wordt.'

'Maak je geen zorgen. Het is een slimme meid.'

'Ja, maar ze is al bijna dertig. Ze...'

Max legde zijn wijsvinger over haar lippen om haar tot zwijgen te brengen. 'Ik wil niet over Delaney praten. Ze is een volwassen vrouw. Jouw taak zit erop, nu kun je een stap terug zetten en aan andere dingen gaan denken.'

Gwens ogen vernauwden zich. Max had geen idee van het opvoeden van kinderen. Delaney had nu eenmaal wat begeleiding nodig. Ze had nu lang genoeg als een zigeuner geleefd.

'Hoe bedoel je? Ze is mijn dochter. Ik kan niet aan andere dingen denken.'

'Denk dan aan mij,' zei hij, terwijl hij zijn hoofd liet zakken en zacht haar lippen kuste.

Even was het een ongemakkelijk gevoel. Ze kon zich nauwelijks herinneren dat ze ooit door andere mannen was gekust dan door Henry. Maar Max deed zijn lippen van elkaar en ze voelde een eerste streling van zijn tong. Opwinding stroomde door haar heen en haar hartslag verdriedubbelde. Ze had zich afgevraagd hoe het zou voelen om door Max te worden aangeraakt. Nu voelde ze het. Het voelde beter dan ze zich had voorgesteld.

Op de terugweg van haar moeders huis stopte Delaney bij de drogisterij voor pijnstillers, wc-papier en een pak pindakoeken. Ze gooide ook twee doosjes tampons in haar karretje omdat ze in de aanbieding waren. Bij de tijdschriften pakte ze een blad uit het rek dat een parfumluchtje verspreidde en beloofde 'Alle Geheimen Van De Man' te onthullen. Ze bladerde het door en gooide het in haar kar. Straks in bad zou ze het blad lezen. Verderop in de winkel nam ze een geurkaars mee. Toen ze langs het laatste schap liep om naar de kassa te gaan botste ze bijna tegen Helen Markham op.

Helen zag er moe uit, en door de haat in haar blik was duidelijk te zien dat de laatste roddels ook haar hadden bereikt. Delaney kreeg bijna medelijden met haar. Haar leven moest niet gemakkelijk zijn. Ze kon twee dingen doen: haar oude vijand laten bloeden of haar met rust laten. 'Maak je geen zorgen over die roddel over Tommy en mij,' zei ze. 'Het is niet waar.'

'Laat mijn man met rust. Hij wil je niet meer in zijn buurt hebben.'

Dan zeg je een keer iets aardigs, en dan krijg je dit. 'Ik heb hem ook niet opgezocht.'

'Je bent altijd jaloers op mij geweest. Altijd, en nu denk je zeker mijn man te kunnen afpakken. Nou, dat gaat je niet lukken.'

'Ik wil je man helemaal niet,' zei ze, zich pijnlijk bewust van de twee dozen tampons in haar karretje. Alsof één doos niet genoeg was.

'Je hebt hem altijd al gewild, al sinds de middelbare school. Je hebt het nooit kunnen zetten dat hij mij boven jou verkoos.'

Delaney gluurde naar de inhoud van Helens karretje. Een middel tegen griep, een megapak inlegkruisjes en een doosje laxeertabletten. Delaney glimlachte. Ook Helen had blijkbaar behoefte aan vrouwelijke hygiëne. Ze voelde een lichte voorsprong.

'Hij wilde jou alleen maar omdat ik niet met hem naar bed wilde, en dat weet je best. Iedereen wist dat toen, en nu nog steeds. Als jij je niet had aangeboden als een eersteklas pocketveermatras had hij jou nooit opgemerkt.'

'Je bent echt zielig, Delaney Shaw. Altijd al geweest. En nu probeer je wraak te nemen door mijn man en mijn zaak af te pakken.'

'Ik zei net dat ik Tommy niet hoef.' Ze stak haar vinger naar Helen uit. 'Maar kijk uit, want jouw zaak pik ik wél in.' Haar glimlach was sluwer dan ze bedoeld had. Ze duwde haar karretje langs Helen richting de kassa's. Niks einde aan de kappersoorlog. Ze zou Helen wel eens wat laten zien.

Maar Delaney's handen trilden toen ze haar boodschappen op de band bij de kassa legde. Ze bleven trillen toen ze naar huis reed en toen ze de deur naar haar appartement opende. Ze zette het nieuws van tien uur aan en plaatste haar tas met boodschappen op het aanrecht. De dag was goed begonnen, maar langzaam in een rotdag veranderd. Eerst haar moeder, toen Helen. Bovendien gingen de roddels over haar in Truly als een lopend vuurtje, en ze kon er niets aan veranderen.

Haar hoofd stond op knappen en ze nam twee pijnstillers. Dit was Tommy's schuld – en die van Nick. Zij hadden haar lastiggevallen. Als ze haar met rust hadden gelaten was het niet zo'n vervelende avond geworden. Dan had ze zich niet tegen haar moeder hoeven verdedigen, of ruzie hoeven maken met Helen.

Delaney pakte het tijdschrift en ging naar de badkamer om de kraan open te zetten. Zodra ze haar kleren uit had liet ze zich in het warme water glijden. Een rilling ging over haar rug en ze zuchtte. Ze probeerde te lezen, maar steeds weer schoten er strategieën door haar hoofd om Helens zaak over te nemen. Ze vroeg zich af of Tommy, de slappeling, inderdaad tegen Helen had gezegd dat zij zich aan hem had opgedrongen. Maar ze besloot dat het niet uitmaakte.

Haar gedachten richtten zich op Nick en de roddels over hen. De oude geruchten waren weer opgerakeld. Tien jaar geleden waren ze al over de tong gegaan, zelfs toen zij de stad al uit was. Ze wilde niet weer in verband worden gebracht met Nick. Ze wilde niet als een van zijn veroveringen worden beschouwd. Dat zou ook niet gebeurd zijn als hij haar niet mee had getrokken naar de dansvloer en haar gekust had totdat ze het in haar tenen voelde. Hij had zo weinig nodig om haar hart op hol te brengen en haar lichaam te doen tintelen. Ze snapte niet hoe Nick haar met een simpele kus helemaal gek kon maken. Maar ze was duidelijk niet de enige. Bij Gail en Lonna Howell deed hij dat ook, en dat waren dan nog alleen de vrouwen van wie ze het wist. Wie weet hoeveel meer er voor Nicks charmes vielen.

Ze bladerde in het tijdschrift en vond een artikel over feromonen en het krachtige effect dat ze hadden op mannen en vrouwen. Als het waar was wat er stond, dan had Nick meer feromonen dan hij nodig had. Hij was de rattenvanger van Hamelen als het daarop aankwam, en Delaney was gewoon een van de vele volgzame ratten.

Ze bleef in bad liggen tot het water koud werd, droogde zich af en trok haar flanellen nachtjapon aan en dikke sokken tot aan haar knieën. Ze zette haar wekker op halfnegen en kroop onder haar nieuwe dikke dekbed. Ze probeerde Nick en Tommy, Gwen en Helen uit haar gedachten te bannen. Maar na drie uur lang naar haar digitale wekker te hebben gestaard stond ze op om een middeltje te zoeken dat haar in slaap zou helpen. Het enige dat ze in haar medicijnkastje had was een middel tegen griep dat ze had meeverhuisd uit Phoenix. Ze nam een dubbele dosis en viel daarna eindelijk in slaap.

Maar de slaap bracht geen rust. Ze droomde dat ze de rest van haar leven in Truly moest blijven en dat de tijd was stilgezet. De dagen gingen niet voorbij en de kalender bleef eeuwig op 31 mei staan. Ze kon niet wegkomen.

Delaney werd wakker door een gebonk in haar hoofd en het zoemen van haar wekker. Blij om verlost te worden uit haar nachtmerrie sloeg ze de wekker uit en sloot haar ogen. Het bonken bleef aanhouden en ineens realiseerde ze zich dat het niet in haar hoofd was, maar op haar voordeur. Slap door een gebrek aan slaap en de te grote dosis grieptabletten wankelde ze naar de woonkamer. Met de sokken afgezakt op haar enkels strompelde ze naar de voordeur en rukte hem open. Als een vampier zwaaide ze haar arm omhoog om haar ogen tegen de felle zon te beschermen. Ze kon nog net de grijns waarnemen die langzaam over het gezicht van Nick Allegrezza trok. IJskoude lucht sloeg in haar gezicht en benam haar de adem. 'Wat moet je?' hijgde ze.

'Goedemorgen, zonnestraaltje.'

Zijn lach irriteerde haar en zonder zich te bedenken smeet ze de deur weer dicht. Nick was de laatste persoon die ze nu wilde zien. Achter de deur hoorde ze hem nog steeds lachen en hij riep: 'Ik heb de sleutel van de achterdeur van je winkel nodig.'

'Waarvoor?'

'Je wilde toch nieuwe sloten op je deuren?'

Hoofdstuk 9

Delaney staarde een paar tellen naar de gesloten deur. In geen geval ging ze die weer opendoen. Ze had gezworen uit de buurt van Nick te blijven. Hij bezorgde haar alleen maar problemen en ze wist bovendien zeker dat haar haren nog belachelijk zaten. Maar ze had wel nieuwe sloten nodig. 'Ik breng de sleutels later wel naar je kantoor.'

'Ik ben er straks niet. Het is nu of anders volgende week, wilde bosmeid.'

Ze rukte de deur open en staarde naar de krankzinnig knappe man. Hij had zijn haar naar achteren gedaan en zijn handen in de zakken van zijn leren jack gestoken. 'Ik zei toch dat je me zo niet mag noemen!'

'Dat klopt, dat heb je gezegd,' zei hij en liep langs haar het appartement binnen, alsof het van hem was. Om hem heen hing een zweem van herfstlucht en leren kleding.

Delaney voelde de koude wind via haar enkels omhoogtrekken en dat deed haar er weer aan herinneren dat ze helemaal niet gekleed was op bezoek. Maar gelukkig wel bedekt genoeg. Ze rilde en deed de deur dicht. 'Zeg, ik heb je niet gevraagd binnen te komen.'

'Maar dat wilde je wel,' zei hij en ritste zijn jack open.

Ze schudde fronsend haar hoofd. 'Nee, niet waar.' Ineens leek haar appartement ontzettend klein. Hij vulde het met zijn grote lichaam, de geur van zijn huid en zijn enorme machismo.

'En nu wil je ook graag koffiezetten.' Hij droeg een grijsblauw geruit flanellen overhemd. Hij had klaarblijkelijk een boel flanellen overhemden. En Levi's spijkerbroeken. Veel gedragen Levi's, dat wel, met slijtplekken op de interessantste plaatsen.

'Heb je altijd een ochtendhumeur?' vroeg hij, intussen het appartement in zich opnemend. Haar laarzen, die nog op het versleten vloerkleed lagen. De keuken, met de versleten apparatuur. De twee doosjes tampons op het aanrecht.

'Nee,' snauwde ze. 'Meestal ben ik heel gezellig.'

Nu keek hij haar kant uit en hield zijn hoofd wat schuin. 'Een *bad hair day*?'

Delaney bracht haar handen naar haar hoofd en onderdrukte een hartgrondig gekreun. 'Ik pak de sleutel wel,' zei ze en liep naar de keuken om haar tas te pakken. Ze haalde er haar grote sleutelbos uit. Toen ze zich ermee omdraaide, stond Nick zo dicht bij haar dat ze achteruitdeinsde en met haar kont tegen de keukenkastjes aanbotste. Ze staarde naar zijn uitgestoken hand. Zijn lange stevige vingers, met rimpels en eeltplekken. Van zijn elleboog naar zijn pols liep een zilverkleurige rits over zijn motorjack. Het lipje rustte op de muis van zijn hand.

'Waar zitten de dichtstbijzijnde stopcontacten?'

'Watte?'

'Waar zitten de stopcontacten in je kapsalon?'

Ze liet de sleutels in zijn handpalm vallen en wurmde zich langs hem. 'Bij de kassa voorin en achter de magnetron in het magazijn.' En omdat hij zo van de boekomslag van een Bouquet-pocket kon zijn gestapt, en ze er zeker van was dat ze er zelf verschrikkelijk uitzag, snauwde ze: 'Overal van afblijven.'

'Wat denk je dat ik ga doen?' riep hij haar nog achterna, omdat ze de gang in holde. 'Mezelf een permanentje inzetten?'

'Ik weet nooit wat jij gaat doen,' riep ze terug en sloot de slaapkamerdeur achter zich. Ze keek in de spiegel van de kaptafel en sloeg haar handen voor haar mond. 'O, mijn god!' gilde ze. Ze had inderdaad een bad hair day. Van voren zat het plat, van achteren pluizig. Er zat een afdruk van een kussenplooi op haar rechterwang en onder haar ogen was het zwart. Ze had de deur opengedaan als iemand die zojuist een natuurramp had overleefd. Erger nog, ze had de deur geopend als een zombie, terwijl Nick aan de andere kant stond.

Zodra Delaney de voordeur hoorde sluiten holde ze de badkamer in en nam snel een douche. Van het warme water knapte ze gelukkig op en toen ze eronderuit stapte was ze klaarwakker. Ze hoorde Nicks boor gierende geluiden maken en liep snel naar de keuken om het koffieapparaat aan te zetten. Wat zijn motieven ook waren, hij deed iets aardigs voor haar. Hij deed aardig. Punt. Ze wist niet waarom en ook niet hoe lang het zou duren, maar ze was dankbaar en zou er gebruik van maken.

Ze trok een eenvoudig zwart vestje aan met grote kraag die sloot met een rits en daaronder een rok met zebraprint. Daar weer onder een dikke zwarte maillot en haar zwarte enkellaarsjes. Toen was haar kapsel aan de beurt, dat ze in model bracht met mousse en droogde met de föhn. Tot slot bracht ze nog wat make-up aan, stak haar armen in een lange zwarte jas en haalde de koffie uit de keuken.

Een halfuur nadat ze door Nicks gebonk wakker was geworden, liep ze de trap van haar appartement af met twee dampende mokken in haar handen en een gevulde thermos onder haar arm.

De achterdeur van de kapsalon stond wagenwijd open en Nick stond met zijn rug naar haar toe, met een gereedschapsgordel om zijn middel en werkhandschoenen aan, wijdbeens aan de deur te morrelen. De boor lag naast hem op de grond.

Er zat een gat in de deur en hij was net bezig de oude deurklink te verwijderen. Hij keek op toen ze dichterbij kwam en nam haar hele outfit in zich op met zijn grijze ogen.

'Ik heb koffie voor je,' zei ze, een mok naar hem uitstekend.

Hij nam de middelste vinger van zijn handschoen in zijn mond en trok zijn hand eruit. Het ding verdween in een jaszak en hij reikte naar de koffie. 'Dank je.' Hij blies in de mok en bekeek haar door de dampende koffie. 'Het is pas oktober. Hoe houd je je warm in december als de sneeuw tot aan je billen reikt?' vroeg hij en nam een slok.

'Doodvriezen.' Ze zette de thermos bij de deur. 'Maar dat is dan goed nieuws voor jou.'

'Hoezo?'

'Dan erf jij mijn aandeel van Henry's nalatenschap.' Ze ging rechtop staan en sloeg haar handen om de mok. 'Tenzij ik hier in Truly begraven blijf en op die manier dit gat niet kan verlaten.

Dan kan het nog wel eens lastig worden. Maar als je wilt, mag je mijn lichaam wel buiten de stadsgrenzen werpen.' Ze dacht even na, en voegde er nog aan toe: 'Zorg er alleen voor dat de wilde dieren niet aan mijn gezicht kunnen knagen. Dat zou ik echt verschrikkelijk vinden.'

Hij tilde een mondhoek op. 'Ik hoef jouw erfenis niet.'

'Nee, natuurlijk niet,' zei ze spottend. Hoe kon een weldenkend mens nou geen deel willen erven van een enorme nalatenschap. 'Jij was anders nogal pissig toen het testament werd voorgelezen.'

'Jij ook.'

'Alleen maar omdat hij mij manipuleerde.'

'Als dat alles was.'

Ze nam een slok koffie. 'Hoe bedoel je?'

'Laat maar.' Hij zette zijn mok naast de thermosfles en stak zijn hand weer in de handschoen. 'Laten we het er maar op houden dat ik precies heb gekregen wat ik wilde, van Henry. Ik heb nu grond waar elke ontwikkelaar van droomt en ik kan er mee doen wat ik wil.' Hij viste een schroevendraaier uit zijn gereedschapsgordel.

Niet helemaal, dacht ze. Nog niet, tenminste. Hij moest nog een jaar wachten, precies zoals zij. 'Dus jij was niet kwaad dat je maar twee stukken grond kreeg en ik al zijn zakelijke projecten en geld?'

'Nee.' Hij draaide een schroef los en wierp die in de doos naast hem. 'Jij en je moeder mogen die lastige zaken van me hebben.'

Ze wist niet of ze hem geloofde. 'Wat vindt je moeder van Henry's testament?'

Hij keek een paar tellen naar haar, maar richtte zich weer op zijn werk. 'Mijn moeder? Wat kan het jou schelen wat mijn moeder denkt?' vroeg hij, waarna hij beide deurklinken verwijderde en ook in de doos gooide.

'Weet ik niet echt, maar ze kijkt altijd naar me alsof ik haar kat heb vermoord. Kwaad en verwijtend tegelijkertijd.'

'Ze heeft geen kat.'

'Je begrijpt wat ik bedoel.'

Hij maakte nu met de schroevendraaier de sleutelplaat los. 'Ik denk dat ik begrijp wat je bedoelt.' Hij reikte naar een nieuw onderdeel en maakte het los uit de verpakking. 'Wat denk je dan dat ze van je vindt? Ik ben haar zoon en jij bent de *neska izugarri*.'

'Wat betekent dat, neska izu-izu?'

Hij lachte zacht. 'Neem het niet persoonlijk, maar het betekent dat ze je een verschrikkelijk meisje vindt.'

'O.' Ze nam een slok en staarde naar haar voeten. *Verschrikkelijk meisje* klonk niet eens zo erg. 'Ze hebben me wel voor erger uitgescholden. Meestal in het Engels.' Ze keek weer naar Nick en inmiddels draaide hij de glimmend nieuwe knoppen al vast. 'Ik wou dat ik twee talen sprak, dan kon ik vloeken zonder dat mijn moeder het hoorde. Jij hebt mazzel.'

'Ik spreek geen twee talen.'

Een briesje bewoog Delaney's krullen en huiverend dook ze dieper in haar kraag. 'Je spreekt toch Baskisch.'

'Nee hoor. Ik begrijp wat woordjes. Dat is het wel.'

'Nou, Louie spreekt het toch.'

'Die spreekt het net zo goed als ik.' Nick bukte zich en pakte een grendel op. 'We begrijpen er wat van omdat onze moeder Baskisch spreekt met haar familie. Ze heeft geprobeerd ons Euskara en Spaans te leren, maar het kon ons niet interesseren. Louie en ik kennen alleen scheldwoorden en lichaamsdelen, omdat we die hebben opgezocht.' Hij keek even op naar Delaney en stak toen de grendel in het gat dat hij daarvoor had geboord. 'De belangrijkste dingen, zeg maar.'

'Louie noemt Lisa zijn lieve schatje in het Baskisch.'

Nick haalde zijn schouders op. 'Dan weet hij toch meer dan ik dacht.'

'Hij noemt haar iets wat lijkt op *alu gozo*.'

Nick begon te grinniken en schudde zijn hoofd. 'Dan noemt hij haar niet lieve schátje.'

Delaney boog zich wat voorover en vroeg: 'Maar wat noemt hij haar dan?'

'Dat ga ik jou niet vertellen.' Hij groef in zijn gordel naar een paar schroeven en klemde er een paar tussen zijn lippen.

Ze vocht tegen de neiging hem een stomp te verkopen. 'Kom op, dat kun je mij toch wel vertellen.'

'En dan vertel jij het weer aan Lisa,' mompelde hij om de schroeven heen, 'en krijg ik problemen met Louie.'

'Ik zal het niet doorvertellen – alsjeblieft,' smeekte ze.

Uit Nicks jack klonk ineens het geklop van een hamer. Hij spuugde de schroeven weer uit, stak de middelvinger van de handschoen tussen zijn tanden en trok hem uit. Daarna reikte hij in zijn borstzakje en pakte zijn telefoon. 'Ja, met Nick,' antwoordde hij en stak zijn handschoen in een zak. Hij luisterde even en rolde met zijn ogen. 'Dus wanneer kan hij er zijn?' Hij klemde de telefoon tussen schouder en oor en ging verder met het bevestigen van de grendel. 'Dat is verdomme te laat. Als hij niet met ons wil werken, moet hij dat zeggen. Anders kan hij beter met zijn luie reet, en zijn pvc-buizen, niet later dan donderdag op de werkplaats zijn. We hebben tot nu toe mazzel gehad met het weer, maar dat duurt niet lang meer.' Hij weidde verder uit over vierkante meters en oppervlaktes tot Delaney er geen touw meer aan vast kon knopen. Toen hij de grendelplaat op de deur had vastgeschroefd, stak hij de schroevendraaier in zijn gereedschapsgordel. 'Bel Ann Marie even, zij heeft de juiste cijfers. Het was tachtig of vijfentachtigduizend, ik weet het niet meer.' Hij beëindigde het gesprek en stak zijn telefoon weer in zijn borstzak. Daarna groef hij in een zak van zijn spijkerbroek, tot hij een sleutelbos had gevonden. 'Probeer eens,' zei hij en stapte de winkel in om daar de sluitlussen te bevestigen.

Toen zij deed wat hij vroeg, draaide de cilinder makkelijk op slot en weer open. Ze pakte Nicks koffiemok en de thermos van de grond en liep door de achterdeur de winkel in. Nicks gereedschapsgordel en jas lagen op het aanrecht, naast de magnetron. Zijn boor stak nog steeds in het stopcontact, maar hijzelf was nergens te zien.

Van achter de gesloten badkamerdeur hoorde ze het toilet doortrekken en snel trok ze haar jas en handschoenen uit, hing ze aan de kapstok bij de deur, schonk zichzelf opnieuw een kop koffie in en holde naar de toonbank. Om een of andere vreemde reden voelde ze zich een voyeur als ze in het gangetje zou staan terwijl Nick op het toilet zat. Net als die keer dat ze bij de drogist achter haar zonnebril had staan kijken hoe hij een doosje condooms kocht – extra large, met ribbels 'voor háár genot'. Toen was hij zeventien geweest.

Delaney opende haar agenda en staarde naar de lege pagina. Ze had de nodige vriendjes gehad, en ook die gebruikten wel eens het toilet. Maar om onverklaarbare redenen lag het anders bij Nick. Persoonlijker... intiemer bijna. Alsof hij haar minnaar was, in plaats van de vent die haar haar hele leven al dwarszat, en haar daarna misbruikte om wraak te nemen op Henry.

Ze hoorde de wc-deur opengaan en nam een flinke slok koffie.

'Heb je de voordeur al geprobeerd?' vroeg hij, zijn laarzen klop-kloppend over het linoleum.

'Nog niet.' Ze wierp hem een blik toe over haar schouder, terwijl hij haar kant op liep. 'Dank je wel voor de nieuwe sloten. Hoeveel ben ik je schuldig?'

'Het werkt allemaal. Ik heb het al geprobeerd voor je,' zei hij, in plaats van haar vraag te beantwoorden. Hij bleef naast haar staan en leunde nonchalant tegen de toonbank. 'Dit lag op de vloer toen ik het slot aan de voorkant verwisselde,' zei hij en wees op een enveloppe die op de kassa lag. 'Die moet iemand onder je deur door hebben geschoven.'

Alleen haar naam stond getypt op het witte papier en ze vermoedde dat het een mailing was van de plaatselijke winkeliersvereniging of zoiets opwindends.

'Je bloost.'

'Nee, ik heb het koud,' zei ze, maar ze wist dat het niet aan de temperatuur kon liggen.

'Dan krijg je het nog zwaar deze winter.' Hij sloeg zijn handen een paar tellen om haar koffiemok en legde ze daarna op haar wangen. 'Moet er nog iets opgewarmd worden?'

O, o. 'Eh, nee.'

'Zeker weten?' Zijn vingertoppen streken wat krullen achter haar oren. 'Ik kan je heel goed opwarmen, hoor.' Met zijn duim streelde hij haar kin en daarna haar onderlip. 'Wilde bosmeid.'

Ze gaf hem een stomp in zijn maag.

In plaats van boos te reageren begon hij te lachen en liet zijn handen zakken. 'Vroeger kon je nog met jou lachen.'

'Wanneer dan?'

'Toen je met grote ogen boos naar me keek alsof je me wel kon slaan, maar tegelijkertijd zo braaf was dat je dat niet durfde. Dan klemde je je kaken op elkaar en pruilde je. Op de lagere school hoefde ik alleen maar naar je te kijken, dan holde je al weg.'

'Dat was omdat je me een keer bijna bewusteloos hebt gegooid met een sneeuwbal.'

Er verscheen een frons op zijn voorhoofd en hij ging rechtop staan. 'Die sneeuwbal, dat was een ongeluk.'

'O, echt? Hoezo dan? Omdat je per ongeluk een ijsbal had gekneed, of omdat je per ongeluk te hard gooide?'

'Het was niet mijn bedoeling je zo hard te raken.'

'Waarom gooide je hem überhaupt naar mij?'

Daar dacht hij even over na en zei: 'Omdat je daar stond.'

Ze rolde met haar ogen. 'Wat een briljant excuus, Nick.'

'Het is de waarheid.'

'Ik zal het onthouden, als ik jou op de stoep tegenkom en ik het gevoel krijg dat ik jou moet pootje haken.'

Nu glimlachte hij zijn witte tanden bloot. 'Jij bent wel bijdehand geworden in de tijd dat je weg was.'

'Ik ben mezelf geworden.'

'Ik geloof dat ik dat wel leuk vind.'

'Goh, nou dan kan ik rustig sterven.'

'Maar nu vraag ik me wel af wat er nog meer is veranderd.' Hij reikte naar de hoog opgetrokken rits van haar vest en trok hem langzaam naar beneden, tot het koele metaal haar sleutelbeen raakte.

Delaney's ademhaling haperde even, maar ze keek niet weg. Hij richtte zijn blik nu op haar hals en ze keek hem daarbij recht in de ogen. Binnen één tel was hij van een normale vent veranderd in die vervelende jongen met wie ze was opgegroeid. Ze had die grijze blik vaak genoeg gezien om te vermoeden dat hij op het punt stond heel hard te gaan stampen, boe te roepen of haar op een andere manier de stuipen op het lijf te jagen. Bijvoorbeeld door een regenworm naar haar te gooien, of zoiets gruwelijks. Maar ze weigerde zich door hem te laten intimideren. Ze had hem altijd laten winnen, maar nu zou ze standhouden, voor al die keren dat ze van hem had verloren. 'Ik ben niet hetzelfde meisje meer dat je de hele tijd kon opjutten. Ik ben niet bang voor je.'

Hij trok een donkere wenkbrauw omhoog. 'O, nee?'

'Nee.'

Met zijn ogen op de hare, reikte hij weer naar het metalen lipje van de rits. Hij liet hem plagerig een paar centimeter zakken. 'En ben je nu bang?'

Ze balde haar vuisten. Hij zat haar uit te proberen. Hij wilde dat zij als eerste toe zou geven. Ze schudde haar hoofd.

Het lipje ging verder omlaag, en bleef weer hangen. 'En nu?'

'Nee. Ik ben nooit meer bang voor jou. Ik weet wat je bent.'

'Ja, ja.' De rits gleed weer wat centimeters omlaag en de zware kraag viel open. 'Zeg eens wat ben ik dan?'

'Veel geschreeuw en weinig wol. Je doet geen vlieg kwaad. Nu denk je dat ik bang ben dat je me helemaal uit zult kleden, vlak voor de etalageruit, zodat voorbijgangers me kunnen zien. En daar moet ik zo zenuwachtig van worden, dat jij zo meteen kunt weglopen en er hard om kunt lachen. Maar weet je?'

Hij trok het lipje nog verder omlaag, tot het roosje aan de voorkant van haar beha zichtbaar was. 'Wat?'

Ze haalde diep adem en daagde hem uit. 'Je durft het toch niet.'

Zzziiippp.

Delaney's mond viel open en ze keek naar beneden. Het zwarte katoen van het vestje hing open en onthulde haar decolleté en haar beha met panterprint. En voordat ze het goed en wel in de gaten had, werd Delaney opgetild en pats-boem boven op haar agenda neergepoot. Ze voelde de zachte stof van zijn spijkerbroek tegen haar knieën strijken en het koele groene formica was koud aan haar billen. 'Wat denk jij nou?' Happend naar adem greep ze de voorkant van het vestje beet.

'St…' Hij legde zijn vinger op haar lippen, zijn blik op de grote ruit op drie meter achter Delaney. 'De eigenaar van de boekwinkel loopt langs. Je wilt toch niet dat hij je hoort en dan met zijn neus tegen de ruit gaat staan gluren, hè?'

Delaney gluurde over haar schouder, maar zag niemand. 'Zet me weer neer,' eiste ze.

'Ben nu bang?'

'Nee.'

'Ik geloof je niet. Je ziet er heel geschrokken uit.'

'Ik ben niet bang. Ik ben veel te slim om jouw spelletjes mee te spelen.'

'We zijn nog niet eens begonnen met spelen.'

Maar dat waren ze natuurlijk wel, en hij was de enige met wie ze niet wilde spelen. Hij was veel te gevaarlijk en ze vond hem veel te aantrekkelijk. 'Krijg je hier een of andere kick van, of zo?'

Er verscheen een sensueel glimlachje om zijn lippen. 'Absoluut. Die wildemeidenbeha van jou bevalt me ook, trouwens.'

Delaney liet het vestje net lang genoeg los om het snel dicht te kunnen ritsen. Toen het dichtzat, kon ze weer een beetje ademen. 'Nou, wind je niet te veel op. Mijn kick is het niet.'

Nu lachte hij harder. 'Weet je het zeker?'

'Absoluut.'

Zijn blik dwaalde af naar haar mond. 'Dan moet ik maar eens kijken wat we daaraan kunnen veranderen.'

'Het was niet uitdagend bedoeld.'

'Het was wel uitdagend bedoeld, Delaney.' Hij streek met de rug van zijn hand over haar wang en ze hield haar adem in. 'Een man weet heus wel wanneer een vrouw iets uitdagend bedoelt.'

'Dan neem ik het bij dezen terug.' Ze sloeg haar hand om zijn pols.

Hij schudde zijn hoofd. 'Dat kan niet. Ik ben de uitdaging al aangegaan.'

'Nee, nee.' Delaney keek naar zijn koppige kin. Even weg van die hypnotische blik. 'Ik daagde je echt niet uit.'

'Misschien ben je daarom wel zo zenuwachtig. Misschien heb je een beurt nodig.'

Met een ruk bracht ze haar blik weer omhoog en trok zijn hand van haar wang. 'Ik heb geen beurt nodig. Ik krijg beurten genoeg,' loog ze.

Hij hield zijn hoofd schuin.

'Echt!'

Nu bracht hij zijn gezicht dicht bij het hare. 'Dan heb je misschien iemand nodig die weet hoe het écht moet.'

'Bied je nou al weer je diensten aan?'

Hij veegde met zijn lippen zacht langs haar mond en schudde zijn hoofd. 'Nee.'

Delaney's adem bleef in haar keel stokken. 'Waarom doe je dit dan?'

'Omdat het zo lekker is,' zei hij, zacht fluisterend en zachte kusjes drukkend op haar mondhoeken. 'En lekker smaakt ook. Jij smaakte altijd al lekker, Delaney.' Hij streelde haar met zijn lippen. 'Overal.' Toen opende hij zijn mond wijd over de hare. Hij hield zijn hoofd schuin en op dat moment veranderde alles. De zoen werd heet en nat, alsof hij het sap uit een rijpe perzik zoog. Hij vrat haar helemaal op en eiste op zijn beurt dat zij hetzelfde zou doen. Hij zoog haar tong in zijn mond. Zijn mond was warm en vochtig en ze voelde zich vanbinnen smelten. Ze was hulpeloos, kon hem niet weerstaan. Ze liet zichzelf helemaal gaan en kuste hem terug, even gretig als hij. Hij was zo lekker. Zo goed ook hierin. Hij liet haar zonder moeite heerlijke dingen doen die ze eigenlijk niet wilde. Bracht haar buiten adem. Liet haar hele huid tintelen.

Hij legde zijn handen op haar knieën en duwde ze opzij. Ze voelde zijn spijkerbroek langs haar benen strijken, omdat hij tussen haar benen kwam staan. Hoe hij haar handen vastpakte en op zijn schouders legde. Daarna nam hij een van haar borsten in zijn handpalm en ze kreunde diep. Haar maagstreek vlinderde en haar tepel werd hard. Dwars door het vestje heen kon ze de hitte van zijn hand voelen. Ze boog zich naar hem toe, vragend om meer.

Ze streelde met haar duimen over zijn kaken en liet haar handen afdwalen naar zijn hals. Daar voelde ze zijn hevig bonzende hart en onrustige ademhaling. Pure vrouwelijke tevredenheid stroomde door haar heen. Haar vingers zochten naar zijn overhemd en gingen aan de slag met de knoopjes. Tien jaar eerder had hij bijna elke centimeter van haar ontblote lichaam kunnen observeren, terwijl zij niet eens zijn borsthaar had kunnen zien. Ze trok de flanellen voorpanden uit elkaar om dat eindelijk eens goed te maken. Daarna maakte ze zich los uit zijn zoen om hem eens goed te bekijken. Hij stelde haar niet teleur.

Hij had het type borstkas waarmee hij Chippendale had kunnen worden. Donkerbruine tepels en duidelijk afgetekende spieren, een strakke huid en weinig zwart borsthaar en een tweede smalle strook die vanaf zijn broekband om zijn navel liep. Ze keek ook eens goed naar de bobbel achter zijn gulp, waarna ze haar blik oprichtte naar zijn gezicht. Hij keek terug, met halfgesloten blik en een mond die nog glom van hun zoenen. Ze liet haar handen strijken over zijn huid, begroef haar vingers in het zachte borsthaar. En voelde onder haar handen hoe zijn spieren aanspanden.

'Even stilhouden,' zei hij schor, alsof hij net uit bed kwam. 'Anders weet die vrouw met dat blauwe haar aan de deur wat we aan het doen zijn.'

Ze bevroor ter plekke. 'Je liegt!'

'Nee hoor. Ze ziet eruit als die juf van de derde, mevrouw Vaughn.'

'Laverne!' fluisterde ze zacht en nu wierp ze een blik over haar schouder. 'Wat wil ze?'

'Een permanentje misschien?' zei hij, en streelde haar tepels.

'Hou op.' Ze draaide zich terug en sloeg zijn handen weg. 'Ik kan maar niet geloven dat dit me weer overkomt. Staat ze daar nog?'

'Yep.'

'Kan ze ons zien, denk je?' vroeg ze.

'Ik weet het niet. Ze staart mij wel aan.'

'Dit geloof je niet. Gisteravond nog was mijn moeder kwaad vanwege mijn schandelijke gedrag met jou in Hennessey's.' Ze schudde haar hoofd. 'En nou dit. Laverne zal het wel rondbazuinen.'

'Vast.'

Ze keek hem aan. Hij leunde nog steeds tussen haar dijen. 'Kan jou dat niets schelen?'

'En wat denk je dat me het meeste kan schelen? Dat ik net mijn handen op jouw borsten had, dat jij net mijn borstkas aan het strelen was en we het allebei naar onze zin hadden? Nou en of me dat kan schelen. We waren amper begonnen. Maar denk niet dat het me kan schelen dat een of ander oud vrouwtje door het raam alles kan zien. Kan mij het schelen wat de mensen zeggen. Die roddelen al over mij sinds mijn geboorte. Dat doet me al heel lang niets meer.'

Delaney gaf een zetje tegen zijn schouders en dwong hem zo een stap achteruit te doen. Hoewel de lust nog door haar lichaam suisde, sprong ze van de toonbank af en draaide zich om. Nog net kon ze mevrouw Vaughn weg zien weg waggelen, in haar roze terlenka jurk en steunpanty. 'De mensen hier denken toch al dat we het bed delen. En het zou jou wel iets moeten schelen, want jij kunt dat onroerend goed kwijtraken dat Henry jou heeft nagelaten.'

'Hoezo? Ik heb altijd begrepen dat iemand tijdens echte seks klaarkomt. Anders is het niet meer dan een beetje frutselen.'

Delaney kreunde gefrustreerd en liet haar hoofd in haar handen vallen. 'Ik hoor hier niet. Ik haat Truly. Ik haat alles hier. Ik kan niet wachten tot ik weg ben. Ik wil mijn eigen leven terug.'

'Bekijk het eens van de andere kant,' zei hij en ze hoorde aan het geklos van zijn laarzen dat hij naar de achterdeur liep. 'Als je vertrekt, ben je steenrijk. Jij hebt je ziel verkocht voor het geld van Henry, maar ik weet zeker dat dit het waard is.'

Ze staarde hem na. 'Hypocriet. Jij hebt ook ingestemd met dat testament.'

Hij liep het magazijn in en keerde even later weer terug. 'Klopt, maar er is één verschil.'

Met loshangend overhemd trok hij zijn leren jack aan. 'Aan die bepaling kan ik me met gemak houden.'

'Waarom trok je mijn rits dan omlaag?'

Hij bukte zich en pakte zijn boor. 'Omdat jij het toestond. Trek het je niet aan, het had ook een andere vrouw kunnen zijn.'

Die woorden waren als een klap in haar gezicht. Ze beet op de binnenkant van haar wang om niet in huilen uit te barsten, of te gaan gillen. 'Ik haat jou,' zei ze op fluistertoon, maar hij hoorde het toch.

'Ja vast, wilde bosmeid,' zei hij, en wikkelde het snoer om de boor.

'Jij moet eens volwassen worden, Nick. Volwassen mannen komen niet aan de kleding van vrouwen, gewoon om te zien of het mag. Echte mannen kijken niet naar vrouwen alsof het seksspeeltjes zijn.'

Hij keek haar vorsend aan. 'Als je dat gelooft, dan ben je nog net zo naïef als vroeger.' Hij rukte de achterdeur open. 'Misschien moet je je eigen advies eens opvolgen,' zei hij en sloot de deur achter zich.

'Word volwassen, Nick!' riep ze hem na. 'En... en... ga eens naar de kapper!' Ze wist niet waarom ze hem dat nog nariep. Misschien omdat ze hem wilde kwetsen, wat belachelijk was. Die man kon je niet kwetsen. Ze draaide zich om en staarde naar haar lege afsprakenboek. Het ging allemaal van kwaad tot erger. Twee uurtjes, dacht ze. Twee uurtjes en dan had de roddel haar moeder al bereikt, maar alleen omdat Laverne er minstens een uur over deed om bij haar auto te komen.

Woedend veegde Delaney de tranen uit haar ogen en haar blik viel op de envelop op de kassa. Ze rukte hem open. Er viel een brief uit waarop zes dikgedrukte woorden in het midden stonden. Ik hou je in de gaten, las ze. Delaney verfrommelde de brief tot een prop en wierp hem door de zaak. Geweldig! Dat kon er ook nog wel bij. Helen de psychopaat die haar anonieme brieven stuurde.

Hoofdstuk 10

Nick kneep zo hard in het stuur dat zijn knokkels wit zagen. De aanhoudende spanning in zijn kruis dwong hem bijna om zijn Jeep te keren en terug te gaan naar Delaney. Hij zou niets liever willen dan zich ontladen tussen haar zachte dijen. Maar dat was natuurlijk onmogelijk. Om zoveel redenen.

Als hij het echt nodig vond kon hij Gail bellen en haar naar hem toe laten komen. Er waren nog wel meer vrouwen die hij kon bellen, maar dat wilde hij niet. Hij wilde niet met een vrouw vrijen terwijl hij aan een andere vrouw dacht. Terwijl hij eigenlijk een andere vrouw wilde. Zo'n klootzak was hij niet. En zo gek evenmin.

In plaats van iemand te bellen stopte hij zijn auto bij de resten van de afgebrande schuur van Henry. Hij liet de motor draaien en zette de automaat op neutraal. Hij wist niet waarom hij hierheen was gekomen. Misschien omdat hij had gehoopt antwoorden te vinden in de zwartgeblakerde puinhoop. Antwoorden die hij toch niet zou vinden.

Ik hoor hier niet. Ik haat deze stad. Ik haat Truly en alles wat erbij hoort. Ik kan niet wachten tot ik weg mag. Ik wil mijn leven terug. Haar woorden galmden nog na in zijn hoofd, en in gedachten pakte hij Delaney vast en rammelde haar door elkaar. Maar ze had gelijk. Ze hoorde niet in Truly thuis. Al vanaf het moment dat hij haar bij Henry's kist had zien staan in dat groene pakje en haar donkere zonnebril had ze zijn leven in de war geschopt. Met haar terugkomst had ze alles weer opgerakeld. Al die oude gecompliceerde ellende die hij nooit goed had begrepen.

Nick keek naar de onderkant van zijn shirt en knoopte het dicht. De motor en het eentonige zoemen van de verwarming waren de enige geluiden in de ochtendstilte.

Ik haat je, had ze hem toegebeten, en hij geloofde haar. Hij was er niet op uit geweest om haatgevoelens op te wekken toen hij eerder die ochtend met haar nieuwe sloten bij de voordeur had gestaan. Maar dat was wel gebeurd. Haar haat kwam hem eigenlijk wel goed uit. Het luchtte hem zelfs op. Dan hoefde hij haar niet te kussen of aan te raken. Niet meer haar borst in zijn hand te nemen en haar harde tepel onder zijn duim te voelen.

Hij leunde met zijn hoofd tegen de hoofdsteun en staarde naar de geblakerde ruïne van de schuur. Als ze alleen al naar hem keek kreeg hij de onbedwingbare neiging om haar krullen door de war te doen. Haar in zijn armen tegen zich aan te persen en de lipgloss van haar mond af te eten. Misschien had Henry het wel goed gezien. Misschien wist Henry allang wat Nick nooit wilde toegeven, zelfs niet aan zichzelf. Hij kon het niet laten om dingen na te jagen die hij niet kon krijgen. Zijn hele leven had hij zijn energie gestoken in onbereikbare dingen. Hij had ermee leren leven dat hij niet alles kon krijgen wat hij wilde. Als iets niet lukte, dan schakelde hij gewoon over op een nieuw doel. Maar Delaney kon hij niet zomaar achter zich laten. Hij kon haar niet krijgen, maar hij kon ook niet verder zonder haar te hebben gehad.

Als Henry's testament geen roet in het eten had gegooid was hij allang met haar naar bed geweest. Dan was hij haar inmiddels wel weer vergeten. Ze was niet eens zijn type. Ze droeg rare kleren en sloeg grove taal uit. Ze was ook niet de mooiste vrouw die hij gekend had. En 's morgens vroeg was ze al helemaal geen schoonheid. Hij had genoeg vrouwen gehad die er 's morgens bij het opstaan een stuk minder eng uitzagen dan Delaney die ochtend.

Nick hief zijn hoofd en staarde door de voorruit. Maar het leek niet uit te maken hoe ze eruitzag. Hij wilde haar gewoon, ook vanochtend. Hij wilde haar slaperige mond kussen en haar zachte huid aanraken. Hij had haar terug naar haar bed willen brengen waar de lakens nog warm waren. Hij had haar helemaal willen uitkleden en zichzelf diep tussen haar hete dijen willen nestelen. Hij had haar willen aanraken zoals hij haar had aangeraakt in al die duizenden fantasieën die hij al over haar had gehad. Zoals hij haar op die ene avond tien jaar geleden had aangeraakt, toen ze bij hem in de auto was komen zitten. De nacht dat ze naar Angel Beach waren gereden. Toen was hij er zeker van geweest dat ze hetzelfde wilde als hij. Maar toen Henry ze had gevonden was ze met hem mee teruggegaan. Ze had hem alleen achtergelaten terwijl hij zo naar haar hunkerde. De zoveelste onvervulde wens.

Hij vloekte in zichzelf en schakelde de Jeep in de versnelling. De brede banden verzwolgen de kilometers terwijl de fourwheeldrive richting de stad snelde. Hij moest nog een paar bouwcontracten tekenen op kantoor, en hij zou met zijn broer bij zijn moeder gaan lunchen. Maar in plaats van naar kantoor reed hij door naar een bouwplaats tachtig kilometer noordwaarts in Garden.

De aannemers waren verrast door zijn bezoek. Ze waren nog verbaasder toen hij werkhandschoenen aantrok en een schiethamer pakte. Hij begon als een bezetene spijkers in ondervloeren en muurbalken te schieten. Het was al wat jaren geleden dat Louie en hij zich bezig hadden gehouden met het fysieke gedeelte van het bouwen. Hij bracht nu de meeste tijd door met heen en weer rijden naar bouwplaatsen en praten met aannemers en leveranciers. En als hij niet aan het rijden of praten was, dan was hij wel bezig met nieuwe bouwprojecten. Maar na een dag als vandaag voelde het goed om weer even het echte werk ter hand te nemen.

Tegen de tijd dat hij thuiskwam was het al donker. Hij gooide zijn leren jas en autosleutels op het marmeren aanrecht en pakte een Budweiser uit de koelkast. Hij hoorde ergens in huis een televisie aanstaan, maar daar was hij aan gewend. Zijn familie had de sleutel van zijn huis en Sophie kwam regelmatig een film kijken op zijn grote scherm. Zijn voetstappen weerklonken door het huis terwijl hij over de hardhouten vloer naar de zitkamer liep.

De televisie werd uitgezet en Louie stond op van de beige leren bank. Hij legde de afstandsbediening op de salontafel.

'Je moet ma bellen. Ze denkt dat je ergens dood in een greppel ligt.'

Nick nam een grote slok van zijn bier en keek zijn oudere broer aan. 'Oké.'

'We proberen je al de hele middag te bereiken. Was je de lunch bij ma vergeten?'

'Nee, ik zat in Garden.'

'Waarom heb je niet even gebeld?'

Hij had geen zin gehad om zijn moeder teleur te stellen, en zat al helemaal niet te wachten op het schuldgevoel dat ze hem zou aanpraten. 'Ik had het druk.'

'Je had toch je telefoon kunnen opnemen?'

'Daar had ik geen zin in.'

'Waarom niet, Nick?'

'Dat heb ik toch al gezegd. Waarom doe je zo moeilijk? Je zit me hier vast niet op te wachten alleen omdat ik mijn telefoon niet opnam.'

Louie fronste.

'Waar zat je?'

'Dat heb ik al gezegd.'

'Zeg het dan nog maar een keer.'

Nick had dezelfde dreigende blik als zijn broer.

'Rot op.'

'Dan is het dus waar wat iedereen zegt. Je hebt Delaney Shaw genaaid op de toonbank in haar winkel. Midden op Main Street zodat iedereen je kon zien.'

Langzaam verscheen er een glimlach op Nicks lippen. Daarna barstte hij in lachen uit. Maar Louie zag er de lol niet van in.

'Jij idioot,' vloekte hij. 'Ik heb nog tegen mama gezegd dat ze de praatjes over jou en Delaney bij Hennessey's niet moest geloven. Ik heb haar verzekerd dat jij nooit zo stom zou zijn. Maar je bent het verdomme wel!'

'Nee hoor. Ik heb Delaney niet genaaid in haar winkel of waar dan ook.'

Louie snoof en krabde in zijn nek. 'Nog niet misschien, maar dat gaat nog wel gebeuren. Je gaat het vroeg of laat toch doen en dan verlies je alles.'

Nick hief zijn glas en nam een slok.

'Dus dat is de werkelijke reden voor jouw aanwezigheid hier. Geld. Het interesseert je geen barst wie ik naai, zolang jij straks maar kunt bouwen op Silver Creek.'

'Ja, en waarom niet? Alleen al het idee dat we geld kunnen

verdienen met de bouw van de huizen daar. Ik slaap er 's nachts bijna niet van als ik eraan denk. Maar ook als dat stuk grond geen drol waard was zou ik hier staan. Omdat ik je broer ben. Omdat ik erbij was toen jij vroeger door de struiken kroop om hun huis te kunnen begluren. Omdat ik meeging als jij haar wilde bespieden of haar fietsbanden leeg liet lopen. Ik dacht dat je dat deed uit wraak, omdat ze net zo'n mooie nieuwe fiets had gekregen. Ik dacht dat jij haar haatte omdat zij alles kreeg wat jij had moeten krijgen. Maar je haatte haar niet. Je liet haar banden leeglopen omdat je haar naar huis wilde brengen. Jij zei dat je met haar mee naar huis liep om Henry kwaad te krijgen, maar daar ging het jou niet om. Je was gewoon gek op haar. Al vanaf het moment dat je pik ertoe in staat was kreeg je een stijve van Delaney Shaw. En dat is nu niet anders. Iedereen weet dat jij je lul achternaloopt.'

Langzaam zette Nick zijn fles op de schoorsteenmantel.

'Je kunt beter gaan voordat ik je eruit schop.'

Louie sloeg zijn armen over zijn brede borst en zag er niet uit alsof hij van plan was te vertrekken.

'En dan nog wat. Dit huis. Moet je kijken.'

'Ja?'

'Kijk eens rond. Je woont in een huis van driehonderdvijfenvijftig vierkante meter. Je hebt vier slaapkamers en vijf badkamers. Je bent alleen, Nick. Je woont hier in je eentje.'

Nick keek naar de open haard van riviersteen, het hoge balkenplafond en de rij hoge ramen die uitkeken over het meer.

'Ja, en wat dan nog?'

'Voor wie heb je het gebouwd? Je wilt niet trouwen. Dus waarom zou je zo'n groot huis willen hebben?'

'Zeg jij het maar. Jij weet het allemaal zo goed.'

Louie verplaatste zijn gewicht.

'Je wilde Henry laten zien hoe goed jij het voor elkaar had.'

Het was zo dicht bij de waarheid dat Nick het niet ontkende.

'Dat is oud nieuws.'

'En haar ook.'

'Je kletst uit je nek,' zei hij. 'Ze woonde hier niet eens.'

'Maar nu wel, en jij gaat je leven verzieken voor een wip met een wel heel dure griet.'

Nick wees in de richting van de voordeur.

'En nu eruit voordat ik echt kwaad word.'

Louie liep naar hem toe en stopte op nog geen halve meter voor hem.

'Wou je me eruit gooien, broertje?'

'Als je zo aandringt...'

Nick was de langste, maar Louie had de bouw van een stier. Nick wilde niet met zijn eigen broer vechten en kende bovendien Louie's kracht maar al te goed. Hij was opgelucht toen Louie hem hoofdschuddend passeerde.

'Als je haar dan zo nodig moet neuken, doe het dan.' Louie zuchtte terwijl hij zijn jas van de leuning van een leren stoel pakte. 'Doe het voordat je aannemers gaat inplannen in Silver Creek. Doe het voordat je leningen aangaat, en voordat ik er nog meer tijd aan ga verspillen.'

'Je maakt je zorgen om niets,' verzekerde Nick zijn broer terwijl ze naar de voordeur liepen. 'Ik blijf uit haar buurt en zij zal voorlopig ook uit mijn buurt blijven.'

'Wat is er vandaag dan in haar winkel gebeurd?'

Nick opende de zware houten deur.

'Niks. Ik heb haar sloten vervangen. Dat is alles.'

'Dat betwijfel ik.'

Louie trok zijn jas aan en liep de treden bij de voordeur af.

'Bel mama,' zei hij. 'Hoe eerder je ervan af bent hoe beter.'

Nick schudde zijn hoofd en liep terug naar de zitkamer. Hij was niet in de stemming om zijn moeder te bellen. Ze zou hem de huid vol schelden over Delaney. Hij pakte zijn bier van de schoorsteenmantel en liep door de openslaande deuren naar zijn terras. De stoom steeg op uit de achthoekige jacuzzi die in het terras verzonken lag. Hij zette de massagestralen aan. Door zijn werk op de bouwplaats in Garden had hij een pijnlijke rechterschouder gekregen. Hij kleedde zich uit en hij kreeg kippenvel voordat hij in het hete bubbelende water stapte. Door de ramen van het huis viel licht naar buiten, maar in de hoek van het bubbelbad bleef het donker.

Louie had het over sommige dingen bij het rechte eind gehad. De bouw van zijn huis was er in eerste instantie inderdaad om begonnen om Henry af te troeven. Maar al voordat de bouw halverwege was, had hij er geen zin meer in gehad om wie dan ook iets te bewijzen. Wat Delaney betrof zat zijn broer er echter helemaal naast. Nick had niet verwacht dat hij haar ooit terug zou zien. Louie's theorie over de leeggelopen fietsbanden was weer niet ver bezijden de waarheid. Hij was eerst niet van plan geweest om haar fiets helemaal naar Henry's huis te brengen. Maar hij had haar gezicht gezien toen ze ontdekte dat haar banden leeg waren. Ze zag eruit alsof ze in tranen zou uitbarsten en hij had zo'n medelijden en spijt gekregen dat hij haar had geholpen. Hij had zijn chocoladereep met haar gedeeld en zij had hem kauwgom gegeven. Pepermuntsmaak.

Het klopte redelijk wat Louie zei over zijn gevoelens voor Delaney. Niet dat hij nu 'gek op haar' was geweest, maar in ieder geval was hij wel in haar geïnteresseerd. Louie's voorspelling dat hij uiteindelijk toch wel met haar naar bed zou gaan klopte niet. Hij was dat zeker niet van plan. Hoe heftig hij ook op haar reageerde, hij had genoeg controle over zijn lichaam om zichzelf in toom te houden.

Er werd zo veel over hem gepraat. Soms klopte het, soms niet. Het kon hem niet schelen. Maar Delaney wel. De roddels zouden haar pijn doen. Nick nam een slok bier en keek hoe de sterren weerspiegelden in het zwarte water van het meer. Hij wilde niet dat zij zich ellendig voelde. Het werd echt tijd om Delaney Shaw met rust te laten.

Hij hoorde binnen zijn mobiel gaan en vroeg zich af wanneer zijn moeder het zou opgeven om hem te bereiken. Hij wist dat ze hem zou confronteren met de nieuwste roddel. Alsof ze nog een soort moederlijke rechten had om hem op zijn fouten te wijzen. Dat betuttelende gedoe van hun moeder leek Louie niet zo veel te deren. Hij noemde dat liefde. Misschien was dat het wel, maar Nick herinnerde zich nog levendig de verstikkende omhelzingen van zijn moeder toen hij een klein jongetje was. Ze drukte hem altijd zo hard tegen zich aan dat hij geen adem kon halen.

Hij zette zijn bier op de rand van de jacuzzi en liet zich dieper onder water glijden. Zijn moeder hield er niet van in het donker te rijden, dus zou ze hem vanavond wel met rust laten. Hij zou haar morgenochtend wel bellen om het af te handelen.

Gwen pakte voor de vijfde keer in een uur de telefoon.

'Delaney weigert op te nemen.'

Max liep over het dikke tapijt naar haar toe en stopte achter haar. 'Dan heeft ze daar vast haar redenen voor.'

Hij wreef Gwens schouders en masseerde met zijn duimen de onderkant van haar hoofd.

'Je bent veel te gespannen.'

Gwen zuchtte en legde haar hoofd op haar rechterschouder. Haar zachte blonde haar streek over zijn knokkels, en een parfum met een ondertoon van rozen vulde zijn neus. 'Weer zo'n vervelende roddel over Nick en haar,' zei ze. 'Hij wil haar gewoon kapotmaken.'

'Zij kan hem wel aan.'

'Je begrijpt het niet. Hij heeft haar altijd gehaat.'

Max herinnerde zich de dag dat Nick zijn kantoor was binnengevallen. Nick was boos geweest, maar had hem niet de indruk gegeven zulke vijandige gevoelens voor Delaney te koesteren.

'Je dochter is volwassen. Ze kan voor zichzelf zorgen.' Hij liet zijn handen naar haar middel glijden en trok haar tegen zich aan. Het leek wel altijd over Delaney te moeten gaan als hij met haar samen was. Gwen mopperde op haar, dan suste hij de boel en vervolgens mocht hij haar minnaar zijn. Na Henry's dood was hij veel met Gwen opgetrokken, en hij was al een paar keer met haar naar bed geweest. Ze was mooi en had een man veel te bieden. Maar het begon hem steeds meer te ergeren dat ze zo met haar dochter bezig was.

'Voor zichzelf zorgen? Door zichzelf te schande te maken?'

'Als zij dat wil. Jij hoeft haar niet meer op te voeden. Laat haar los voordat zij er genoeg van krijgt. Straks verlies je haar weer.'

Gwen draaide zich om en Max zag de angst in haar ogen.

'Ik ben zo bang dat ze me weer in de steek laat. Ik dacht eigenlijk dat Henry de enige reden was dat ze niet thuis wilde komen. Maar nu ben ik daar niet meer zo zeker van. Toen ik haar een paar jaar geleden opzocht in Denver verweet ze me dat ik altijd Henry's kant koos toen ze klein was. Ze zei dat ik nooit voor haar opkwam. Ik wilde wel voor haar opkomen, maar Henry had gewoon gelijk. Voor haar toekomst was het beter om goede cijfers te halen en te gaan studeren in plaats van als een dolle hond feestend door het leven te gaan.'

Gwen stopte even en haalde diep adem.

'Delaney is zo koppig en kan zo lang wrokkig blijven. Ik weet gewoon zeker dat ze in juni voorgoed vertrekt.'

'Misschien wel.'

'Ze mag niet gaan. Henry had haar langer moeten laten blijven.'

Max liet haar los.

'Dat wilde hij ook. Maar ik heb hem het advies gegeven om de periode tot een jaar te beperken. De rechter zou misschien het hele testament hebben afgekeurd als hij een langere periode had geëist.'

Gwen draaide zich om en liep naar de haard. Ze hield zich vast aan de bakstenen schoorsteenmantel en keek Max aan in de spiegel voor haar.

'Hij had iets anders moeten verzinnen.'

Henry had er alles voor gedaan om zelfs vanuit zijn graf nog controle over zijn familie te kunnen uitoefenen. De voorwaarden en beperkingen in zijn testament bleven nog net binnen de grenzen van wat juridisch acceptabel was en wat door een rechter als redelijk kon worden beschouwd. Max had Henry's pogingen om het leven van zijn erfgenamen via zijn testament te reguleren vrij onsmakelijk gevonden. Het irriteerde hem dat Gwen zijn manipulaties ondersteunde.

'Delaney moet hier blijven. Ze moet eerst volwassen worden.'

Max keek naar Gwens spiegelbeeld; haar prachtige blauwe ogen, haar roze pruilmondje, haar vlekkeloze witte huid en haar blonde haren met de iets lichtere highlights. Hij vond haar mooi, en de erectie in zijn broek bevestigde dat. Misschien had ze gewoon wat afleiding nodig. Hij liep naar haar toe, vastbesloten om haar dat te geven.

Nick kreeg de kans niet om zijn moeder te bellen. De volgende morgen stond zij om zeven uur al bij hem op de stoep. Benita Allegrezza legde haar handtas op het witmarmeren aanrecht in de keuken en keek haar zoon aan. Nick dacht blijkbaar dat hij haar kon negeren, maar zij was wel zijn moeder. Ze had hem op de wereld gezet. Zij had het recht om hem uit zijn bed te halen, ook al was hij drieëndertig en woonde hij niet meer bij haar.

Hij had zijn oude Levi's aan, met een oud zwart sweatshirt erboven, en liep op blote voeten. Benita fronste bij die aanblik. Hij zou zich wel wat beter mogen kleden. Nick had nooit goed voor zichzelf gezorgd. Hij at niet regelmatig en bracht zijn tijd door met losbandige vrouwen. Waarschijnlijk dacht hij dat ze niets van die vrouwen wist, maar integendeel. 'Waarom laat je die neska izugarri niet links liggen?'

'Ik weet niet wat je nu weer gehoord hebt, maar er is niets gebeurd met Delaney,' zei hij, zijn stem nog schor van de slaap. Hij nam haar jas aan en hing hem in de garderobekast op de gang.

Dus hij dacht haar ook voor de gek te kunnen houden? Benita volgde hem de keuken in en keek hoe hij twee mokken uit de kast pakte.

'Wat deed je daar dan, Nick?' Hij wachtte totdat hij beide mokken met koffie had gevuld.

'Ik heb de sloten van haar winkel vervangen.'

Benita nam de mok met koffie aan en zag hem tegen de gootsteen aan leunen alsof er niets in die kapsalon gebeurd was. Ze wist wel beter. Hoe minder hij zei, des te meer hij te verbergen had. Soms had ze een vrachtwagen nodig om iets uit hem te trekken. Zo was hij de laatste tijd wel vaker.

'Dat zei je broer ook al. Waarom moest ze jou daarvoor hebben? Kon ze niet gewoon een slotenmaker inschakelen zoals ieder ander zou doen?'

'Ik had het haar beloofd.' Hij leunde met één heup tegen het aanrecht en haalde zijn andere schouder op.

'Het stelde niks voor.'

'Hoe kun je dat nou zeggen? De hele stad praat erover. Je neemt je telefoon niet op en je hebt mij opzettelijk ontweken.'

Hij fronste zijn wenkbrauwen.

'Ik heb je niet ontweken.'

Natuurlijk had hij dat wel gedaan. En het was de schuld van Delaney Shaw. Sinds zij weer terug was in Truly had ze het leven van Nick nog moeilijker gemaakt dan het al was. Voordat Henry met Gwen was getrouwd, had Benita zichzelf en alle anderen nog kunnen wijsmaken dat Henry niks met Nick te maken wilde hebben omdat hij geen kinderen wilde. Maar toen Henry trouwde kon haar leugen geen stand houden. Henry wilde wel kinderen, alleen niet Nick. Iedereen kon zien dat hij zijn eigen zoon negeerde, terwijl hij zijn stiefdochter met liefde en aandacht overlaadde.

Voordat Delaney in Henry's leven kwam had Benita haar zoon nog kunnen troosten door hem op schoot te nemen en te knuffelen. Ze had zijn lieve hoofdje gekust en zijn tranen gedroogd. Maar toen Delaney er eenmaal was, was het afgelopen met de knuffels. Hij wilde haar troost niet meer en zei dat hij te groot was geworden voor kussen. Hoe boos ze ook op Henry was, Delaney was voor haar het levende, ademende symbool geworden voor bedrog en verwerping. Delaney kreeg alles wat Nick had moeten krijgen. En alsof dat nog niet genoeg was bracht ze Nick ook nog continu in de problemen.

Ze wist het altijd zo te draaien dat Nick de zondebok werd. Zoals die keer dat hij haar had geraakt met een sneeuwbal. Hij had natuurlijk geen sneeuwbal moeten gooien, maar Benita was er zeker van dat die meid er zelf ook een aandeel in had gehad. Maar de school had niet eens naar haar kant van het verhaal gevraagd. Ze hadden Nick de schuld gegeven zonder het nader te onderzoeken.

En dan waren er natuurlijk die afschuwelijke roddels over Nick geweest. Hij zou misbruik van Delaney hebben gemaakt. Tien jaar later wist Benita nog steeds niet wat er precies gebeurd was die avond. Ze wist dat Nick geen heilige was op het gebied van vrouwen. Maar Nick zou niets pakken zonder dat dit hem vrijwillig werd aangeboden. Ze twijfelde er niet aan of Delaney had zelf een belangrijke rol gespeeld in wat er gebeurd was. Maar ze was wel zo laf om ervandoor te gaan en Nick met het probleem op te zadelen. Zij was de pijnlijke roddels ontvlucht en Nick moest het allemaal alleen doorstaan. Het gerucht dat hij misbruik van haar zou hebben gemaakt was echt niet het ergste geweest in de nasleep van die avond.

Nu keek ze naar hem – haar lange, knappe jongen. Haar zoons waren allebei op hun eigen manier goed terechtgekomen. Ze hadden niets in de schoot geworpen gekregen, en ze was erg trots op ze. Maar Nick... Nick zou haar altijd nodig hebben, meer dan hij zelf zou toegeven. Nu wilde ze niets liever dan dat Nick gelukkig zou worden met een leuk katholiek meisje, waarmee hij in de kerk zou trouwen. Dat was toch niet te veel gevraagd voor een moeder? Als hij eenmaal getrouwd was, zouden de losbandige dames wel afdruipen – inclusief Delaney Shaw.

'Je zou het je moeder toch niet vertellen als er iets gebeurd is met dat meisje,' zei ze. 'Ik weet niet meer wat ik moet geloven.'

Nick bracht de mok met koffie naar zijn mond en nam een slok. 'Maak je geen zorgen,' zei hij. 'Als er iets gebeurd is, dan zal het niet weer gebeuren.'

'Beloof het me.'

Hij glimlachte om haar gerust te stellen. 'Natuurlijk, *Ama*.'

Benita was echter allesbehalve gerustgesteld. Die meid was immers weer terug, en de roddels ook.

Hoofdstuk 11

Delaney zette haar telefoon uit. En ze hield hem uit tot ze de volgende ochtend haar appartement verliet om aan het werk te gaan. Ze hoopte dat het onmogelijke was gebeurd en mevrouw Vaughn niets hadden kunnen zien door de etalageruit. Misschien had ze mazzel.

Maar toen ze de deur van de kapsalon wilde openen, stond Wannetta Van Damme op haar te wachten. Binnen een paar tellen werd duidelijk dat Delaney al maanden geen mazzel meer had. 'Is het hier gebeurd?' vroeg Wannetta, terwijl ze binnenhobbelde. Het geluid van haar looprek echode door de lege salon, klik-klunk, klik-klunk.

Delaney was een beetje bang om naar de bekende weg te vragen. 'Wat is er gebeurd?' vroeg ze. Daarna nam ze de jas aan van de oudere vrouw en hing hem aan de kapstok.

Wannetta wees naar de toonbank. 'Is dit waar Laverne jou en die Allegrezza-jongen zag... je weet wel?'

Er vormde zich een brok in Delaney's keel. 'Wat?'

'Foezelen,' fluisterde de oude vrouw.

De brok zakte abrupt in haar maag, terwijl ze haar wenkbrauwen tot haar haargrens voelde optrekken. 'Foezelen?'

'Rollebollen.'

'Rollebollen?' Delaney wees naar de toonbank. 'Daar?'

'Dat vertelde Laverne gisterenavond tijdens de bingo in die nieuwe kerk, Jezus de goddelijke redder.'

Delaney liep naar een kappersstoel en liet zich erin vallen. Haar gezicht werd knalrood en het suisde in haar oren. Ze wist dat er geroddeld zou worden, maar ze had geen idee hoe erg het zou zijn. 'Bingo? Jezus de goddelijke redder?' Haar stem klonk schril en hard. 'O, mijn god!' Ze had het kunnen weten. Alles met Nick betekende ellende en ze wilde dat ze hem alleen de schuld kon geven. Maar dat was niet zo. Hij had zijn eigen overhemd niet losgeknoopt. Dat had zij gedaan.

Wannetta kwam op haar afgelopen, klik-klunk, klik-klunk. 'Is het waar?'

'Nee!'

'O.' Wannetta zag er net zo teleurgesteld uit als ze klonk. 'Die jongste Baskische jongen is anders een knapperd. Zelfs al heeft hij een slechte naam, het zou mij moeite kosten hem te weerstaan.'

Delaney legde een hand op haar voorhoofd en haalde diep adem. 'Hij is slecht. In- en inslecht. Blijf bij hem uit de buurt, Wannetta, anders word je op een dag wakker en ben je het onderwerp van de vreselijkste roddels.' Haar moeder zou haar vermoorden.

'Ik ben meestal al blij dát ik wakker word. En op mijn leeftijd vind ik die roddels niet zo verschrikkelijk,' zei ze, terwijl ze doorliep naar het wasgedeelte van de kapsalon. 'Heb je vandaag nog een plekje voor me?'

'Echt? Wil je een behandeling?'

'Tuurlijk. Ik doe al die moeite om hier te komen niet alleen om wat met je te kletsen.'

Delaney stond op en volgde mevrouw Van Damme naar de wasbak. Ze hielp haar in de stoel en zette het looprek weg. 'Hoeveel mensen waren er bij de bingo?' vroeg ze, al wilde ze het antwoord liever niet weten.

'O, weet ik niet precies, zestig of zo.'

Zestig. Dan zouden die het weer doorbrieven aan zestig anderen en zou het gerucht zich verspreiden als een lopend vuurtje. 'Dan kan ik beter meteen mijn kop in de strop hangen,' mompelde ze. Alles was beter dan de toorn van haar moeder.

'Gebruik je weer die shampoo die zo lekker ruikt?'

'Ja.' Delaney hing Wannetta een kappersmantel om en bewoog haar stoel naar achteren. Ze draaide de kraan open en testte de watertemperatuur. Ze had zich de dag en avond ervoor verstopt in haar appartement. Ze was emotioneel bont en blauw door wat er was gebeurd met Nick. En ze schaamde zich vooral zo erg vanwege haar eigen onachtzaamheid.

Ze maakte Wannetta's haar nat en bracht de shampoo aan. Nadat ze ook de conditioner had uitgespoeld, hielp ze haar naar de stoel. 'Zelfde recept?' vroeg ze.

'Jazeker. Ik hou van beproefde methodes.'

'Dat weet ik nog.' Terwijl Delaney het haar doorkamde, echoden Nicks woorden door haar hoofd. *Om te zien of het zou lukken.* Hij had haar gekust en haar borsten betast, gewoon, om te zien of het zou lukken. Hij had haar huid laten tintelen en haar prettige gevoelens tussen haar dijen bezorgd, om te zien of het zou lukken. En ze had het toegestaan. Net als tien jaar geleden.

Wat bezielde haar? Wat schortte er aan haar karakter dat ze Nick toestond steeds aan haar te zitten? In de lange uren waarin ze over die vraag had nagedacht, had ze maar één andere verklaring gevonden, behalve dat ze zich eenzaam voelde. Haar biologische klok tikte. Dat moest het zijn. Ze hoorde hem zelf niet tikken, maar ze was negenentwintig, ongetrouwd en had geen zicht op een partner. Misschien was haar lichaam wel een hormonale tijdbom en had ze het zelf niet eens in de gaten.

'Leroy vond het altijd heerlijk als ik zijden ondergoed droeg.'

Delaney trok net een paar rubberhandschoenen aan. Ze wilde zich geen voorstelling maken van Wannetta in zijden ondergoed.

'Jij zou ook eens zijden ondergoed moeten aantrekken.'

'Met van die onderbroeken tot boven de navel?' Het type stoelenhoes?

'Ja.'

'Waarom?'

'Omdat mannen daarvan houden. Mannen vinden het heerlijk als je iets moois aantrekt. Als je zijden ondergoed aantrekt, kom je vanzelf aan de man.'

'Nee, dank u,' zei ze, waarna ze naar een flesje watergolfvloeistof reikte en het dopje eraf knipte. Zelfs als ze toch een man in Truly zou vinden, wat natuurlijk belachelijk was, dan was ze in juni alweer vertrokken. 'Ik wil geen man.' Ze dacht aan Nick en alle problemen die hij had veroorzaakt sinds ze terug was. 'En bovendien,' voegde ze eraan toe, 'ik geloof niet dat mannen al die moeite die ze veroorzaken waard zijn. Ik vind ze zwaar overschat.'

Wannetta zweeg terwijl Delaney de vloeistof over een helft van haar hoofd uitgoot, en net toen Delaney zich zorgen begon te maken dat haar klant in slaap was gevallen met haar ogen open, of erger, opende Wannetta haar mond en vroeg zachtjes: 'Ben jij zo'n goed verzorgde lesbienne? Dat kun je me wel vertellen, hoor. Ik zal het niet doorvertellen.'

Ja, als de maan een Goudse kaas is, dacht Delaney. Wás ze maar lesbisch geweest, dan had ze niet staan zoenen met Nick en had ze zijn overhemd niet opengeknoopt. En dan had ze niet zo lopen kroelen door zijn borsthaar. Ze keek naar Wannetta via de spiegel en overwoog om net te doen alsof. Zo'n roddel kon die over haar en Nick onmiddellijk neutraliseren. Maar dan zou haar moeder nog gekker worden. 'Nee,' zuchtte ze ten slotte. 'Maar het had mijn leven een stuk makkelijker gemaakt.'

Het duurde dit keer iets korter dan een uur om de watergolf bij mevrouw Van Damme te verzorgen. Toen ze klaar was, schreef ze een cheque uit en daarna hielp Delaney haar in haar jas.

'Dank voor je komst,' zei ze, terwijl ze haar naar de deur begeleidde.

'Zijden ondergoed,' riep Wannetta ten afscheid en verplaatste zich langzaam door de straat.

Tien minuten later kwam er een vrouw binnen met een jongetje van drie. Delaney had geen kind meer geknipt sinds de kappersschool, maar ze was het niet verleerd. Al wenste ze, na de eerste knip, dat ze het wel was vergeten. Het ventje trok aan zijn plastic cape, die ze had gevonden in het magazijn, alsof hij erin stikte. Hij wriemelde en draaide in zijn stoel en riep de hele tijd NEEE! tegen haar. Zijn haren knippen was net een partijtje worstelen. Ze had hem beter vast kunnen binden en zijn moeder erbovenop laten zitten, dan was ze sneller klaar geweest.

Maar zijn moeder vleide vanaf een stoel verderop: 'O, wat is Brandon toch een brave jongen. En wat is mammie trots op hem.'

Ongelooflijk, Delaney keek naar de vrouw, die helemaal gekleed ging in luxe buitensportkleding. Ze zag eruit als midden veertig en ze deed Delaney denken aan een tijdschriftartikel dat ze laatst bij de tandarts had gelezen over vrouwen voorbij de vruchtbare leeftijd die kinderen kregen met overjarige eitjes.

'Wil Brandon nog een lekker gezond fruitsnackje?'

'Nee!' brulde het product van haar overjarige eitje.

'Klaar,' riep Delaney en wierp haar handen in de lucht, alsof ze zojuist een schaap geschoren had. Ze rekende vijftien dollar af met de vrouw, in de hoop dat Brandon de volgende keer Helen zou gaan pesten. Daarna veegde ze de blonde krullen van het jong op, draaide het bordje BEN EVEN LUNCHEN om en liep naar de broodjeszaak om de hoek, voor haar gebruikelijke recept van een bruine sandwich met kalkoenfilet. Ze lunchte daar nu een aantal maanden en had de eigenaar, Bernard Dalton, goed leren kennen. Bernard was achter in de dertig en vrijgezel. Hij was klein, kalend en zag eruit alsof hij erg genoot van zijn eigen kookkunst. Hij had altijd een blozend gelaat, alsof hij buiten adem was en door zijn snor leek het of hij voortdurend glimlachte.

Het werd net wat rustiger toen Delaney binnenstapte. Het rook er naar ham, pasta en zelfgemaakte chocolate-chipkoekjes. Bernard keek op van de taartmolen, maar richtte zijn blik meteen weer omlaag. Hij werd nog roder dan anders.

Hij wist het. Hij had het gerucht gehoord en geloofde het nog ook.

Ze keek vluchtig de lunchroom door. Ook de andere klanten keken naar haar en ze vroeg zich af hoeveel anderen de roddel gehoord hadden. Ze voelde zich ineens nogal naakt en dwong zichzelf naar de balie te lopen. 'Hallo, Bernard,' zei ze, zo normaal mogelijk. 'Ik wil graag een broodje kalkoen, zoals altijd.'

'Pepsi light erbij?' vroeg hij, met een blik op de kalkoen.

'Ja, graag.' Ze bleef kijken naar de fooienpot bij de kassa. Ze vroeg zich af of de hele stad al wist dat ze seks had gehad met Nick achter de etalage. Om haar heen hoorde ze gefluister en ze durfde zich niet om te draaien. Zouden ze het nou over haar hebben, of was ze gewoon paranoïde?

Meestal at ze haar broodje aan een tafeltje bij het raam, maar vandaag rekende ze af en liep zo snel ze kon terug naar de kapperszaak. Daar kreeg ze echter geen hap door haar keel en ze liet de helft van het broodje liggen.

Nick. Wéér was het zijn fout. Altijd als ze zich liet gaan wanneer hij in de buurt was, moest zij de rekening betalen. Als hij haar wist te versieren, was zij degene die haar waardigheid kwijtraakte, niet alleen haar kleren.

Iets na tweeën kwam er een klant die alleen haar lange zwarte haar wilde laten bijpunten. En om halfvier kwam Steve, de bulldozerchauffeur die ze op 4 juli bij Louie en Lisa had ontmoet haar salon binnen. Hij bracht een vlaag herfstgeur mee. Hij droeg een spijkerjas gevoerd met schapenvacht. Zijn wangen gloeiden en zijn ogen glommen, en zijn glimlach vertelde dat hij blij was om haar te zien. Delaney was dolblij eindelijk een vriendelijk gezicht te zien. 'Ik moet geknipt worden,' biechtte hij op.

Snel bestudeerde ze zijn rommelige kapsel. 'Dat klopt als een bus,' zei ze terug en gebaarde naar de kapstok. 'Hang je jas maar even op dan kom ik zo bij je.'

'Het moet goed kort.' Even later volgde hij haar en wees op zijn slaap. 'Zo kort. Ik draag altijd een muts in de winter.'

Delaney had iets voor ogen wat hem geweldig zou staan, en dit keer mocht ze nog haar tondeuse gebruiken ook. Daar keek ze al maanden naar uit. Maar daarvoor moest zijn haar wel droog blijven, dus zette ze hem in de stoel. 'Ik heb je weinig gezien de laatste tijd,' zei ze, terwijl ze zijn haar uitkamde.

'We hebben het altijd heel druk voordat de eerste sneeuw valt, maar nu wordt het al wat rustiger.'

'Wat doe je dan in de winter?' vroeg ze en pakte haar tondeuse.

'Een uitkering trekken en skiën,' antwoordde hij, boven het gezoem van de tondeuse uit.

Werkloos zijn en skiën zou haar ook heerlijk hebben geleken als ze nog tweeëntwintig was geweest. 'Klinkt goed,' zei ze, waarna ze met de tondeuse een zijkant kort opschoor, maar het haar bovenop niet.

'Dat is het ook. We kunnen ook samen skiën.'

Dat zou geweldig zijn, maar het dichtstbijzijnde skioord lag buiten Truly. 'Ik ski niet,' loog ze.

'Zal ik je dan vanavond komen ophalen? We kunnen wat gaan eten samen, en dan naar Cascade rijden voor een bioscoopje.'

Ook naar Cascade kon ze niet. 'Ik kan niet.'

'Morgen dan?'

Delaney hield de tondeuse even stil en keek hem via de spiegel in de ogen. Hij had zijn kin op zijn borst en keek naar haar op met blauwe ogen zo groot als schoteltjes. Misschien was hij niet veel te jong. Misschien moest ze hem nog een kans geven. Dan zou ze wellicht wat minder eenzaam zijn. Én minder kwetsbaar voor de rattenvanger van de feromonen. 'Eten,' zei ze en ging weer verder. 'Geen bios. En we kunnen alleen vrienden zijn.'

In zijn glimlach lag een combinatie van onschuld en sluwheid verscholen. 'Je kunt nog van gedachten veranderen.'

'Dat gebeurt niet.'

'En als ik die nou voor jou verander?'

Ze begon te lachen. 'Alleen als je dat kunt zonder stierlijk vervelend te zijn.'

'Absoluut. We doen het rustig aan.'

Voordat Steve de deur uit stapte, had ze hem haar telefoonnummer gegeven. Tegen halfvijf had ze vier klanten gehad en een afspraak voor het bijwerken van highlights voor de volgende middag. Geen slechte dag, al met al.

Ze was moe en keek uit naar een warm bad. Een halfuur voor sluitingstijd ging ze zelf in een stoel zitten met een van haar bruidsboeken op schoot. Lisa's bruiloft was al over een maand en Delaney keek ernaar uit het kapsel van haar vriendin te doen.

De winkelbel tinkelde en ze keek op van haar boek. Louie kwam binnen. Zijn gezicht had een gezonde kleur van het in de buitenlucht zijn en hij had zijn handen diep in de zakken van zijn blauwe jas gestoken. Er stond een diepe rimpel in zijn voorhoofd en het zag er niet uit alsof hij er was om zijn haar te laten knippen.

'Wat kan ik voor je doen, Louie?' vroeg ze, terwijl ze naar de toonbank liep.

Hij wierp een vluchtige blik om zich heen en richtte zijn donkere ogen toen op haar. 'Ik wilde met je praten, voordat je ging sluiten.'

'Oké.' Ze legde het bruidsboek neer en opende de kassa. Ze deed haar wisselgeld in een zwart, kunstleren etui en toen hij nog niets gezegd had, keek ze naar hem op. 'Zeg het eens.'

'Ik wil dat je bij mijn broer uit de buurt blijft.'

Delaney knipperde met haar ogen en ritste langzaam het etui dicht. 'O,' stamelde ze.

'Jij bent binnen het jaar vertrokken, maar Nick moet hier blijven wonen, zijn zaak runnen en leven met de roddels die jullie tweeën genereren.'

'Ik genereer helemaal niets.'

'Jawel.'

Delaney voelde haar wangen gloeien. 'Nick zei dat het hem niet kon schelen wat de mensen over hem zeggen.'

'Ja, dat is Nick. Die zegt zoveel. En soms meent hij het nog ook.' Louie zweeg en krabde aan zijn neus. 'Luister, zoals ik al zei, jij bent over een paar maanden vertrokken, maar Nick moet als jij weg bent nog lang al die roddels aanhoren. En hij moet ermee zien te dealen – al weer.'

'Al weer?'

'De vorige keer dat jij wegging, werden er heel rare dingen over jou en Nick gezegd. Dingen die mijn moeder vreselijk kwetsten, en Nick ook wel, denk ik. Al zei hij dat hij het niet zo erg vond als de pijn die mijn moeder ervan had.'

'Bedoel je de roddels over dat ik zwanger zou zijn van Nick?'

'Ja, al was dat verhaal over die abortus nog erger.'

Delaney knipperde weer verbijsterd met haar ogen. 'Abortus?'

'Zeg nou niet dat je dat niet wist.'

'Nee.' Ze staarde naar haar handen die het geldetui omklemden. Die oude roddels waren intens gemeen, al begreep ze niet precies waarom. Het was niet zo dat ze bang was om wat mensen van haar dachten.

'Nou, iemand moet jou ergens hebben gezien en hem of haar was opgevallen dat je niet zwanger was. Mensen dachten dat je een abortus had gepleegd, omdat de baby van Nick was. Anderen dachten dat Henry ervoor had gezorgd dat je het liet aborteren.'

Haar blik schoot omhoog en ze voelde een bekende steek bij haar hart. Ze was niet zwanger geweest dus vroeg ze zich af waarom ze het zich zo aantrok. 'Dat had ik nog niet gehoord.'

'Heeft je moeder je dat niet verteld? Ik dacht altijd dat dat de reden was dat je nooit meer terugkwam.'

'Niemand heeft me dat ooit verteld.' Maar het verbaasde haar niets. Delaney zweeg even en vroeg toen: 'Geloofden mensen zoiets?'

'Sommigen.'

Om te suggereren dat ze een zwangerschap had beëindigd vanwege Nick, of dat Henry haar had gedwongen tot een abortus was ronduit beledigend. Delaney geloofde in de vrije keus van de vrouw, maar ze dacht niet dat ze zelf ooit een abortus kon laten plegen. En al helemaal niet omdat je de vader niet mocht. En zeker niet omdat Henry er iets over te zeggen had. 'En wat dacht Nick?'

Louie staarde haar aan met een donkere blik in zijn ogen, en toen zei hij: 'Hij deed net als altijd. Alsof het hem niets kon schelen, maar intussen sloeg hij wel Scooter Finley in elkaar, toen die zo stom was om het te vertellen waar hij bij stond.'

Nick had kunnen weten dat ze niet zwanger was van hem, maar het verbijsterde haar dat hij last had gehad van die geruchten, laat staan dat hij het zich erg genoeg aantrok om Scooter in elkaar te slaan.

'En nu ben je terug en ontstaat er weer een hele reeks nieuwe roddels. Ik wil niet dat mijn trouwerij uitmondt in een reden voor jou en mijn broer om nog meer geruchten op gang te brengen.'

'Zoiets zou ik nooit doen.'

'Mooi zo, want ik wil dat Lisa alle aandacht trekt.'

'Ik denk dat Nick en ik elkaar de rest van ons leven wel zullen mijden.'

Louie groef in zijn zak naar zijn sleutels. 'Ik hoop het maar. Anders doen jullie elkaar alleen maar pijn.'

Delaney vroeg maar niet wat hij bedoelde met die opmerking. Ze had Nick geen pijn gedaan. Dat was onmogelijk. Als Nick gekwetst kon worden, dan zou hij eerst menselijke gevoelens moeten hebben. En die had hij niet; hij was van steen.

Toen Louie weg was, sloot Delaney de winkel af en bleef daarna bij de toonbank nog een tijd staan kijken in de bruidsboeken, voor het vlechtwerk van het aanstaande huwelijk. Ze had een paar goede ideeën, maar ze kon zich niet lang genoeg concentreren op de belangrijkste details.

Mensen dachten dat je een abortus had gepleegd, omdat de baby van Nick was. Anderen dachten dat Henry ervoor had gezorgd dat je het liet aborteren. Delaney legde de boeken weg en draaide de lichten uit. Die oude roddel was zo gemeen, insinuerend dat Nicks eigen stiefvader haar had gedwongen een abortus te plegen, omdat het kind van Nick zou zijn. Ze vroeg zich af wie zoiets gemeens zou rondvertellen, en ook of deze persoon ooit iets van spijt had gevoeld; misschien zijn excuses aan Nick had aangeboden.

Delaney pakte haar jas en sloot de kapsalon achter zich. Nicks Jeep stond naast haar auto geparkeerd. Hij deed net als altijd. Alsof het hem niets kon schelen.

Zou hij echt zo gekwetst zijn als Louie had gezegd? Ze probeerde er niet aan te denken. Door de manier waarop hij haar een dag eerder had behandeld, haatte ze hem.

Ze liep naar de trap, maar verder kwam ze niet. Ze draaide zich om en liep naar de achterdeur van zijn kantoor. Ze klopte drie keer en al snel zwaaide de deur open. Daar stond Nick, nog intimiderender dan anders in een zwarte coltrui. Hij schuifelde wat met zijn voeten en hield zijn hoofd schuin. Hij had zijn wenkbrauwen verbaasd opgetrokken, maar zei niets.

Nu hij zo voor haar stond, van achteren verlicht, wist Delaney even niet waarom ze bij hem had aangeklopt. En na gisteren wist ze ook niet precies wat ze moest zeggen. 'Ik hoorde iets en ik vroeg me af of—' Ze zweeg en haalde even diep adem. Ze was bloedzenuwachtig en voelde vlinders in haar buik. Alsof ze net een driedubbele espresso macchiato had genuttigd. Ze sloeg haar handen in elkaar en keek naar haar vingers. Ze wist niet hoe ze moest beginnen. 'Iemand vertelde me net iets verschrikkelijks en... ik vroeg me af of...'

'Ja,' onderbrak hij haar. 'Ik heb het vandaag al een paar keer gehoord. Sterker nog, Frank Stuart kwam me vandaag op een klus achterna, om te vragen of ik de voorwaarden van Henry's testament was vergeten. Het kan zijn dat hij dat ook aan jou vraagt.'

'Wat?'

'Je had gelijk. Mevrouw Vaughn heeft het aan iedereen verteld. En er nog wat sappige details bij verzonnen.'

Hij leunde met een schouder tegen de deurpost en bestudeerde haar vanuit het duister. 'Ben je daarom hier?'

'Ik weet het niet precies, maar ik hoorde vandaag een oude roddel en daar wilde ik even over praten.'

'En die luidt?'

'Het schijnt dat ik zwanger was toen ik tien jaar geleden wegging.'

'Maar wij weten allebei toch dat dat onmogelijk is, nietwaar? Tenzij je natuurlijk toch geen maagd was.'

Ze deinsde achteruit, wilde zich verstoppen in het donker. 'Ik hoorde dat er geroddeld werd dat ik een abortus had laten plegen, omdat jij de vader zou zijn.' Hij ging rechtop staan. En ineens begreep ze waarom ze op de deur had geklopt. 'Dat spijt me, Nick.'

'Het is al lang geleden.'

'Ik weet het, maar ik hoorde het vandaag pas voor het eerst.' Ze stond al onder aan haar trap en pakte de trapleuning beet. 'Jij wilt dat niemand ziet hoeveel verdriet zoiets kan doen, maar ik denk dat die roddel jou meer pijn heeft gedaan dan je ooit zou toegeven. Anders had je Scooter Finley niet in elkaar geslagen.'

Nick wiegde wat heen en weer en stak zijn handen in zijn broekzakken. 'Scooter is een eikel en ik was kwaad op hem.'

Ze zuchtte en wierp nog een blik over haar schouder. 'Ik wil alleen maar dat je weet dat ik nooit een abortus zou laten plegen als ik zwanger was geweest van jou.'

'Wat kan jou het schelen wat de mensen over me zeggen?'

'Al kan het jou niets schelen, en wat ik ook van jou denk, en wat jij ook van mij denkt, ik vind dat zo gemeen. Ik wilde je eigenlijk alleen zeggen dat ik het een gemene opmerking vind en dat iemand daarvoor zijn excuses zou moeten maken.' In haar jaszak vond ze haar sleutelbos en langzaam liep ze de trap op. 'Maar laat maar.' Louie had ongelijk. Nick deed alsof het hem niet deerde, omdát het hem niet deerde.

'Delaney?'

'Ja?' Ze stak haar sleutel in het slot en bleef staan met haar hand op de deurklink.

'Gisteren vertelde ik je niet de waarheid.' Ze keek naar beneden, maar kon hem niet zien.

'Wanneer?'

'Toen ik zei dat het iedere vrouw had kunnen zijn. Want jou had ik uit duizenden herkend.' Zijn basstem klonk in het donker nog intiemer dan gefluister. 'Ik had je er zo uit gepikt, Delaney, geblinddoekt.' Toen hoorde ze een scharnier piepen en een grendel dichtschuiven en wist Delaney dat hij weg was.

Ze leunde over de trapleuning, maar de deur was dicht, alsof Nick er niet was geweest. Zijn woorden waren opgeslokt door de nacht, alsof hij ze nooit had uitgesproken.

Eenmaal in haar appartement schopte Delaney haar schoenen uit en zette een kant-en-klaarmaaltijd in haar oventje. Ze zette de televisie aan en probeerde het journaal te volgen, maar het lukte haar niet zich te concentreren op het weerbericht. Ze bleef denken aan het gesprek met Nick. Keer op keer hoorde ze hem zeggen dat hij haar geblinddoekt zou herkennen. Tegelijkertijd herinnerde ze zichzelf eraan dat Nick eerder gevaarlijk was dan lief.

Toen haar eten klaar was vroeg ze zich af of Frank Stuart haar echt zou hebben aangesproken op de laatste roddel. Net als tien jaar geleden was het hele dorp weer in rep en roer. Het nieuws dat zij en Nick hadden 'gefoezeld' op haar toonbank hield de gemoederen flink bezig. Maar anders dan tien jaar geleden kon ze nu niet weggaan. Ze kon er niet aan ontsnappen.

Voordat ze had ingestemd met de voorwaarden van Henry's testament, had ze het hele land doorgereisd. Ze had alle vrijheid gehad om haar boeltje weer in te pakken en te vertrekken, als een plek haar niet aanstond. Ze had altijd de volledige controle gehad. Ze had steeds opnieuw een doel voor ogen gehad. En nu was alles vaag en verward en kreeg ze er geen grip meer op. En Nick Allegrezza maakte deel uit van die verwarring. Hij was een van de redenen dat haar leven zo'n puinhoop was.

Delaney stond op en liep naar haar slaapkamer. Ze wilde dat ze Nick van alles de schuld kon geven, maar om de een of andere reden kon ze hem niet haten. Hij had haar kwader gemaakt dan wie ook in haar leven, maar ze had hem nooit kunnen haten. Toch zou dat haar leven zoveel gemakkelijker maken.

Toen ze die avond in slaap viel had ze opnieuw een droom die op een nachtmerrie uitdraaide. Ze droomde dat het juni was en ze had voldaan aan de voorwaarden van Henry's testament. Eindelijk kon ze weg uit Truly.

Ze voelde zich vrij en zielsgelukkig. Ze baadde in het zonlicht, het licht zo fel dat ze amper wat kon zien. Eindelijk had ze het warm en droeg ze een paar geweldige paarse peeptoe's met killer heels. Het leven kon niet beter.

Max vertoonde zich in haar droom en hij gaf haar een grote cheque; zo eentje die je krijgt als je de loterij gewonnen hebt. Ze legde hem op de bijrijderstoel van haar autootje en sprong achter het stuur. Met drie miljoen dollar in haar bezit, verliet ze het stadje met het gevoel alsof er een loden gewicht van haar schouders viel, en hoe dichter ze de stadsgrenzen naderde, des te lichter ze zich voelde.

De rit naar de rand van het stadje leek uren te duren en net toen het bord in beeld kwam, op minder dan een kilometer, werd haar Miata ineens een miniatuurautootje en stond ze langs de rand van de weg met een grote cheque onder haar arm. Delaney tuurde naar het kleine autootje vlak bij de grote teen van haar paarse peep-toe en haalde haar schouders op, alsof het haar dagelijks overkwam. Ze stak het speelgoedautootje in haar zak, zodat het niet gestolen zou worden, en liep naar het bord. Maar hoe snel of hoe lang ze ook liep, het bord kwam maar niet dichterbij. Ze begon te rennen, met haar gewicht hellend naar één kant, om tegenwicht te bieden aan de zware cheque. Want deze werd zwaarder en zwaarder, al piekerde ze er niet over hem achter te laten.

Ze rende tot het zeer deed en ze niet verder kon. Maar de stadsgrenzen bleven ver weg en toen wist Delaney het; ze zat voor altijd vast in Truly.

Ze schoot rechtovereind in haar bed. Een stille schreeuw op
haar lippen. Ze zweette enorm en haalde snel adem.

Ze had zojuist de ergste nachtmerrie van haar leven gehad.

Hoofdstuk 12

Er klonk luide dancemuziek uit de grote speakers van de pick-up-truck van burgemeester Tanasee. Er lagen nepspinnenwebben over de motorkap en achterin stonden twee namaakgrafstenen. De auto kroop vooruit, met allerlei heksen en vampiers, clowns en prinsessen huppelend erachteraan. Het opgewonden gekwetter van spookjes en elfjes vermengde zich met de muziek en vormde een luidruchtige opening van de jaarlijkse halloweenoptocht.

Delaney was een van de weinige toeschouwers op de stoep voor haar kapsalon. Ze huiverde en trok de schouders in haar groene wollen jas met de mooie knopen nog hoger op. Ze had het ijskoud, in tegenstelling tot Lisa die alleen een sweater droeg en een paar handschoentjes. Volgens de voorspellingen was het ongebruikelijk warm voor eind oktober. Het zou vandaag maar liefst vier graden worden.

Als kind was Delaney dol op de halloweenoptocht geweest. Ze vond het heerlijk om in een lange stoet verkleed door het stadje te gaan, tot in de plaatselijke gymzaal waar het beste kostuum werd verkozen. Ze had nooit gewonnen, maar genoot er desondanks van. Het was dé gelegenheid voor een verkleedpartijtje en om vrijelijk make-up op te kunnen smeren. Ze vroeg zich af of er nog steeds appelcider geschonken werd met donuts, en of de nieuwe burgemeester ook zakjes snoep uitdeelde, zoals Henry altijd deed.

'Weet je nog dat we in de zesde klas onze wenkbrauwen hadden afgeschoren en zo geschminkt waren dat het net leek of onze nekken waren doorgesneden?' vroeg Lisa. 'En dat je moeder helemaal over de rooie ging?'

Ze wist het nog heel goed. Haar moeder had een stom bruidsjurkje voor haar gemaakt, dat jaar. Delaney had net gedaan of ze de jurk geweldig vond, maar had er voor de optocht een gewaad van gemaakt voor de bloeddorstige killer zonder wenkbrauwen die ze moest voorstellen. Nu ze erop terugkeek, begreep ze niet hoe ze zo dapper was geweest om zoiets te doen.

Het jaar daarop moest Delaney verplicht als smurf verkleed.

'Kijk eens naar die jongen met zijn hond,' wees Delaney. Een jongetje was verkleed als bakje friet van McDonalds en had zijn teckeltje verkleed als zakje ketchup. Het was al heel lang geleden dat Delaney had gesnackt. 'Ik snak naar een quarterpounder met kaas,' zuchtte ze, watertandend van zo'n smakelijke vette hamburger.

'Misschien komt er zo wel eentje langslopen.'

Delaney keek naar haar vriendin. 'Dan knokken we erom.'

'Dat win ik toch, watje. Moet je kijken hoe je staat te koukleumen in je stadse jas.'

'Ik moet alleen wat acclimatiseren,' mompelde Delaney, starend naar een vrouw die met haar babydinosauriër van de stoep stapte, om zich bij de stoet te voegen. Achter haar hoorde ze een deur openen en sluiten, maar toen ze zich omdraaide bleek er niemand in haar kapperszaak te staan.

'Waar is Louie?'

'Die doet aan de optocht mee met Sophie.'

'Verkleed als wat?'

'Dat zul je nog wel zien. Dat is een verrassing.'

Delaney moest glimlachen. Ze had zelf ook een verrassing voorbereid. Ze was vanochtend heel vroeg opgestaan en als alles volgens plan ging, dan zou het snel stormlopen in haar winkel.

Er reed een tweede pick-up voorbij, een grote kookpot met een heks ernaast achter in de bak. Ondanks de zwarte pruik en het groene gezicht, kwam de toverkol haar bekend voor.

'Wie is die heks?' vroeg Delaney.

'Eh. O, dat is Neva. Je kent Neva Miller toch nog wel?'

'Natuurlijk.' Neva was een wilde meid geweest en had Delaney heel wat verhalen verteld over het stelen van drank, het roken van hasj en vrijpartijen met leden van het footballteam. Delaney had aan haar lippen gehangen. Ze boog zich over Lisa heen en fluisterde: 'Weet je nog dat ze ons vertelde dat ze Roger Bonner aan het pijpen was, in zijn bootje, terwijl die zijn kleine broertje voorttrok op de waterski's? En dat jij niet wist wat pijpen was en ze het ging uitbeelden?'

'Jawel, en toen ging jij kokhalzen.' Lisa wees op de chauffeur van de pick-up. 'Dat is haar man, dominee Jim.'

'Dominee? Jezus!'

'Yep, voor hem is ze pas echt gevallen. En voor dominee Jim natuurlijk. Die preekt in dat kerkje op Seventh Street.'

'Hij heet dominee Tim,' verbeterde een overbekende stem achter Delaney haar.

Ze kreunde inwendig. Dat was zo typisch voor Nick, om vlak bij haar te komen staan als ze dat niet verwachtte.

'Hoe weet je dat hij Tim heet?' wilde Lisa weten.

'We hebben een paar jaar geleden zijn huis gebouwd.' Nicks stem klonk schor, alsof hij hem die ochtend nog niet gebruikt had.

'O, ik dacht dat hij misschien voor jouw zielenheil bad.'

'Nee, dat doet mijn moeder al.'

Delaney wierp een snelle blik over haar schouder. 'Misschien wordt het tijd dat ze eens een pelgrimstocht maakt. Naar Lourdes. Of naar die zwarte madonna in New Mexico.'

Er verscheen een grijns op Nicks gezicht. Hij trok zijn capuchon van zijn hoofd. De witte touwtjes vielen eruit. Hij had zijn haren uit zijn gezicht gestreken. 'Misschien,' was alles wat hij zei.

Delaney richtte zich weer op de optocht. Ze trok haar schouders omhoog en verborg haar koude neus in haar sjaal. Er was maar één ding dat erger was dan geplaagd worden door Nick. En dat was je afvragen waarom je niet geplaagd werd. Ze had hem weinig gezien sinds de keer dat ze bij de achterdeur had aangeklopt. Alsof ze stilzwijgend hadden afgesproken elkaar niet meer te zien.

'Waar kom je vandaan?' vroeg Lisa hem.

'Ik was binnen, aan de telefoon. Is Sophie al voorbijgekomen?'

'Nog niet.'

Vier jongetjes die verkleed waren als bebloede ijshockeyers, maar dan op skeelers, werden op de hielen gezeten door Tommy Markham die zijn vrouw voorttrok in een riksja. Helen had zich verkleed als oosterse prinses en op de achterkant van de kar hing een bordje HELENS HAARPUNT – GEKNIPT VOOR TIEN DOLLAR. Helen wuifde en wierp handkusjes in het rond. Op haar hoofd droeg ze een kroontje dat Delaney maar al te goed kende.

Ze stak haar nek uit en riep: 'Wat dieptriest! Ze draagt nog steeds het kroontje van het highschoolbal.'

'Dat draagt ze elk jaar, alsof ze de koningin van Engeland is.'

'Weet je nog hoe ze campagne voerde om de koningin van het bal te worden, en ik niet, omdat dat tegen de regels was. En dat ze, toen zij won, niet werd gediskwalificeerd? Die kroon had voor mij moeten zijn.'

'Ben je daar nog steeds kwaad over?'

Delaney sloeg haar armen over elkaar. 'Nee.' Maar dat was ze wel. Kwaad omdat ze Helen na al die jaren nog steeds de gelegenheid gaf haar te irriteren.

Behalve dat ze daar neurotisch over deed, had ze het koud en voelde ze de man die achter haar stond maar al te goed. Ze hoefde hem niet eens te zien om te weten hoe dicht hij bij haar stond. Ze voelde hem achter zich als een warme, menselijke muur.

Behalve die keer dat Nick op zijn fiets in de stoet had gereden als een of andere stuntfietser en gehecht had moeten worden in zijn hoofd, was hij altijd als piraat verkleed geweest – altijd. En elk jaar had ze maar één blik hoeven werpen op zijn ooglapje en zijn namaakdolk om het klamme zweet in haar handen te krijgen. Een heel vreemde reactie als je naging dat hij haar meestal toevoegde dat ze er stom uitzag.

Ze draaide zich iets om en keek op naar hem. Hij had zijn haar in een staartje en droeg het gouden ringetje in zijn oor. Hij zag er nog steeds uit als een piraat, maar dit keer kreeg ze er een warm gevoel van in haar buik.

'Ik zag je auto niet staan, achter,' zei hij, zijn ogen in de hare borend.

'Eh, nee. Steve heeft hem.'

Er verscheen een rimpel op zijn voorhoofd. 'Steve?'

'Steve Ames. Hij werkt voor jou.'

'Zo'n jonge knul, met geblondeerd haar?'

'Zo jong is hij niet.'

'Ja ja.' Nick verplaatste zijn gewicht naar zijn andere voet en hield zijn hoofd schuin. 'Weet je het zeker?'

'Nou, hij is in elk geval aardig.'

'Hij is een baby.'

Delaney draaide zich om naar Lisa en vroeg beledigd: 'Vind jij Steve een baby?'

Lisa keek van Nick naar Delaney. 'Je weet dat ik dol op je ben, maar jezus, die jongen speelt luchtgitaar.'

Delaney stak haar handen diep in haar zakken en keek toe hoe de Schone Slaapster, Assepoester en een grote chocoladezoen langs wandelden. Het was waar. Hij had, beide keren dat ze met hem uit was geweest, luchtgitaar gespeeld. Bij alles. Nirvana, Heavy Metal, maar ook bij een of ander gospelkoor. Steve beheerste alle stijlen en het was zó gênant. Maar hij was de enige die een beetje in de buurt kwam van een vriendje, al zou ze hem zo nooit noemen. Hij was gewoon de enige beschikbare man die haar ooit aandacht had geschonken sinds ze in Truly was gearriveerd.

Behalve Nick. Maar die was niet beschikbaar. Niet voor haar tenminste. Delaney boog zich wat voorover om de straat af te kijken en zag haar autootje de hoek omkomen. Steve bestuurde het sportieve wagentje met één hand, zijn kortgeknipte en pasgeverfde coupe duidelijk zichtbaar. Achterin zaten twee tienermeisjes te wuiven als schoonheidskoninginnen, en naast hem een derde. Hun haar was gestyled en gekapt alsof ze uit een modeglossy waren gestapt. Delaney had de hele highschool afgezocht, op zoek naar meisjes die nou eens geen cheerleaders of populaire *queen bees* waren. Ze wilde juist doorsnee meisjes er fantastisch laten uitzien.

Afgelopen week had ze hen gevonden en na de goedkeuring van hun moeders was ze vanochtend met ze aan de slag gegaan. Ze zagen er alle drie geweldig uit en waren de beste levende reclame die ze had kunnen maken voor haar salon. En alsof die meisjes nog niet voldoende waren, had Delaney een tekst op de zijkant van haar auto geplaatst: *** MAAKT KORTE METTEN MET GOEDKOPE KAPSELS.

'Daar wordt Helen helemaal gek van,' mompelde Lisa.

'Dat hoop ik.'

Een verzameling Magere Heinen, weerwolven en zombies passeerde en toen draaide een Chevy uit 1957 de bocht om, met Louie achter het stuur. Delaney wierp een blik op zijn omhooggekamde vetkuif en proestte het uit. Daaronder droeg hij een strak wit T-shirt, met een pakje sigaretten opgerold in de mouw. Naast hem zat Sophie met haar haren in een hoge paardenstaart, knalrode lippenstift op en een Lolita-zonnebril. Ze kauwde op bubblegum en had zich gehuld in Nicks grote leren jack.

'Oom Nick!' riep ze en wierp hem een kushand toe.

Delaney hoorde hem grinniken, vlak voordat Louie een paar keer flink gas gaf voor het publiek. De oude auto schudde en rammelde en toen, als finale, knalde de uitlaat.

Geschrokken maakte Delaney een sprongetje naar achteren en botste tegen de stevige muur van Nicks borstkas. Zijn grote handen pakten haar armen beet en toen ze naar hem opkeek, veegde ze met haar haren langs zijn hals. 'Sorry,' sputterde ze.

Hij bleef haar stevig vasthouden en door de wollen jasmouw heen voelde ze zijn vingers op haar armen. Zijn blik nam haar hele gezicht in zich op en bleef rusten op haar mond. 'Hoeft niet,' zei hij en ze voelde zijn duimen in haar bovenarmen drukken.

Nu keek hij haar weer in de ogen en er straalde iets vurigs en intens uit zijn blik. Alsof hij haar weer een van die vurige kussen wilde geven waardoor ze haar weerstand compleet verloor. Alsof ze minnaars waren en het de natuurlijkste zaak van de wereld was als ze haar hand tegen zijn achterhoofd zou leggen en zijn mond op de hare zou drukken. Maar ze waren geen minnaars. Ze waren niet eens vrienden. Dus uiteindelijk liet hij zijn handen zakken en deed een stap achterwaarts.

Ze draaide zich weer om en haalde diep adem. Ze kon zijn blik op haar achterhoofd voelen. De lucht die zich tussen hen bevond zinderde van de spanning. Die spanning was zo sterk dat het haar verbaasde dat niet iedereen om hen heen het kon voelen. Maar toen ze naar Lisa keek, stond haar vriendin als een bezetene naar haar verloofde te zwaaien. Ze had er niets van gemerkt.

Nick zei iets tegen Lisa en Delaney voelde dat hij vertrok, al hoorde of zag ze niets. Ze zuchtte diep en realiseerde zich toen pas dat ze al een tijdje haar adem inhield. Ze wierp een blik over haar schouder en zag Nick in het gebouw achter hen verdwijnen.

'Is ie niet leuk?'

Delaney keek naar haar vriendin en schudde haar hoofd. Hoe je het ook bekeek, Nick Allegrezza was niet *leuk*. Hij was woest aantrekkelijk. Van top tot teen, een en al machismo verleidelijkheid. Om van te kwijlen.

'Ik heb vanochtend zijn haar gedaan.'

'Van Nick?'

'Van Louie.'

Nu viel het kwartje. 'O.'

'Waarom zou ik Nicks haar doen?'

'Laat maar. Ga je nog naar het feestje in de Schuur vanavond?'

'Waarschijnlijk wel.'

Delaney keek op haar telefoon. Ze had nog een paar minuutjes voor haar volgende klant. Ze nam afscheid van Lisa en bracht de rest van de middag door met hair extensions en twee klanten die gewoon kwamen binnenlopen.

Toen ze klaar was veegde ze de haren weg van het laatste meisje, pakte haar jas van de kapstok en klom de trap op naar haar flatje. Ze had met Steve afgesproken naar het gekostumeerde feest in de Schuur te gaan. Steve had nog ergens een politie-uniform gevonden en aangezien hij dan de wet vertegenwoordigde, zou zij de hoer spelen. Ze had eerder al een rok gevonden en een netpanty en in het feestartikelenschap van Howdy's supermarkt nog een roze boa en een plastic setje handboeien.

Delaney stak haar sleutel in het slot en zag een witte envelop bij de teen van haar zwarte laars liggen. Ze had meteen het idee dat het slecht nieuws was. Toen ze hem openmaakte viel er een stuk papier uit, met dit keer de tekst VERTREK NU. Ze verkreukelde het papier tot een bal en keek vlug over haar schouder. Vanzelfsprekend was de parkeerplaats leeg. Degene die de envelop had neergelegd had het gedaan terwijl Delaney druk bezig was in de kapsalon. Dat was natuurlijk heel makkelijk.

Delaney klom de trap weer af en klopte aan bij Aannemersbedrijf Allegrezza. Nicks Jeep stond er niet.

De deur zwaaide open en daar stond Nicks secretaresse, Ann Marie.

'Hoi,' begon Delaney. 'Ik vroeg me af of je vanmiddag iemand hierachter had gezien.'

'Alleen de vuilnismannen die vanmiddag de container kwamen legen.'

Delaney dacht niet dat ze vuilnismannen iets had aangedaan. 'Geen Helen Markham?'

Ann Marie schudde haar hoofd. 'Die heb ik vandaag niet gezien.'

Wat nog niet wilde zeggen dat Helen het briefje niet had bezorgd. Na Delaney's bijdrage aan de halloweenoptocht, was Helen waarschijnlijk woedend. 'Oké, dank je. Als je ooit iemand ziet rondhangen, hierachter, laat je me dat dan weten?'

'Tuurlijk. Is er iets gebeurd?'

Delaney stak de brief in haar jaszak. 'Nee, niet echt.'

De oude Schuur was versierd met hooibalen, oranje en zwarte crêpepapieren slingers en bakken met droogijs. Een barman van Mort's stond achter een geïmproviseerd tappunt en er speelde een countrybandje in een hoek. Het gezelschap bij dit halloween-feestje varieerde van tieners die niet meer langs de huizen konden om snoep te scoren en bejaarden als Wannetta Van Damme, die aan het dansen was met een van de twee laatste veteranen van de Tweede Wereldoorlog.

Toen Delaney arriveerde was de band al bijna klaar met de eerste set. Ze droeg haar hoerige setje met het zwarte glanzende rokje, een bijpassend bustier en zwarte jarretelles over de netkousen. Het bijpassende glimmende jasje had ze thuisgelaten. Haar zwarte *killer heels* waren wel vijftien centimeter hoog en ze had er zeker een kwartier over gedaan om de naden van haar kousen recht over haar kuiten te laten lopen. Om haar hals had ze de roze boa gedrapeerd en de handboeien staken in de band van haar rok. Maar behalve haar getoupeerde haar en overdadige make-up, was er weinig van haar outfit te zien omdat ze er haar dikke wollen jas overheen droeg.

Ze wilde niets liever dan naar huis gaan en daar in coma vallen.

Ze had er zelfs over gedacht niet te komen. Ze wist zeker dat het briefje van Helen afkomstig was en bleek er meer door van streek dan ze had gedacht. Natuurlijk, ze had Helen ook een beetje lastiggevallen. Ze had zich in haar container verstopt om haar vuilnis te doorzoeken, maar dit was toch anders. Ze had geen enge briefjes achtergelaten. Als Delaney niet een afspraak met Steve had gehad, had ze nu haar favoriete flanellen nachtpon aangetrokken, na een warm en ontspannend schuimbad.

Delaney reikte naar de knopen op haar jas terwijl ze om zich heen keek en het publiek in zich opnam. Er waren een boel buitenissige kostuums. Ze zag Steve dansen met een hippie die er niet ouder uitzag dan twintig. Ze wist dat Steve ook met anderen uitging maar dat deerde haar niet. Hij was af en toe een welkome afwisseling als ze er eens uit moest. En hij was aardig.

Ze besloot haar jas aan te houden terwijl ze zich een weg baande door de menigte. Ze wurmde zich tussen een stel *coneheads* en een zeemeermin door, en botste daardoor bijna tegen een vaalgeel geschminkte figuur, verkleed in *Star Trek*-kostuum.

'Hé, Delaney,' zei hij boven de harde countrymuziek uit. 'Ik had al gehoord dat je terug was.'

De stem klonk bekend en hij kende haar klaarblijkelijk ook. Ze had geen idee. Hij had zijn zwartgekleurde haar strak naar achteren gekamd en vastgeplakt met gel. Hij droeg een zwart met rood uniform met een symbool erop. Ze had nooit naar *Star Trek* gekeken en begreep niet wat er leuk aan was. 'Eh, ja. Ik ben hier al vanaf juni.'

'Wes herkende je meteen toen je binnenkwam.'

Delaney staarde de man aan, die zulke lichte ogen had dat ze bijna niet blauw te noemen waren. 'O, mijn god,' riep ze. 'Scooter!' Er was maar één ding enger dan een jongen van Finley. Een jongen van Finley verkleed als *Trekkie*.

'Ja, ik ben het. Lang geleden, hè?' Scooters make-up begon barsten te vertonen en door zijn vaalgele schmink leken zijn tanden nog geler. 'Je ziet er goed uit,' ging hij verder, daarbij knikkend met zijn hoofd als zo'n hondje voor op de hoedenplank.

Delaney keek vluchtig om zich heen, op zoek naar redding.

'Nou, jij ook, Scooter,' loog ze. Ze zag niemand die ze kende en wendde zich maar weer tot hem. 'Wat doe jij allemaal?' vroeg ze, in de hoop na een snel kletspraatje te kunnen ontsnappen.

'Wes en ik hebben een viskwekerij in Garden. Die hebben we gekocht van Wes zijn ex, die ervandoor ging met een trucker. We gaan enorm verdienen met de verkoop van kweekvis.'

Delaney staarde hem ongelovig aan. 'Jij hebt een viskwekerij?'

'Zekers. Waar denk je dat al die verse meerval in de schappen vandaan komt?'

Welke verse meerval? Delaney kon zich niet herinneren dat ze ergens vis had gezien in een winkel in het stadje. 'Is daar grote vraag naar, hier in de omgeving?'

'Nog niet, maar Wes en ik denken dat met die vogelgriep en E. coli-besmettingen en zo, mensen binnenkort allemaal aan de vis gaan.' Hij zette zijn glas aan de mond en nam een flinke slok. 'Ben je getrouwd?'

Normaal gesproken haatte ze die vraag, maar ze kon er maar niet over uit dat Scooter nog dommer bleek dan ze al dacht. 'Eh, nee. Jij?'

'Twee keer gescheiden.'

'Ongelooflijk,' zei ze, hoofdschuddend. 'Hé, tot ziens, Scooter.' Ze liep weg, maar hij kwam haar achterna.

'Wil je een biertje?'

'Nee hoor, ik heb een afspraak hier.'

'Dan doet ze toch mee.'

'Het is een man.'

'O.' Hij bleef staan, maar riep haar nog wat achterna. 'Tot ziens, Delaney. Misschien bel ik je wel een keer.'

Dat klonk heel dreigend, maar gelukkig kon hij niet zomaar haar nummer achterhalen. Ze worstelde zich door een groep als punkers verklede vijftigers om de rand van de dansvloer te bereiken. Abraham Lincoln vroeg haar ten dans, maar ze wees hem af. Haar hoofd begon pijn te doen en ze wilde het liefst naar huis. Maar ze moest minstens aan Steve zeggen dat ze weg wilde. Dit keer was hij aan het dansen met Cleopatra, onderwijl op zijn luchtgitaar spelend.

Ze fronste haar wenkbrauwen en keek de andere kant op. Hij kon zich zo beschamend gedragen. Haar blik bleef hangen bij een bekend koppel, dat verkleed was als jarenvijftigstel. Vanaf de zijkant keek Delaney toe hoe Louie zijn partner, in klokrok, achter zijn rug langs zwierde en aan de voorkant weer opving. Hij drukte haar tegen zich aan en liet haar daarna zo ver omlaag zakken dat haar paardenstaart over de grond zwiepte. Delaney moest erom glimlachen en ze keek even naar het paar naast Lisa en Louie. De lange man die daar zijn nichtje rondzwierde was makkelijk te herkennen. Voor zover Delaney kon zien, was Nicks enige concessie aan de verkleedpartij zijn *txapel*, oftewel de Baskische baret. Daaronder droeg hij een spijkerbroek en een lichtgekleurd overhemd. Zelfs zonder volledig verkleed te zijn leek hij op een piraat, met die baret schuin op zijn hoofd.

Voor de eerste keer sinds ze was weggegaan, was bij Delaney serieus het verlangen opgekomen bij een familie te horen. Niet zo'n oppervlakkige, bedisselende familie als de hare, maar een echte familie. Een familie die gelukkig was en danste en liefdevol was, maar dan onvoorwaardelijk.

Delaney draaide zich om en botste tegen Elvis op. 'Sorry,' zei ze en keek op in Tommy Markhams gezicht, in stijl beplakt met gitzwarte bakkebaarden.

Tommy keek van haar naar de vrouw aan zijn zijde. Helen was nog steeds een oosterse prinses, mét kroon op het hoofd.

'Hallo, Delaney,' begroette ze haar, met een arrogant glimlachje op haar gezicht. Het was een uitdrukking die 'ammehoela' uitstraalde, en dezelfde waarop ze Delaney al sinds de eerste klas trakteerde.

Delaney was te moe om beleefdheid op te brengen die ze niet voelde. Ze had hoofdpijn en die werd verergerd door Helens irritante glimlachje. 'Hoe vond je mijn bijdrage aan de optocht?'

Helens glimlach verdween. 'Treurig, maar voorspelbaar.'

'Niet zo treurig als jouw trieste kapsel en goedkope kroontje.' De muziek stopte en op dat moment ging ze wat dichter bij Helen staan. 'En als je me nog een keer een dreigbrief bezorgt, dan kom ik hem persoonlijk terugbrengen.'

Helen knipperde met haar ogen. 'Je bent gek. Ik heb je geen brief bezorgd.'

'Brieven.' Delaney geloofde er niets van. 'Het waren er twee.'

'Ik geloof niet dat Helen—'

'Hou je mond, Tommy,' onderbrak Delaney hem, zonder haar blik van haar aartsvijand af te wenden. 'Van jouw stomme briefjes word ik niet bang, Helen. Ik ben er eerder kwaad om.' Voordat ze wegliep, uitte ze nog een laatste waarschuwing, 'Blijf uit mijn buurt en uit de buurt van mijn salon.' Toen draaide ze zich om en baande zich een weg door het publiek, met kloppende slapen. Wat als het Helen niet was? Onmogelijk. Helen haatte haar.

Ze was al bij de deur toen Steve haar inhaalde.

'Waar ga je naartoe?' vroeg hij, naast haar voortstappend.

'Naar huis. Ik heb koppijn.'

'Kun je niet nog even blijven?'

'Nee.'

Ze liepen naar de parkeerplaats en bleven bij Delaney's auto staan. 'We hebben nog niet gedanst.'

Op dat moment was alleen de gedachte aan dansen met een man die de hele tijd met zijn hand voor zijn kruis zat te pielen meer dan ze kon verdragen. 'Ik wil niet dansen. Ik heb een lange dag achter de rug en ik ben moe. Ik ga naar bed.'

'Heb je gezelschap nodig?'

Delaney keek in zijn knappe surfergezicht en begon te grinniken. 'Leuk geprobeerd.' Hij boog zich voorover om haar te zoenen, maar ze hield hem tegen.

'Oké,' nu moest hij lachen. 'Een volgende keer dan.'

'Nog een fijne avond, Steve,' zei ze en stapte in haar auto. Op weg naar huis stopte Delaney bij een goedkope supermarkt en kocht een zak pindarotsjes, een liter cola en een fles badschuim met vanillegeur. Zelfs als ze een lang bad nam, zou ze om tien uur in bed kunnen liggen.

Ik heb je nooit een brief bezorgd. Helen moest wel liegen. Natuurlijk zou ze niet toegeven dat ze dat soort brieven schreef. Niet waar Tommy bij was, tenminste.

Maar wat als ze niet loog? Voor het eerst begon Delaney zich echt angstig te voelen, als een luchtbel in haar borstkas. Maar ze wist het te onderdrukken. Ze wilde niet denken dat de briefschrijver iemand anders was dan haar vijand van weleer. Iemand die ze niet kende.

Toen ze het terreintje achter haar kapsalon op reed, stond Nicks Jeep er al geparkeerd. Zijn donkere silhouet stond tegen de achterkant geleund, ontspannen en vertrouwenwekkend. Hij werd even verlicht door de koplampen van haar Miata, tot hij zich losmaakte van zijn achterbumper.

Delaney zette de motor uit en reikte naar de plastic tas met boodschappen. 'Volg je mij soms?' vroeg ze, terwijl ze uit de auto stapte en hem vervolgens afsloot.

'Natuurlijk.'

'Hoezo?' Haar schoenen knerpten in het grind toen ze in de richting van de trap liep.

'Vertel eens over die brieven.' Hij reikte naar het tasje in haar hand toen ze langs hem liep.

'Hé, dat kan ik zelf wel dragen, hoor,' protesteerde ze, al besefte ze dat het lang geleden was dat een man had aangeboden iets voor haar te dragen. Niet dat Nick het had aangeboden, natuurlijk.

'Vertel me nou over die brieven.'

'Hoe weet je dat nou?' Hij volgde haar zo op de voet, dat ze zijn zwaardere voetstappen kon voelen onder haar schoenzolen. 'Heeft Ann Marie je dat verteld?'

'Nee, ik hoorde je met Helen praten, vanavond.'

Delaney vroeg zich af hoeveel anderen dat ook gehoord hadden. Haar adem bleef voor haar gezicht hangen terwijl ze snel de sleutel in haar slot omdraaide. Aangezien het verspilde moeite was zei ze hem maar niet dat hij niet binnen mocht komen. 'Helen heeft me wat brieven gestuurd.' Ze liep de keuken in en deed daar het licht aan.

Nick kwam haar achterna, ritste zijn jas open en ineens was de hele keuken gevuld. Hij zette de boodschappen op het aanrecht. 'Wat staat erin?'

'Lees zelf maar.' Ze zocht in haar jaszak en gaf hem de envelop die ze er eerder in had gestopt. 'Op die andere stond iets als "ik hou je in de gaten".' Ze wurmde zich langs hem en liep naar het halletje bij de slaapkamer.

'Heb je de sheriff gebeld?'

'Nee.' Ze hing haar jas in de kast en keerde terug. 'Ik kan niet bewijzen dat het Helen is die ze verstuurt, al ben ik daar vrij zeker van. En bovendien, de briefjes zijn niet echt bedreigend, eerder irritant.' Vanuit de deuropening keek ze toe hoe hij de brief bestudeerde. Zijn txapel deed hem eruitzien als een Baskische onafhankelijkheidsstrijder.

'Waar heb je deze gevonden?'

'Bij mijn voordeur.'

'Heb je nog steeds die an–' Hij keek op en stokte halverwege de zin. Met wijd opengesperde ogen bekeek hij haar van kruin tot naaldhakken. Voor het eerst van haar leven had ze Nick sprakeloos gemaakt. Maar daarvoor had ze zich als hoer moeten verkleden.

'Wat is er?'

'Niets.'

'Heb je niet eens een slimme opmerking of zoiets?' Ze probeerde doodstil te blijven staan en het leek alsof ze zijn blik overal kon voelen. Maar na een paar tellen lukte het niet meer en ze duwde de boa wat in haar decolleté dat werd opgestuwd door de satijnen bustier.

'Vast wel.'

'Dat dacht ik al.'

Hij wees naar haar middel. 'Wat doe je met die handboeien?'

'Dat moet jij beter weten dan ik.'

'Wilde bosmeid,' zei hij, met een halve grijns om zijn mondhoeken. 'Ik heb geen hulpmiddelen nodig om de klus te klaren, hoor.'

Ze rolde met haar ogen. 'Bespaar me de details van je seksleven.'

'Weet je het zeker? Daar kun je nog iets van opsteken.'

Ze sloeg haar armen over elkaar. 'Ik vraag me af of jij iets weet wat ik wil leren.' Snel voegde ze eraan toe: 'Dat was wéér niet bedoeld als uitdaging.'

Zijn zachte lachen vulde de ruimte tussen hen beiden. 'Het was wel een uitdaging, Delaney.'

'Uiteraard zie jij het zo.' Hij deed een stap dichterbij en ze stak bezwerend haar hand op. 'Die kant wil ik niet met je op, Nick. Ik dacht dat je hier kwam om de brief van Helen te bekijken.'

'Klopt.' Hij bleef staan toen hij tegen haar handpalm aan liep. Het leer van zijn jas was koel aan haar hand. 'Maar jij maakt het me heel moeilijk met je kostuum.'

'Je bent een grote jongen, concentreer je maar.' Delaney liet haar hand vallen en liep naar de koelkast. 'Biertje?'

'Graag.'

Ze draaide de dop eraf en gaf hem een pompoenbiertje dat ze bij het plaatselijke brouwerijtje op de kop had getikt. Hij keek naar het etiket alsof hij niet goed wist wat hij ermee moest. 'Het is echt lekker,' verzekerde ze hem en nam zelf een flinke slok.

Nick bracht het bier naar zijn mond en met zijn grijze ogen op haar gericht nam hij ook een teug. Hij liet het flesje meteen zakken en veegde zijn lippen schoon met de rug van zijn hand. 'Jezus, wat smerig.'

'Ik vind het lekker.' Ze glimlachte en nam nog een slok.

'Heb je geen echt bier?' Hij zette het flesje op het aanrecht en legde de brief ernaast.

'Een rosébiertje dan?'

Hij wierp haar een blik toe alsof ze voorstelde dat hij zijn ballen liet afhakken. 'Geen Budweiser?'

'Nee, maar in die tas zit cola.' Ze gebaarde met haar flesje naar de plastic tas en liep langs Nick naar de woonkamer.

'Waar vond je die eerste brief?' riep hij.

'In de kapsalon.' Ze knipte een lampje aan bij de tv en liep naar een schemerlamp naast de bank. 'Eerlijk gezegd was jij degene die hem het eerste zag.'

'Wanneer?'

'Die dag dat je mijn sloten verving.' Ze keek over haar schouder zijn kant op en trok aan het touwtje van de lamp. Nick stond midden in de kamer aan de fles cola te lurken. 'Weet je nog wel?'

Hij liet de fles zakken en zoog een druppel van de frisdrank van zijn onderlip. 'Heel goed.'

Zonder dat ze erop bedacht was, overspoelde de herinnering aan zijn lippen op de hare en de sensatie van zijn warme huid onder haar handen weer haar hele wezen. 'Ik had het over de brief.'

'Ik ook.' Nee, dat deed hij niet. 'Waarom denk je dat het Helen is?'

Delaney ging op de bank zitten, ervoor zorgend dat haar satijnen rokje haar kruis verhulde en ze er niet bij zat als een pornoster. 'Wie kan het anders zijn?'

Hij zette de fles cola op de salontafel en trok zijn jas uit. 'Wie zou willen dat jij vertrok?'

Delaney kon niemand anders bedenken dan Nick en zijn hele familie. 'Jij.'

Hij wierp zijn jas op de bank en keek haar vorsend aan. 'Denk je dat echt?'

Niet echt. 'Ik weet het niet.'

'Als jij denkt dat ik hier rondloop en vrouwen bedreig, waarom laat je me dan binnen?'

'Had ik jou kunnen tegenhouden dan?'

'Misschien, maar ik heb die brieven niet voor jou neergelegd en dat weet je.' Hij ging naast Delaney zitten en zette zijn ellebogen op zijn knieën. Hij had zijn mouwen opgerold en droeg een horloge met een versleten zwarte band. 'Er is iemand heel erg boos op jou. Heb je iemands haar verknipt onlangs?'

Ze kneep haar ogen tot spleetjes en zette haar pompoenbiertje met een klap op tafel. 'Ten eerste, Nick, verknip ik nooit iemands haar. En ten tweede, wat denk je zelf, dat een of andere waanzinnige gek overal briefjes achterlaat voor mij omdat ik haar pony te kort heb geknipt of haar permanentje is mislukt?'

Nick keek haar schuins aan en begon te lachen. Het begon met een gerommel diep in zijn borstkas en werd steeds luider, waardoor Delaney nog kwader werd. 'Waarom ben je zo boos?'

'Je hebt me beledigd.'

Hij legde in een gebaar van onschuld zijn vlakke hand tegen zijn borst, waardoor de panden wat uiteenschoven en ze een stukje gebruinde huid kon zien. 'Echt niet.'

Delaney keek hem recht in zijn geamuseerde ogen. 'Jazeker wel.'

'Sorry.' En toen deed hij die verontschuldiging volledig teniet door eraan toe te voegen: 'Wilde bosmeid.'

Ze gaf hem een stomp. 'Eikel.'

Nick pakte haar pols beet en trok haar naar zich toe. 'Heb je al gehoord dat je er heerlijk hoerig uitziet?'

De geur van zijn mannenzeep en zijn warme huid prikkelden haar zintuigen. Zijn sterke vingers bezorgden haar tintelingen over haar hele arm en ze probeerde zich los te trekken. Hij liet haar los, maar pakte in plaats daarvan haar boa in beide handen om haar dichterbij te krijgen. Haar neus botste tegen die van hem en ze kon zijn grijze, omfloerste blik niet loslaten. Ze wilde een sarcastische opmerking maken en opende haar mond, maar haar brein en stem lieten haar in de steek. Het enige wat eruit kwam was: 'Goh, dank je, Nick. Dat zeg je zeker tegen alle vrouwen die je 's avonds ontmoet.'

'Ben jij dan mijn vrouw van deze avond?' vroeg hij met zijn mond vlak bij die van haar, en het enige wat hen scheidde was zijn ademhaling en die sliert met pluizige veertjes.

Ze dacht niet dat ze dat had gezegd, of bedoeld, maar ze wist het niet meer. 'Nee, je weet toch dat we nooit meer samen kunnen zijn.'

'Zeg nooit nooit.' De veren kietelden haar kin en hals en hij verplaatste zijn hand naar de rand van haar bustier. 'Je hart slaat zo heftig.'

'Ik heb nogal een hoge bloeddruk.' Haar oogleden werden zwaar en ze voelde de punt van zijn tong op haar onderlip.

'Je bent altijd al een vreselijk slechte leugenaar geweest.' En voordat Delaney wist wat er gebeurde, zat ze op Nicks schoot en nam zijn mond gulzig bezit van haar, in een zoen die liefkozend begon, maar al snel Delaney's armetierige verzet brak. Hij hield een hand tegen haar achterhoofd en streelde met de andere haar dijbenen, dwars door de netkousen heen. Zijn snelle tong had die van haar gevangen, eiste een snel en passievol antwoord. Ze gaf hem een kus die hem een rilling van pure lust bezorgde. Ze pakte zijn hoofd beet en liet haar vingers het elastiekje in zijn haar vinden. Zijn baret viel op de grond en ze doorkamde zijn fijne, donkere haren. Ze voelde hoe hij de jarretel vond, onder haar rokje, en een vuur doortrok haar dat haar kruis verwarmde en de honger in haar onderbuik aanwakkerde. Toen stak hij zijn vingers onder het zwartkanten elastiek en raakte hij haar naakte huid aan. Intussen stak ze een hand in de open kraag van zijn overhemd en voelde zijn warme schouder met de harde spieren. Maar het was niet genoeg en ze trok aan de knoopjes tot zijn overhemd helemaal geopend was. Hij voelde hard en zacht tegelijk, had een warme huid die iets vochtig was. Onder haar billen voelde ze zijn erectie tegen haar aan drukken en ze wriemelde wat op zijn schoot. Hij begroef zijn vingers in haar vlees en ze voelde aan haar handen dat hij kreunde.

Zijn andere hand lag nu om haar middel en drukte haar nog dichter tegen zijn onderlichaam aan. Dit keer ontsnapte aan haar keel een gekreun, waarna hij zijn vlakke hand omhoog liet gaan, naar haar borst, haar hals. Zijn knokkels veegden langs haar sleutelbeen, streken langs de rand van de bustier. Plotseling ging zijn sensuele mond naar haar hals en stak hij zijn hand in het satijnen topje. Hij omvatte haar hele borst en Delaney kromde haar rug, duwde haar harde tepel in zijn hete, hete handpalm. Haar handen verplaatsten zich naar zijn schouders, waar ze de stof van zijn overhemd in beide vuisten klemde.

Ze verlangde over haar hele lichaam naar hem en met een laatste restje redelijkheid fluisterde ze hem toe: 'Nick, we moeten ermee stoppen.'

'Doen we zo,' mompelde hij en hij schoof de bustier omlaag. Hij bracht zijn hoofd omlaag en streek met zijn lippen langs haar roze tepel, zoog hem in zijn mond, waar zijn hete en natte tong genadeloos was. Een grote warme hand schoof tussen haar benen en drukte tegen haar gevoelige kruis. Door het vochtige katoen van haar onderbroekje betastte hij haar en ze probeerde haar benen tegen elkaar te drukken, zodat zijn vingers gevangenzaten in haar kruis. Delaney sloot haar ogen en riep zijn naam, half kreunend, half zuchtend. Het was het geluid van tomeloos verlangen. Ze wilde dat hij met haar de liefde bedreef. Ze wilde zijn naakte lijf tegen het hare voelen. Ze had niets te verliezen, alleen haar eigenwaarde. Maar wat was een klein beetje eigenwaarde nou vergeleken met een heerlijk orgasme?

Ineens was zijn mond weg en voelde ze de kou op haar blote borst. Ze dwong zichzelf haar ogen te openen en volgde zijn vurige blik naar haar glanzende tepel. Hij trok zijn hand terug en pakte het uiteinde van de boa beet om daarmee zacht langs haar gevoelige borst te strijken. 'Zeg me dat je naar me verlangt.'

'Is dat niet overduidelijk?'

'Zeg het nou gewoon.' Hij keek haar aan, met ogen vol lust en vastberadenheid. 'Zeg het hardop.' De veertjes vervolgden hun donzige weg langs haar borsten.

Delaney haalde diep adem. 'Ik verlang naar je.'

Hij liet zijn blik over haar hele gelaat gaan tot hij haar mond vond. Hij drukte een zachte kus op haar lippen en trok haar topje weer omhoog over haar borsten.

Hij ging haar niet verder beminnen. Natuurlijk niet. Hij zou veel meer verliezen dan zij. 'Waarom doen we dit toch steeds?' vroeg ze toen hij haar mond losliet. 'Ik heb nooit de bedoeling om dit te laten gebeuren, maar het gebeurt telkens weer.'

'Weet je dat dan niet?'

'Ik wou dat ik het wist.'

'We hebben het niet afgemaakt.'

Ze haalde diep adem en liet zich tegen hem aan vallen. 'Waar heb je het over? Wat hebben we niet afgemaakt?'

'Die avond op Angel Beach. We hebben nooit afgemaakt waar we toen aan begonnen waren, omdat jij ervandoor ging.'

'Ervandoor ging?' Ze voelde hoe haar wenkbrauwen omhooggingen. 'Ik had geen keus.'

'Je had wel een keus en die heb je toen gemaakt. Je ging weg met Henry.'

Met alle waardigheid die ze in die positie en omstandigheden kon opbrengen, stapte Delaney van zijn schoot. Haar linkerschoen was foetsie en haar boa zat in haar bustier. 'Ik ging weg omdat jij me had gebruikt.'

'Wanneer dan?' Hij ging staan en torende hoog boven haar uit. 'Toen je mij smeekte je overal te strelen?'

Delaney trok haar rokje omlaag. 'Hou je kop.'

'Of toen ik met mijn hoofd tussen jouw benen zat?'

'Hou je kop, Nick.' Ze rukte de boa los. 'Jij wilde mij alleen maar vernederen.'

'Onzin.'

'Je gebruikte mij om Henry een hak te zetten.'

Hij deinsde wat achteruit en kreeg een argwanende uitdrukking op zijn gezicht. 'Ik heb je nooit gebruikt. Ik zei dat je je geen zorgen moest maken en dat ik voor je zou zorgen, maar je keek naar me alsof ik een of andere verkrachter was en ging met Henry mee.'

Ze geloofde hem niet. 'Ik heb nooit naar je gekeken alsof je een verkrachter was en ik zou het me zeker hebben herinnerd als je iets aardigs had gezegd. Maar dat was niet het geval.'

'Jawel, alleen koos jij ervoor om met die ouwe mee te gaan. En zoals ik het zie, ben je mij nog wat verschuldigd.'

Ze raapte zijn jas op van de bank en gooide die naar hem. 'Ik ben je niets verschuldigd.'

'Zorg er maar voor dat je hier begin juni niet bent, anders kom ik halen wat je me al tien jaar verschuldigd bent.' Hij stak zijn armen in zijn jas en liep naar de deur. 'En als je iemand iets verschuldigd bent, moet je het terugbetalen, wilde bosmeid.'

Delaney staarde naar de deur tot ze de Jeep hoorde wegscheuren in de steeg. Haar lichaam gloeide op de plekken waar hij haar had aangeraakt en de gedachte aan een seksuele vergelding klonk niet eens onaantrekkelijk. Ze draaide zich om en raapte Nicks txapel van de grond. Ze bracht de baret naar haar gezicht. Hij rook naar leer en wol en Nick.

Hoofdstuk 13

'Oom Nick, heb je die film laatst gezien, over dat meisje dat als baby ontvoerd was en dat niet wist tot ze een jaar of twintig was?'

Nick staarde naar het scherm van zijn laptop, waarop hij bezig was met het budget voor een nieuwbouwklus aan de overkant van het meer. De betonnen fundering was al gestort voordat het begon te vriezen en het dak lag erop voor de eerste sneeuwval. Het huis was bijna af, maar de eigenaar had besloten overal andere elektra te gaan gebruiken en het timmerwerk ging nu ver over het budget. Omdat het langzaamaan steeds winterser werd, werkten Ann Marie en Hilda alleen 's ochtends. Hij was alleen met Sophie op kantoor.

'Oom Nick?'

'Hm, wat?' Hij deletete wat cijfers en typte een nieuwe projectie in.

Sophie haalde diep adem en zuchtte: 'Je luistert niet naar me.'

Hij keek op van het scherm, staarde even naar zijn nichtje en keek weer naar zijn laptop. 'Tuurlijk wel, Sophie.'

'Wat zei ik dan net?'

Hij voegde nog een bedrag in voor nieuw bouwmateriaal en reikte naar zijn rekenmachine. Intussen keek hij vluchtig naar zijn nichtje, en zijn hand viel stil. Haar bruine ogen keken hem verwijtend aan, alsof hij haar op de ziel had getrapt, met zijn werklaarzen. 'Ik luisterde niet.' Hij trok zijn hand terug. 'Sorry.'

'Kan ik je iets vragen?'

Hij begreep nu waarom ze op weg van school naar huis bij het kantoor was gestopt. 'Tuurlijk.'

'Oké, wat zou jij doen als je een meisje leuk vond dat niet wist dat jij haar leuk vond?' Ze zweeg en staarde in de verte. 'En zij iemand anders leuk vindt, iemand met heel leuke kleren en blond haar, die iedereen leuk vindt omdat ze cheerleader is en zo?' Ze keek hem weer aan. 'Zou jij dan de moed opgeven?'

Nick was in de war. 'Vind jij een jongen leuk die zich kleedt als cheerleader?'

'Nee! Jeetje, ik vind een jongen leuk die een cheerleader leuk vindt. Het is een populair meisje dat het knapst is van iedereen in de brugklas en Kyle ziet mij niet eens staan. Ik wil dat hij verliefd wordt op mij. Wat moet ik doen?'

Nick staarde naar zijn nichtje, aan de andere kant van het bureau. Haar beugel glom hem tegemoet en haar moeders Italiaanse ogen waren veel te groot voor haar gezichtje. Ze had een enorme, rode puist op haar voorhoofd die ze, ondanks de grote hoeveelheid make-up die ze eroverheen gesmeerd had, niet kon verbergen. Op een dag zou Sophie Allegrezza zeker mannelijke belangstelling krijgen, maar nu nog niet, goddank. Ze was trouwens te jong om zich zorgen te maken over jongens. 'Helemaal niets. Je bent beeldschoon, Sophie.'

Ze rolde met haar ogen en pakte haar rugzak van de grond op. 'Ik heb aan jou net zoveel als aan papa.'

'Wat zei Louie dan?'

'Dat ik te jong ben om me zorgen te moeten maken over jongens.'

'O.' Hij boog wat naar voren en pakte haar hand. 'Nou, dat zou ik nooit zeggen,' loog hij.

'Weet ik. Daarom kwam ik ook met je praten. En het is niet alleen Kyle. Geen enkele jongen ziet me staan.' Ze trok haar rugzak op schoot en hing onderuit in de stoel, één hoopje ellende. 'Ik haat dat.'

En hij haatte het haar zo ongelukkig te zien. Hij had Louie altijd bijgestaan met de opvoeding van Sophie en zij was de enige vrouwspersoon van wie hij onvoorwaardelijk hield. Ze konden met zijn tweeën een film kijken, of monopoly spelen, zonder dat ze zich met hem bemoeide of zich aan hem vastklampte. 'Wat kan ik voor je doen?'

'Me vertellen wat jongens leuk vinden aan meisjes.'

'Jongens in de brugklas?' Hij krabde in zijn baard en dacht even na. Hij wilde niet liegen, maar hij wilde evenmin haar onschuldige illusies verstoren.

'Ik dacht dat je dat wel zou weten, omdat je zoveel vriendinnen hebt.'

'Zoveel vriendinnen?' Ze haalde een flesje groene nagellak uit haar rugzak. 'Ik heb niet zóveel vriendinnen, hoe kom je daarbij?'

'Nou, dat kun je toch zien.' Ze haalde haar schouders op. 'Gail is een vriendin, bijvoorbeeld.'

Hij had Gail niet meer gezien sinds een paar weken voor Halloween, en dat was al een week geleden. 'Zij was gewoon een vriendin,' legde hij uit. 'En we zien elkaar sinds vorige maand niet meer.' Om eerlijk te zijn was dat op zijn initiatief geweest en was zij er niet blij mee.

'Nou, wat vind je dan leuk aan haar?' vroeg ze, terwijl ze een laagje groen aanbracht over een blauwe nagel.

Wat hij leuk vond aan Gail kon hij moeilijk vertellen aan zijn dertienjarige nichtje. 'Ze heeft leuk haar.'

'Dat is alles? Jij gaat met een meisje omdat ze leuk haar heeft?'

Niet alleen dat. 'Ja.'

'Wat is je favoriete haarkleur?'

Rood. Verschillende kleuren rood, waar hij zijn vingers in begroef. 'Bruin.'

'Wat vind je nog meer aantrekkelijk?'

Roze lippen en roze boa's. 'Een leuke glimlach.'

Sophie keek grijnzend naar hem op, met een mond vol metaal en paarse elastiekjes. 'Zoiets?'

'Ja.'

'En verder?'

Dit keer antwoordde hij naar waarheid. 'Grote bruine ogen en een vrouw die haar mannetje staat.' En, realiseerde hij zich, ook in het bezit van een grote dosis sarcasme.

Ze stak het kwastje weer in de lak en ging in de weer met de andere hand. 'Vind je dat meisjes jongens kunnen bellen?'

'Natuurlijk, waarom niet?'

'Oma zegt dat meisjes die jongens bellen veel te wild zijn. Ze zegt dat jij en papa nooit met wilde meisjes in aanraking kwamen, omdat zij jullie nooit aan de telefoon liet als die meisjes belden.'

Zijn moeder was de enige die hij kende die zo selectief was in wat ze wilde zien. Toen ze jonger waren konden Louie en hij, ook zonder telefoon, met behoorlijk wilde meiden omgaan. Louie had in zijn laatste jaar op de highschool zelfs een meisje zwanger gemaakt. En als een Baskische jongen een keurig katholiek meisje zwanger maakt, dan volgt de onvermijdelijke trouwerij, in de kathedraal. 'Je grootmoeder onthoudt alleen wat ze wil onthouden,' vertelde hij aan Sophie. 'Als jij met een jongen wilt bellen, zie ik niet in waarom dat niet mag, maar overleg eerst even met je vader.' Ze blies haar nagels droog. 'Misschien moet je Lisa ook eens raadplegen over dit soort meisjesdingen. Die is over een week je stiefmoeder.'

Sophie schudde haar hoofd. 'Ik praat liever met jou.'

'Ik dacht dat je Lisa zo leuk vond?'

'Ze is ook wel leuk, maar ik vind het fijner om met jou te praten. Bovendien ben ik niet eens het belangrijkste bruidsmeisje. Ik sta achteraan.'

'Dat is alleen omdat jij de kleinste bent.'

'Misschien.' Ze bestudeerde haar pas gelakte nagels en keek weer op. 'Mag ik je nagels lakken?'

'Geen sprake van. De vorige keer vergat ik het eraf te halen en toen kreeg ik heel vreemde blikken bij het tankstation.'

'Alsjeblie-hie-hieft.'

'Geen sprake van, Sophie.'

Ze keek boos en schroefde het flesje lak weer dicht. 'Niet alleen sta ik achteraan, nu moet ik ook nog naast je-weet-wel-wie staan.'

'Wie?'

'Die.' Sophie wees naar de deur. 'Van hiernaast.'

'Delaney?' Toen ze knikte vroeg Nick haar: 'Waarom is dat zo erg?'

'Dat wéét je toch.'

'Nee. Vertel jij me dat eens.'

'Oma vertelde me dat zij als meisje wel bij jouw vader mocht wonen. En dat hij aardig was tegen haar en gemeen tegen jou. En dat zij mooie kleren kreeg en zo, terwijl jij oude spijkerbroeken moest dragen.'

'Ik draag graag oude spijkerbroeken.' Hij pakte een potlood en bestudeerde Sophies gezicht. Ze keek net zo bitter als zijn moeder, als die over Delaney sprak. Henry had Benita voldoende reden gegeven zo bitter te zijn, maar Nick vond het niet goed Sophie zo te zien. 'Wat er ook gebeurd is, of niet gebeurd is, tussen mijn vader en mij, dat heeft niets te maken met Delaney.'

'Haat je haar dan niet?'

Delaney haten was nooit het probleem geweest. 'Nee, ik haat haar niet.'

'O,' Ze stak de nagellak weer terug in de rugzak en reikte naar haar jas die over de stoel hing. 'Breng jij me naar mijn maandelijkse afspraak bij de orthodontist?'

Nick stond op en hielp haar met haar jas. Die afspraak betekende minstens twee uur rijden heen, en twee uur terug. 'Kan je vader je niet brengen?'

'Die is dan op huwelijksreis.'

'O, ja. Nou, dan breng ik je.'

Terwijl hij haar naar de deur begeleidde, sloeg ze een arm om hem heen. 'Weet je zeker dat je nooit gaat trouwen, oom Nick?'

'Ja.'

'Oma zeg dat je gewoon een lief katholiek meisje moet vinden. En dat je dan gelukkig wordt.'

'Ik ben al gelukkig.'

'Oma zegt dat je moet trouwen met een Baskische.'

'Het klinkt alsof je veel te veel tijd doorbrengt bij je oma.'

'Nou, ik ben blij dat je nooit getrouwd bent.'

Hij streek een lok donker haar achter haar oren. 'Waarom dan?'

'Dan heb ik je helemaal voor mezelf.'

Nick bleef even staan voor zijn kantoor om zijn nichtje na te kijken. Sophie bracht te veel tijd door bij zijn moeder. Daardoor had Benita haar naar de *dark side* weten te lokken. Nu begon Sophie ook al te zeuren dat hij een leuke Baskische moest vinden.

Hij stak zijn handen in de zakken van zijn spijkerbroek. Louie was degene die trouwde. Nick niet. Louie's eerste huwelijk had ruim zes jaar geduurd, maar zijn broer hield ervan getrouwd te zijn. Hij vond het prettig met een vrouw samen te wonen. Louie had altijd gezegd dat hij zou hertrouwen. Hij had altijd geweten dat hij weer verliefd zou worden, maar het had hem na zijn scheiding bijna acht jaar gekost om de juiste vrouw te vinden. Nick twijfelde er niet aan dat zijn broer gelukkig zou zijn met Lisa.

De deur van Delaney's kapsalon ging open en er stapte aarzelend een oude dame uit, met een strakke grijze coupe. Terwijl ze langsliep keek ze hem aan alsof hij kattenkwaad had uitgehaald. Hij grinnikte binnensmonds en keek door de etalageruit van zijn buurvrouw. Door het glas zag hij hoe Delaney de vloer aanveegde en met het volle blik naar achteren liep. Hij zag haar rechte rug en schouders en hoe haar heupen wiegden onder een strak jurkje dat zich om haar ronde billen spande. Nu nestelde zich een zwaar gevoel in zijn kruis en hij dacht terug aan haar perfecte, roomblanke borsten en de roze boa. Aan haar grote bruine ogen met de lange wimpers en de passie die erin te lezen was. Aan haar natte lippen, die gezwollen waren van zijn zoen.

Ik verlang naar je, had ze gezegd, of eigenlijk: had hij haar gedwongen te zeggen, alsof hij een of andere mafkees was die erom moest smeken. Nooit eerder had hij een vrouw gevraagd hem te zeggen dat ze naar hem verlangde. Dat was nooit nodig geweest. Het had hem nooit iets kunnen schelen als die woorden werden gefluisterd door een paar vrouwelijke lippen. Maar nu kennelijk wel.

Er was geen twijfel meer mogelijk. Henry wist heel goed wat hij deed toen hij dat testament opstelde. Hij wilde Nick eraan herinneren hoe het voelde als je iets wilt wat je niet kunt krijgen, om te verlangen naar iets wat niet voor jou bestemd is. Iets wat je mocht aanraken, maar vooral niet bezitten.

Er dwarrelden wat sneeuwvlokken voor Nicks gezicht en hij liep terug naar zijn kantoor om zijn jas te pakken. Sommige mannen maakten de fout om lust te verwarren met liefde. Nick niet. Hij hield niet van Delaney. Wat hij voor haar voelde was erger dan liefde. Het was de lust die hem lichamelijk in zijn greep hield en hem verwarde. Zo kon het dat hij door het leven ging met een humeur om op te schieten en een eeuwige stijve, vanwege een vrouw die hem vooral haatte.

Delaney schoof haar tomaatjes naar de ene kant van het bord en prikte een stuk witlof met kip aan haar vork.

'Hoe gaan de zaken?' vroeg Gwen, die daarmee meteen de achterdocht van Delaney opwekte. Gwen vroeg nooit naar de kapsalon.

'Prima.' Ze keek naar de overkant van de tafel en stak een hap witlofsalade in haar mond. Haar moeder was iets van plan. Ze had nooit moeten ingaan op de uitnodiging om te gaan lunchen in een restaurant. Hier kon ze niet gaan schreeuwen zonder een scène te schoppen. 'Hoezo?'

'Helen kapt altijd het haar voor de kerstmodeshow, maar ik heb het erover gehad met de andere bestuursleden, en ze zijn het er allemaal mee eens om jou dit jaar het haar te laten doen.' Gwen prikte wat in haar fettuccini, maar legde toen haar vork neer. 'Ik dacht dat je die publiciteit wel kon gebruiken.'

Het was natuurlijk een list van haar moeder om haar in een of ander stompzinnig comiteetje te plaatsen. 'Alleen het haar? Dat is het?'

Gwen reikte naar haar thee met citroen. 'Nou, ik dacht dat je zelf misschien ook wel aan de show kon meedoen.'

Daar had je het al. De ware reden. Het haar kappen voor de show was maar een lokkertje geweest. Wat Gwen eigenlijk wilde was samen de show lopen in op elkaar afgestemde kostuums, alsof ze tweelingen waren. Er waren voor de kerstmodeshow maar twee regels: de jurken of kostuums moesten zelfgemaakt zijn en binnen het kerstthema passen. 'Jij en ik samen?'

'Natuurlijk ben ik er ook.'

'In hetzelfde pakje?'

'Iets soortgelijks.'

Geen haar op haar hoofd. Delaney stond het jaar waarin ze als Rudolf het rendier met de rode neus had moeten opdraven nog helder voor de geest. Dat was heel erg als je zestien was. 'Ik kan niet allebei doen: het haar en de show.'

'Helen wel.'

'Ik ben Helen niet.' Ze reikte naar de broodjes. 'Ik doe de kapsels, maar ik wil de naam van mijn zaak op het programma en voorafgaand en na afloop van de show vermeld hebben.'

Gwen keek ineens minder tevreden. 'Ik zorg ervoor dat iemand van het bestuur contact met je opneemt.'

'Geweldig. Wanneer is het?'

'Tijdens het Winter Festival. Dat is altijd op de derde zaterdag in december, een paar dagen voor de ijsbeeldenwedstrijd.' Ze zette haar theekopje terug en zuchtte. 'Weet je nog dat Henry als burgemeester moest jureren en wij hem daarbij hielpen?'

Natuurlijk wist ze dat nog. Elke decembermaand werden er door bedrijven grote sneeuw- en ijsbeelden gemaakt in Larkspur Park, waar toeristen uit de wijde omtrek op afkwamen. Delaney kon zich haar koude wangen en neus nog heugen. Evenals haar grote warme jas en bontmuts waarin ze naast Henry en haar moeder meewandelde. Ook de frisse geur van het winterweer en de smaak van de warme chocolademelk herinnerde ze zich nog goed.

'Weet je nog dat jij een keer de winnaar mocht uitkiezen?'

Ze was waarschijnlijk iets van twaalf geweest en ze had het drie meter hoge lamskoteletje uitgekozen van de plaatselijke slagersgroothandel. Delaney prikte nog maar eens in haar salade. Dat lamskoteletje was ze helemaal vergeten.

'Ik moet het ook met je hebben over Kerstmis,' zei Gwen.

Delaney ging ervan uit dat ze die zou doorbrengen bij haar moeder, met een echte boom, cadeautjes, zelfgemaakte advocaat en geroosterde kastanjes. De hele santenkraam.

'Max en ik vertrekken de twintigste voor een cruise door de Cariben, de dag nadat het Winter Festival begint.'

'Wat?' Ze legde zachtjes haar vork terug. 'Ik wist niet eens dat jullie al zover waren.'

'Max en ik hebben het goed en hij stelde voor samen een vakantie naar de zon te boeken, om te ontdekken hoe sterk onze gevoelens voor elkaar zijn.'

Gwen was pas een halfjaar weduwe en had nu al een nieuwe vriend. Delaney kon zich de laatste keer dat ze écht uit was geweest met een man niet eens voor de geest halen. Ineens had ze medelijden met zichzelf; ze was een oude vrijster. 'Ik denk dat jij en ik wel kerst kunnen vieren als ik weer terug ben.'

'Oké.' Ze had zich niet gerealiseerd hoe ze zich had verheugd op Kerstmis in het ouderlijk huis, tot die keuze er niet meer was. Nou ja, de kerstdagen alleen doorbrengen had ze wel vaker gedaan.

'En nu het is begonnen met sneeuwen zou je dat kleine autootje van je in de garage moeten zetten en de Cadillac van Henry gebruiken.'

Delaney verwachtte nu een aantal voorwaarden te horen, zoals in de weekends thuiskomen, of gemeenteraadsvergaderingen gaan bijwonen, of praktische schoenen gaan dragen. Toen Gwen niet verder uitweidde, vroeg Delaney: 'Wat moet ik ervoor doen?'

'Waarom ben je toch altijd zo achterdochtig? Ik wil alleen maar dat je veilig rondrijdt deze winter.'

'O.' Het was inderdaad jaren geleden dat ze in de sneeuw had moeten rijden en het was niet zoals met fietsen. Ze was vergeten hoe het moest. Ze gleed liever door de straten in Henry's dikke Cadillac dan in haar eigen sportwagentje. 'Dank je, dan kom ik hem morgen wel oppikken.'

Na de lunch nam ze de rest van de dag vrij en reed naar Lisa om daar wat bruidsboeken af te leveren en haar eigen bruidsmeisjesjapon op te halen. De fluwelen jurk leek bordeauxrood vanuit de ene hoek, maar was bijna paars als je de vleug vanaf de andere kant bekeek. Hij was mooi, en als ze geen rood haar had gehad, had hij Delaney prachtig gestaan, maar nu, met zoveel tinten rood op één persoon, zag ze eruit als een mislukte Picasso. Ze streek met haar hand over haar buik.

'Ik heb niet aan je haar gedacht,' gaf Lisa toe die haar van een afstandje bekeek in een passpiegel. 'Misschien kun je zo'n grote strooien hoed dragen.'

'Geen sprake van.' Ze hield haar hoofd schuin en bestudeerde zichzelf. 'Ik kan het ook weer in mijn natuurlijke kleur verven.'

'Wat is je natuurlijke kleur dan?'

'Ik weet het niet meer precies. Als ik mijn uitgroei bijwerk, lijkt het een beetje donkerblond.'

'Kun je dat weer veranderen zonder dat je haar uitvalt?'

Delaney zette haar handen in haar zij en draaide zich om naar haar vriendin. 'Wat mankeert jullie toch allemaal? Natúúrlijk kan

ik een haarkleur terug verven naar de oorspronkelijke kleur zonder dat mijn haar uitvalt. Ik versta mijn vak. Ik doe het al jaren.'
Ze ging steeds harder praten. 'Ik ben Helen niet. Ik knip goed!'
'Jeetje, ik vroeg het gewoon.'
'Ja, maar jij bent niet de enige die aan me twijfelt.' Ze ritste de jurk van achteren los en stapte eruit.
'Wie nog meer dan?'
Het beeld van Nick, zittend op haar bank, kwam in haar op. Met zijn mond op haar lippen. Zijn vingers op haar benen. Ze wilde dat ze hem kon haten omdat hij van haar had verlangd dat ze naar hem verlangde en haar vervolgens alleen achterliet, zodat ze die nacht alleen maar van hem kon dromen. Maar ze kon het niet en het verwarde haar allemaal zo, dat ze er met niemand over wilde praten, totdat ze wist hoe de vork in de steel zat. Zelfs niet met Lisa. Ze legde de jurk op de lappendeken op Lisa's bed en trok haar spijkerbroek weer aan. 'Laat maar. Het doet er niet toe.'
'Wat dan? Valt je moeder je lastig omdat je kapster bent?'
'Nee, integendeel, ze heeft me gevraagd of ik al het haarwerk voor de kerstmodeshow kan doen.' Delaney keek op van haar gulp. 'Ze dacht dat ze me daarmee kon lijmen, zodat ik meedeed aan dat moeder-dochterdingetje, net als toen ik jong was.'
Lisa begon te lachen, 'Weet je nog dat gouden jurkje met de enorme sjerp en die strik op je kont?'
'Hoe zou ik die kunnen vergeten?' Ze trok haar angoratruitje weer aan en ging op de rand van haar bed zitten om haar Dr. Martens aan te trekken. 'En daarna gaat mijn moeder cruisen in de Cariben met Max Harrison.'
'Jouw moeder met Max?' Lisa kwam naast haar zitten. 'Wat raar, ik kan me jouw moeder niet met iemand anders voorstellen.'
'Ik denk dat het wel goed zit, met Max.' Ze had haar ene schoen gestrikt en was bezig met de andere. 'In elk geval, dit is voor het eerst sinds tien jaar dat ik thuis ben met kerst, en nou gaat zij ervandoor. Dat vind ik nogal typisch.'
'Je mag wel naar ons komen. Ik vier het met Louie en Sophie.'
Delaney stond op en reikte naar de jurk. 'Ik zie mezelf niet aan tafel zitten met de Allegrezza's.'

'Daar zit je anders wel mee aan tafel tijdens mijn huwelijks-diner.'

Nu begon Delaney wat angstig te worden en ze hing langzaam het jurkje op een hanger. 'Het is toch een lopend buffet?'

'Nee, het is een diner in het Lakeshore Hotel.'

'Ik dacht dat er alleen gedineerd werd na de generale repetitie.'

'Nee, dan is het buffet.'

'Hoeveel gasten zitten er aan het diner?'

'Vijfenzeventig.'

Delaney ontspande zienderogen. Met zoveel gasten zou het mak-kelijk zijn bepaalde leden van Louie's familie te ontwijken. 'Nou, als ik maar niet naast Benita zit. Die steekt me vast neer met een botermesje.' En Nick? Die was zo onvoorspelbaar dat ze niet durfde gissen wat hij zou doen.

'Zo onaardig is ze nou ook weer niet.'

'Niet tegen jou.' Delaney pakte haar jas en liep naar de deur.

'Denk nog even na over Kerstmis,' riep Lisa haar na.

'Goed,' beloofde ze, voordat ze wegreed, al was er geen schijn van kans dat ze tegenover Nick aan de kerstdis zou zitten. Wat een nachtmerrie. Dan moest ze de hele avond haar best doen om niet naar hem toe gezogen te worden en haar blik verre van zijn ogen en mond en handen houden. *Zorg er maar voor dat je hier in juni niet bent, anders kom ik halen wat je me al tien jaar ver-schuldigd bent.*

Ze was hem helemaal niets verschuldigd. Hij had haar gebruikt om het Henry betaald te zetten en dat wisten ze allebei. *En wan-neer was dat? Toen je mij smeekte je overal te strelen?* Ze had hem niet gesmeekt. Eerder gevraagd. En ze was zo jong en naïef geweest.

Delaney parkeerde haar sportwagen naast Nicks Jeep en holde de trap op. Ze wilde hem niet zien. Elke keer als ze dacht aan zijn mond op haar borst en zijn hand tussen haar benen, kreeg ze het al warm. Ze had het ter plekke met hem gedaan, daar op die bank, daar twijfelde ze niet aan. Het enige wat hij hoefde te doen was haar aanraken, en dan was ze al verkocht en deed ze alles voor hem. Hij kon haar doen vergeten wie hij was. Wie zij was

zelfs, en de geschiedenis die ze deelden. *Ik heb je nooit gebruikt.*
Ik zei dat je je geen zorgen moest maken en dat ik voor je zou
zorgen, maar je keek naar me alsof ik een of andere verkrachter
was en ging met Henry mee. Ze geloofde hem nu niet meer dan
destijds. Hij moest wel liegen. Maar waarom? Het was niet zo dat
hij heel erg zijn best had moeten doen om haar uit de kleren te
krijgen. Wat dat betreft had ze haar schaamte volledig laten
varen.

Ze legde haar jurk op de bank en reikte naar de Spaanse baret
van Nick die nog op de salontafel lag. Haar vingers streelden het
leren biesje en de zachte wol. Het deed er niet toe. Niets was veranderd. Die avond op Angel Beach was geschiedenis en moest het
ook blijven. Zelfs als Henry dat testament niet had opgemaakt,
dan nog was er geen toekomst voor hen beiden. Nick was een
hartenbreker en zij vertrok zodra het kon.

Met de baret in haar handen liep Delaney weer terug naar het
parkeerterrein. Nicks Jeep stond er nog steeds en ze deed het portier open. Het beige leren interieur voelde warm aan, alsof hij
vlak voor haar was aangekomen. Zijn sleuteltje zat nog in het
contact en er hing een Baskisch kruis aan de spiegel. Achterin
lagen een gereedschapskist, een verlengsnoer en drie blikken vul-
hout. Hij woonde al veel te lang in Truly, dat was duidelijk. Maar
als ze een dief was geweest, had ze er wel twee keer over nagedacht om iets te stelen van een Allegrezza. Ze legde de baret op
zijn stoel, draaide zich om en holde terug naar haar appartement.
Ze wilde niet dat hij een reden zou hebben om de trap op te
komen. Het was duidelijk dat zij geen greintje wilskracht had
waar het hem betrof, en het was maar beter hem zo veel mogelijk
te mijden.

Delaney ging binnen op de bank zitten en maakte zichzelf wijs
dat ze niet naar de geluiden van beneden luisterde. Ze luisterde
niet of ze gerinkel van sleutels of geknars van het grind onder zijn
werkschoenen hoorde. En ook al luisterde ze niet, ze hoorde toch
zijn kantoordeur opengaan en sluiten, zijn sleutels en laarzen.
Niets dan stilte hoorde ze toen hij zijn txapel vond en ze ver-
beeldde zich dat hij even omhoogkeek, in de richting van haar

appartement. De stilte duurde voort, terwijl ze haar oren spitste. Uiteindelijk kwam de motor van de Jeep tot leven en reed die het parkeerterrein af.

Delaney zuchtte diep en sloot haar ogen. Nu was het enige wat ze moest doorstaan het huwelijk van Lisa. Met vijfenzeventig gasten kon ze Nick makkelijk negeren. Hoe moeilijk kon dat zijn?

Hoofdstuk 14

Het was een nachtmerrie. Alleen was Delaney dit keer klaarwakker. De avond was zo mooi begonnen. De ceremonie was prachtig geweest. Lisa zag er beeldschoon uit en het fotomoment erna had niet al te lang geduurd. Ze was in Henry's Cadillac naar de kerk en naar het Lakeshore Hotel gereden met Ali, een nichtje van Lisa die een kapsalon had in Boise. Voor het eerst in lange tijd had ze het over haarmode kunnen hebben met een andere professional en, nog belangrijker, ze had Nick kunnen ontlopen.

Tot nu dan. Ze wist dat het een diner was, maar ze had niet geweten dat het hele gezelschap in hoefijzervorm zat en alle gasten elkaar konden zien. En ze wist niet dat er geplaceerd was, anders had ze haar naamkaartje wel verwisseld met dat van een ander, zodat ze deze nachtmerrie had kunnen ontlopen.

Onder de tafel veegde er iets langs Delaney's voet. Ze durfde erom te wedden dat het geen amoureuze muis was. Ze trok haar voeten onder haar stoel en staarde naar het restje ossenhaas met wilde rijst en groene asperges op haar bord. Op de een of andere manier was ze aan de kant van de bruidegom terechtgekomen, tussen Narcisa Hormaechea, die haar overduidelijk negeerde, en de man die zo zijn best deed dat ze hem niet kón negeren. Hoe meer zij probeerde te doen alsof Nick niet bestond, hoe meer hij haar aandacht trok. Zoals per ongeluk tegen haar arm stoten, zodat de rijst van haar vork viel.

'Heb je je handboeien meegenomen?' vroeg hij in haar linkeroor, terwijl hij reikte naar een fles Baskische rode wijn. De revers van zijn smoking streek langs haar arm.

Als een erotische film speelden voortdurend visioenen van zijn hete mond op haar ontblote borsten door haar hoofd. Ze kon niet eens naar hem kijken zonder te blozen als een maagd, al hoefde ze hem niet eens te zien om te weten wanneer hij zijn wijnglas naar zijn lippen bracht, of met zijn duim langs de steel van het glas streelde, of toen hij zijn zwarte vlinderdasje en het bovenste boordenknoopje losmaakte. Ze hoefde echt niets te zien om te weten dat hij zijn gesteven witte smokingoverhemd met het geplooide frontje en zwarte smokingjasje met dezelfde nonchalance droeg als zijn ruitjeshemd en spijkerbroek.

'Pardon.' Narcisa raakte Delaney even aan en dus draaide ze zich om naar de oudere vrouw, die aan weerszijden van haar perfecte opgestoken zwarte haren twee witte stroken droeg. Ze had haar wenkbrauwen gefronst en door de dikke brillenglazen van de achthoekige bril keken haar bruine kijkers op precies dezelfde manier als de bijziende bruid van Frankenstein. 'Mag ik de boter alsjeblieft?' vroeg ze, wijzend op het kommetje bij Nicks bord.

Delaney reikte naar de boter en deed daarbij haar uiterste best niets van Nick aan te raken. Ze hield haar adem in, wachtend tot hij iets grofs, onbeleefds of erotisch zou zeggen. Hij zweeg in alle talen en meteen was ze achterdochtig en vroeg zich af wat hij in petto had.

'Het was een prachtige ceremonie, vond je niet?' vroeg Narcisa aan iemand die verderop aan de tafel zat. Ze pakte het kommetje over van Delaney en negeerde haar vervolgens weer volkomen.

Delaney had niet verwacht dat Benita's zuster haar een warm hart zou toedragen. Ze keek naar het bruidspaar, dat aan beide zijden was omgeven door ouders en grootouders. Eerder die dag had ze Lisa's bruine haar ingevlochten en het zat in een prachtige krans op haar hoofd. Ze had er bloemen in gestoken en er was een stukje tule meegevlochten. Lisa zag er geweldig uit in haar jurk met blote schouders en lange mouwen en Louie was een kanjer in zijn zwarte rokkostuum. Iedereen rondom het bruidspaar zag er gelukkig uit en zelfs Benita Allegrezza had een glimlach op haar gezicht. Delaney kon zich niet heugen dat ze die vrouw ooit had zien glimlachen. Het verraste haar hoeveel jonger Benita eruitzag wanneer ze niet kwaad keek. Naast haar vader zat Sophie die haar haren in een eenvoudige paardenstaart droeg. Delaney had dolgraag haar volle zwarte haardos onder handen genomen, maar Sophie had erop gestaan dat haar grootmoeder haar kapte.

'Wanneer ben jij aan de beurt, Nick?' klonk het luid over tafel.

Nicks zachte lachen ging op in het geroezemoes in de ruimte. 'Ik ben te jong, Josu.'

'Te wild, zul je bedoelen.'

Delaney keek naar de spreker. Ze had Nicks oom al een hele tijd niet gezien. Josu was stevig gebouwd en had een stierennek en rode wangen. Dat laatste vooral door de grote hoeveelheden *vino* die hij tot zich nam.

'Je hebt gewoon de ware nog niet gevonden, maar ik weet zeker dat je een leuk Baskisch meisje kunt vinden,' voorspelde Narcisa.

'Geen Baskische, *tia*. Die zijn te koppig.'

'Jij hebt juist een koppige vrouw nodig. Jij bent knapper dan goed voor je is en je hebt een meisje nodig dat nee durft te zeggen. Niet iemand die altijd jaknikt. Je hebt een flink meisje nodig.'

Vanuit haar ooghoek zag Delaney Nicks lange vingers over het tafellaken vegen. Toen hij reageerde klonk zijn stem zacht en sensueel: 'Zelfs flinke meisjes zeggen uiteindelijk ja.'

'Je bent een ondeugd, Nick Allegrezza. Mijn zus heeft je te soft opgevoed en nu ben je veel te vrij. Maar ja, je neef Skip zit ook altijd achter de meisjes aan, dus misschien is het erfelijk.' Tante Narcisa zweeg en zuchtte. 'En, hoe zit het met jou?'

Het was uiteraard te veel gevraagd om te denken dat Narcisa het tegen haar had. Maar Delaney keek toch haar kant op en staarde in twee loeigrote bruine ogen. 'Ik?'

'Ben jij getrouwd?'

Delaney schudde haar hoofd.

'Waarom niet?' vroeg ze en bekeek Delaney vervolgens van top tot teen, alsof het antwoord daar ergens te vinden was. 'Je bent best aantrekkelijk.'

Niet alleen had Delaney genoeg van die vraag, ze werd het ook behoorlijk zat steeds weer behandeld te worden alsof er iets mis was met single zijn. Ze boog zich over Narcisa en fluisterde hard: 'Er is geen man die mij tevreden kan stellen. Mijn behoefte is niet te bevredigen.'

'Je maakt een grapje!'

Delaney beet op haar lip om niet te gaan lachen. 'Niet door-vertellen, want ik heb wel een paar eisen.'

Narcisa knipperde met haar ogen. 'Welke dan?'

Ze bracht haar mond wat dichter bij Narcisa's oor. 'Nou, hij moet op zijn minst zijn eigen tanden nog hebben.'

De oudere vrouw deinsde achteruit om Delaney eens goed te bekijken. Haar mond viel open. 'Mijn god.'

Delaney glimlachte liefjes en bracht haar glas naar haar mond. Ze hoopte dat Narcisa het onderwerp voorgoed zou laten rusten.

Nick tikte tegen haar arm met zijn elleboog en haar wijn klotste over de rand van het glas. 'Heb je nog meer briefjes gevonden sinds Halloween?'

Ze liet het glas zakken en veegde een druppel wijn van haar mond. Ze schudde haar hoofd en deed daarmee haar best om hem te negeren.

'Ben jij vandaag geraakt door de bliksem?' vroeg Nick, luid genoeg voor het hele gezelschap.

Voor de trouwerij had ze haar nieuwe blonde haren opgestoken, met een fikse kuif voorop. Nu ze weer blond was kon ze met dit kapsel zo de jaren zestig in. Delaney bracht haar ogen van zijn smokingoverhemd naar de holte onder zijn kin. Geen haar op haar blonde hoofd die hem in de ogen zou kijken. 'Ik vind het leuk zo.'

'Je hebt het weer geverfd.'

'Ik heb het teruggebracht naar zijn oorspronkelijke staat.' Ze kon de verleiding niet weerstaan en keek hem in het gezicht. 'Ik ben van nature blond.'

Hij krulde zijn mondhoeken in een glimlach. 'Dat weet ik nog wel, wilde bosmeid,' zei hij, waarna hij zijn lepel oppakte en ermee tegen zijn glas tikte. Toen het stil was stond hij op. Hij zag eruit als een model uit een bruidsblad. 'Als de getuige van mijn broer is het mij een eer om op hem en zijn bruid te proosten,' begon hij. 'Als mijn grote broer iets ziet wat hij graag hebben wil, gaat hij er blind voor. De eerste keer dat hij Lisa Collins ontmoette, wist hij al dat hij met haar verder wilde. Zij wist het zelf nog niet, maar ze had geen schijn van kans. Ik heb gezien hoe hij voortploeterde met een doorzettingsvermogen dat mij verbaasde en, moet ik toegeven, jaloers maakte.

Nog steeds kijk ik op tegen mijn grote broer. Hij heeft de ware liefde gevonden in een prachtige vrouw en ik ben heel blij voor hem.' Hij tilde zijn glas boven het hoofd. 'Op Louie en Lisa Allegrezza. *Ongi etorri*, Lisa. Welkom.'

'Op Lisa en Louie,' toostte Delaney met de andere gasten mee. Ze wierp een blik omhoog en zag hoe Nick zijn hoofd in zijn nek legde en zijn glas leegdronk. Daarna ging hij weer zitten, ontspannen en met zijn hand in een broekzak. Hij drukte zijn been tegen dat van haar, alsof het per ongeluk was. Ze wist wel beter.

'Ongi etorri,' echode Josu, waarna hij aan een Baskische yell begon die het midden hield tussen spottend lachen, het huilen van een wolf en het balken van een ezel. Andere mannelijke familieleden deden meteen mee en de hele eetzaal dreunde van het lawaai. Terwijl elke man probeerde de andere te overstemmen, boog Nick voor Delaney langs en pakte haar glas. Hij vulde het en daarna dat van hem. Zo typisch: hij vroeg het niet eerst. Heel even omgaf hij haar met de geur van zijn huid en aftershave. Haar hart begon sneller te slaan en ze werd een tikje duizelig toen ze de bedwelmende geur inademde. Even later was hij weg en kon ze zich weer ontspannen.

Nu was het de beurt aan Lisa's vader en ook hij tikte op zijn glas. 'Vandaag is mijn kleine meisje...' begon hij en Delaney schoof haar bord opzij en legde haar armen op tafel. Als ze zich concentreerde op het haar van meneer Collins, wat veel witter was dan ze zich herinnerde, en zijn–

Zacht streelde Nick met zijn vingers haar bovenbeen. Door de dunne panty voelde ze zijn vingertoppen van haar knie tot de zoom van haar jurk. Het was helaas een kort jurkje.

Delaney pakte onder de tafel zijn onderarm beet en hield zijn hand tegen, die juist onder de zoom wilde duiken. Ze keek naar hem, maar hij niet naar haar. Zijn aandacht was gericht op Lisa's vader.

'...op mijn dochter en mijn nieuwe zoon, Louie,' eindigde meneer Collins.

Met zijn vrije hand stak Nick zijn wijnglas omhoog en proostte op het echtpaar. Daarna nam hij twee grote slokken terwijl hij met zijn duim over Delaney's been aaide. Heen en weer ging hij over het gladde nylon. Een verwarrend gevoel dat ze inmiddels kende nestelde zich diep in haar onderbuik en ze drukte haar benen tegen elkaar. 'Breng jij geen toost uit?' vroeg hij.

Zo zacht mogelijk duwde ze zijn hand weg, maar hij bleef haar been vasthouden. Ze duwde wat harder en raakte per ongeluk Nicks tante.

'Wat is er?' vroeg Narcisa. 'Wat zit je te friemelen?'

Dat komt door je vrijgevochten neef die aan mijn dijbeen zit. 'Er is niets aan de hand, hoor.'

Nick kwam wat dichterbij en fluisterde: 'Zit stil, anders denken ze dat we zitten te flikflooien onder tafel.'

'Dat komt door jou!'

'Weet ik.' Hij glimlachte en wendde zich tot zijn oom. 'Josu, hoeveel schapen heb je dit jaar?'

'Twintigduizend. Zoek je soms een bijbaantje, net als toen je jong was?'

'Geen denken aan.' Hij wierp haar een schuinse blik toe en grinnikte. 'Ik heb mijn handen vol.' Zijn warme handpalm gloeide op haar been en Delaney bleef doodstil zitten en deed net of de hitte die van Nicks hand afstraalde niet door haar hele lichaam ging als een warme gloed. Van haar benen naar haar bovenlichaam, haar borsten en kruis in vuur en vlam zettend. Ze pakte zijn pols steviger vast, maar wist niet langer of ze nu wilde voorkomen dat zijn hand verder omhoogging, of probeerde zijn hand op zijn plek te houden.

'Nick.'

Hij boog zijn hoofd naar haar toe. 'Ja?'

'Laat me los.' Ze plakte een glimlach op haar gezicht, alsof ze gezellig zaten te kletsen en ze keek eens om zich heen. 'Iedereen kan het zien.'

'Tafellaken is te lang. Heb ik gecheckt.'

'Waarom zit ik eigenlijk naast jou?'

Hij reikte naar zijn wijn en sprak van achter het glas: 'Ik heb jouw naambordje verwisseld met dat van mijn tante Angèle. Dat is die gemene dame die daar zit met haar tas in de handen geklemd, alsof ze elk moment overvallen kan worden. Ze is net een rottweiler.' Hij nam een slok. 'Jij bent veel leuker.'

Angèle had een gezicht als een donderwolk. Haar haar zat strak in een knot en haar donkere wenkbrauwen hingen laag over haar ogen. Kennelijk had ze het niet naar haar zin bij Lisa's familieleden. Delaney's blik gleed langs Nicks moeder, aan de andere kant van het bruidspaar. Benita's donkere blik keek terug en Delaney herkende die wel, omdat ze er vroeger al bang voor was geweest. De blik zei: ik hou je in de gaten, want ik vertrouw je niet.

Delaney wendde zich tot Nick en fluisterde: 'Je moet ophouden. Je moeder kijkt naar ons. Ik denk dat ze het doorheeft.'

Hij keek haar aan en liet zijn blik naar zijn moeder glijden. 'Wat heeft ze door?'

'Ik krijg het boze oog van haar. Ze weet waar jij je hand hebt gelaten.' Delaney tuurde over haar schouder naar Narcisa, maar die was in gesprek met iemand anders. Alleen Benita leek acht op hen te slaan.

'Ontspan je.' Zijn hand gleed nog een centimeter hoger en nu liet hij zijn vingers in de richting van het elastiek van haar onderbroekje glijden.

Ontspan je. Delaney wilde haar ogen sluiten en luid kreunen.

'Ze weet helemaal niets.' Hij zweeg even en zei toen: 'Behalve dan dat je je tepels kunt zien terwijl het hier helemaal niet koud is.'

Delaney keek snel naar beneden en zag haar tepels door het rode fluweel heen priemen. 'Eikel.' Ze duwde met kracht zijn hand weg en schoof tegelijkertijd haar stoel naar achteren. Met haar fluwelen tasje in de hand verliet ze de eetzaal en snelde door twee nauwe gangen, tot ze de dames-wc vond. Eenmaal binnen haalde ze diep adem en bestudeerde zichzelf in de spiegel. In het tl-licht waren haar wangen knalrood en haar ogen glinsterden opvallend.

Er was overduidelijk iets mis met haar. Iets maakte haar hersendood als Nick in de buurt was. Iets wat ook toestond dat hij haar mocht aanraken in een ruimte bomvol andere mensen.

Ze gooide haar tasje op het plankje en hield een papieren handdoek onder de koude kraan. Ze drukte hem tegen haar verhitte gezicht en ademde diep in. Misschien had ze te lang geen seks gehad en leed ze aan de gevolgen van seksuele onthouding. Hunkerde ze naar aandacht en liefde, zoals een zwerfkat.

Achter haar werd doorgetrokken en kwam een hotelmedewerkster uit een hokje tevoorschijn. Terwijl de vrouw haar handen waste, deed Delaney haar tasje open en haalde er haar Rebel Red lippenstift uit.

'Als u bij de bruiloft hoort, ze snijden zo de taart aan, hoor.'

Delaney keek de vrouw via de spiegel aan en bracht de lippenstift aan op haar onderlip. 'Dank je. Dan ga ik maar snel terug.' Ze wachtte tot de vrouw weg was en liet de stift weer in haar tasje vallen. Daarna bracht ze met natte vingers haar kapsel weer in model door het van voren glad te strijken. Als Lisa en Louie de taart gingen aansnijden, dan was het diner officieel voorbij en hoefde ze niet langer naast Nick te zitten.

Ze griste haar tasje mee en zwaaide de deur open. Nick stond tegen de tegenoverliggende muur van het benauwde gangetje te wachten. De panden van zijn smokingjasje waren opzijgeschoven, omdat zijn handen in zijn broekzakken staken. Toen hij haar zag, zette hij zich af van de muur.

'Blijf uit mijn buurt, Nick.' Ze stak haar hand bezwerend op. 'Dat kan ik niet,' zei hij zacht. Hij trok haar tegen zich aan en duwde ruw zijn mond op haar lippen in een vurige zoen die haar compleet verdoofde. Hij smaakte naar passie en warme wijn. Zijn tong ging als een razende tekeer en toen hij haar liet gaan, hijgde hij hevig, alsof hij zojuist had hardgelopen.

Delaney legde een hand over haar bonzende hart en proefde hem nog op haar lippen. 'Dit kunnen we hier niet doen.'

'Je hebt gelijk.' Hij pakte haar hand en trok haar mee door het gangetje tot hij een open bezemkast vond. Eenmaal binnen zette hij haar met haar rug tegen de gesloten deur. Delaney kreeg nog net een indruk mee van de witte handdoeken, dweilen en emmers en toen had hij haar helemaal omgeven met zijn lichaam. Hij kuste haar, streelde haar overal waar zijn handen bij konden. Haar handpalmen gleden via de plooien in zijn smokinghemd naar zijn warme hals, waarna ze met haar vingers door zijn haren ging. De kus werd steeds vuriger en was één chaos van monden en tongen en lippen. Ze rukten elkaars kleding los. Haar tasje viel op de grond toen ze zijn jasje omlaag schoof. Ze schopte haar pumps uit en ging op haar tenen staan. Alsof ze volledig bezeten was, klemde ze haar been om zijn heupen en perste zich tegen zijn flinke stijve.

Hij kreunde van genot, diep vanuit zijn borst klonk het, en trok zich wat terug om haar met van lust omfloerste ogen aan te kunnen kijken. 'Delaney,' zei hij met schorre stem, waarna hij haar naam herhaalde, alsof hij niet kon geloven dat ze voor hem stond. Hij kuste haar op haar gezicht, haar hals, haar oor. 'Zeg me dat je me wilt.'

'Ik wil je,' fluisterde ze. Eindelijk had ze zijn jasje omlaag gestroopt.

'Zeg het.' Hij wurmde zich uit zijn smokingjasje en wierp het opzij. Ineens lagen zijn handen op haar borsten en hij streelde haar harde tepels door de fluwelen stof en de beha eronder. 'Zeg mijn naam.'

'Nick.' Ze drukte kusjes in zijn hals tot aan de holte onder zijn kin. 'Ik wil je, Nick.'

'Hier?' Zijn handen streelden haar heupen en haar achterste, hij drukte haar tegen zich aan, ritmisch tegen haar kruis bewegend.

'Ja.'

'Nu? Waar iedereen zomaar binnen kan lopen?'

'Ja.' Het kon haar niets meer schelen. Ze verlangde zo hevig naar hem, zo hol voelde ze zich in haar hunkering naar hem en zo verlangde ze naar het genot dat hij haar zou schenken. 'Zeg tegen me dat jij ook naar mij verlangt.'

'Ik heb altijd al naar je verlangd,' hijgde hij in haar haren. 'Altijd al.'

De spanning in haar lichaam was inmiddels zo hevig dat ze alles om zich heen vergat. Ze wilde nú boven op hem klimmen. In hem klimmen, en daar voor altijd blijven. Hij bleef zijn stijve ritmisch tegen haar kruis wrijven, dat zinderde van opwinding.

Nick maakte haar been los, trok de zoom van haar jurk en onderjurk met één haal omhoog en hield ze daar, terwijl hij met zijn andere hand haar panty en zijden onderbroekje tot aan haar knieën omlaag schoof. Daarna zette hij zijn voet in het kruis van haar ondergoed en panty en duwde de kledingstukken verder naar beneden. Delaney schopte ze weg en liet zijn hand zijn weg vinden tussen hun lichamen, tot hij haar tussen haar benen kon betasten. Zijn vingers vonden haar vochtige vlees en ze sidderde, voelde hoe ze langzaam maar zeker, bij elke streling, naar een climax toewerkte. Er ontsnapte een kreun aan haar lippen, een hese uitdrukking van hunkering.

'Ik wil diep in jou klaarkomen.' Zijn blik zocht de hare en hij trok zijn bretels omlaag, zodat ze langs zijn benen bungelden. Met beide handen trok hij de wollen broek los, eerst worstelend met de knoop, daarna met de rits. Delaney hielp hem en trok zijn katoenen onderbroek omlaag. Zijn penis viel zwaar in haar hand, groot en hard en zo zacht als geboend teakhout. De huid stond strakgespannen en rustig duwde hij zijn geslacht door haar handen. 'Ik moet je nemen – hier en nu.'

Nick tilde haar op en ze sloeg nu beide benen om zijn middel en haar armen om zijn nek. Ze voelde de zachte kop van zijn erectie tegen haar gladde vaginaopening kloppen. Hij reikte tussen hen beiden door naar de schacht van zijn penis om deze te sturen. Toen duwde hij haar omlaag terwijl hij tegelijkertijd bij haar naar binnen stootte, waardoor ze vanbinnen werd uitgerekt en haar erotische waas even werd onderbroken door een pijnscheut. Maar een tel later had hij zich diep bij haar naar binnen gewerkt. En was er niets meer dan intens genot. De penetratie was zo krachtig en compleet, dat zijn knieën knikten en heel eventjes was ze bang dat hij haar zou laten vallen, maar dat was niet zo. Hij pakte haar bekken nog steviger beet, trok zich terug en stootte nog dieper bij haar naar binnen. 'Godskolere,' hijgde hij terwijl zijn sterke lichaam met het hare tegen de deur aan viel. Raspend en hijgend probeerde hij adem te halen en zijn adem streelde haar voorhoofd en slaap. Het was het geluid van zijn genot dat gelijk opging met het hare.

Ze omknelde hem nog steviger met haar benen en ze bewoog met hem mee, eerst langzaam, toen sneller en sneller omdat de druk werd opgevoerd. Ze hoorde haar hart bonzen in haar oren terwijl hij bij haar naar binnen bleef beuken, keer op keer; haar bij elke heupstoot dichter bij een orgasme brengend. Zoals hun paargedrag grensde aan iets dierlijks, zo was er weinig bedaards aan de intense climax die erop volgde. Ze werd erdoor opgetild, neergesmeten en binnenstebuiten gekeerd. Rilling na rilling overspoelde haar, deed haar lichaam schudden en benam haar de adem. Ze voelde zich gewichtloos, maar tegelijkertijd klonk er een geluid als een orkaan in haar hoofd. Ze kromde haar rug en klauwde naar zijn overhemd. Ze wilde schreeuwen en opende haar mond, maar het geluid verstierf in haar droge keel. Twee sterke armen drukten haar tegen zijn borst, zijn brede schouders schudden en hij hield haar stevig vast terwijl de ene na de andere heerlijke golf haar bleef overmannen. Haar spieren spanden zich, ontspanden zich en hielden hem daardoor diep in haar gevangen. Toen haar spasmen langzaam afnamen, begonnen die van hem. Een dierlijk gekreun ontsnapte hem toen hij voor de laatste keer naar binnen drong. Ze voelde zijn spieren onder haar spannen en hij fluisterde nog eenmaal haar naam.

Toen het voorbij was, voelde ze zich beurs, alsof ze net een robbertje had gevochten. Nick leunde met zijn voorhoofd tegen de deur tot zijn ademhaling langzaamaan normaler werd en hij wat naar achteren week om haar aan te kunnen kijken. Hij zat nog steeds diep in haar. Hun kleding zag er niet uit. Heel voorzichtig trok hij zichzelf terug en zette zij haar voeten op de grond. Haar jurk gleed vanzelf weer omlaag langs haar heupen en benen. Met zijn grijze ogen keek hij haar aandachtig aan, al zei hij niets. Langer bleef hij haar aankijken, bij elke verstrijkende seconde leek hij meer op zijn hoede. Toen reikte hij naar zijn broek en trok hem omhoog.

'Ga je niets zeggen?'

Hij keek haar even aan, maar richtte zijn blik weer naar beneden. 'Je gaat me toch niet vertellen dat jij het type vrouw bent dat na de daad wil praten?'

Er was zojuist iets moois en iets vreselijks tegelijk gebeurd. Ze wist niet wat het precies was. Het was meer dan gewoon seks. Ze had in het verleden best wat orgasmen gehad, en ook best hele intense, maar wat ze daarnet had meegemaakt was echt veel meer geweest. Meer dan beukende golven of bevende aarde. Nick Allegrezza had haar naar een plek meegevoerd waar ze nooit eerder was geweest en ze voelde eigenlijk de behoefte om ergens stilletjes te gaan zitten huilen. Er ontsnapte een snik aan haar keel en ze drukte haar hand tegen haar mond. Ze wilde niet huilen. Ze wilde niet dat hij haar zou zien huilen.

Zijn hoofd schoot omhoog op het moment dat hij zijn overhemd weer in zijn broek deed. 'Huil je nu?'

Ze schudde haar hoofd, maar haar ogen liepen vol tranen.

'Ja dus.' Hij stak zijn armen door zijn bretels en liet ze luidruchtig op hun plaats veren.

'Nee hoor.' Hij had haar daarnet het heerlijkste genot van haar leven bezorgd en nu stond hij zich kalmpjes aan te kleden alsof dit hem dagelijks overkwam. Misschien was dat wel zo. Ze wilde gaan schreeuwen. Haar vuist ballen en hem er een klap mee verkopen. Zij dacht dat ze iets speciaals hadden gedeeld, maar kennelijk was dat niet het geval geweest. Ze voelde zich beurs en naakt. Ze kon nog precies voelen waar hij haar had geraakt. Als hij iets naars zou zeggen, brak ze vast en zeker. 'Doe me dit niet aan, Nick.'

'Het leed is al geleden,' zei hij, terwijl hij zijn jasje opraapte. 'Vertel me ten minste dat je iets van anticonceptie gebruikt.'

Ze voelde het bloed uit haar gezicht wegtrekken en schudde haar hoofd. Ze rekende uit wanneer ze voor het laatst ongesteld was geweest en dat bracht iets van opluchting. 'Het is gelukkig het verkeerde moment om zwanger te worden.'

'Schatje, ik ben katholiek. Er zijn al zoveel katholieken verwekt op het verkeerde moment.' Hij stak zijn armen door de mouwen en rechtte zijn kraag. 'Ik ben al tien jaar niet vergeten een condoom te gebruiken. Hoe zit het met jou?'

'Eh…' Ze was een vrouw van haar tijd. Ze had volledig controle over haar lijf en leden, maar om de een of andere reden kon ze hier niet over spreken met Nick zonder zich te schamen. 'O.'

'Wat betekent "Eh… O"?'

'Dat jij de eerste bent sinds een hele lange tijd. Hiervoor was ik altijd heel voorzichtig.'

Hij bleef haar even aankijken. Toen zei hij: 'Oké', en wierp haar haar panty en slipje toe. 'Waar is je jas?'

Ze drukte de kledingstukken tegen zich aan, was ineens schuw. Een vreemde, veel te late reactie, zeker gezien wat ze nog maar een paar minuten ervoor in haar handen had gehad. 'Aan de kapstok bij de deur. Hoezo?'

'Ik breng je naar huis.'

Naar huis klonk heerlijk.

'Kleed je snel aan, voordat een kamermeisje ineens een handdoek nodig heeft.' Zijn ondoorgrondelijke blik bleef haar volgen, terwijl hij zijn manchetten rechttrok. 'Ik ben zo terug,' zei hij en opende behoedzaam de deur. 'Niet weggaan dus.'

Zodra ze alleen was, doorzocht Delaney de ruimte. Ze vond haar tasje bij haar linkervoet. Een pump lag onder een keukentrap, de andere naast een emmer. Zonder Nick als afleiding, kwamen de gedachten en verwijten keihard op haar af. Ze kon niet geloven wat ze zojuist had gedaan. Ze had onbeschermde seks gehad met Nick Allegrezza in een bezemkast in het Lakeshore Hotel. Ze had volledig de controle verloren doordat hij haar begon te zoenen, en als ze de gevolgen daarvan niet nog steeds kon voelen, zou ze het vast niet eens willen geloven.

Ze ging op het keukentrapje zitten en trok haar slipje en panty weer aan. Amper een maand geleden had ze Louie nog op het hart gedrukt dat zij en Nick niets zouden uitspoken op zijn huwelijk, maar ze had net een wild avontuurtje beleefd met zijn broer, achter een onafgesloten deur, waar iedereen hen had kunnen betrappen. Als iemand hierachter zou komen, dan kwam ze de roddels nooit te boven. Dan moest ze gewoon een einde aan haar leven maken.

Net toen ze haar panty omhoog had getrokken en haar voeten in de pumps stak, ging de deur open en stapte Nick binnen. Ze kon amper naar hem kijken, maar hij hield haar jas voor haar omhoog. 'Ik moet tegen Lisa zeggen dat ik weg ben.'

'Ik heb gezegd dat je ziek bent en dat ik je naar huis breng.'

'En geloofde ze je?' Ze wierp een vluchtige blik omhoog, en stak haar armen in haar wollen jas.

'Narcisa zag jou op een holletje de eetzaal verlaten en zei tegen iedereen dat je cruitzag als een lijk.'

'Goh, misschien moet ik haar daarvoor bedanken.'

Ze verlieten het hotel via een zijdeur. Buiten viel een donzige sneeuw uit de donkere lucht, die op hun haren en schouders bleef liggen. Een laagje bleef onder Delaney's schoenen plakken toen ze naar Nicks Jeep liep. Ze slipte en als Nick haar niet had vastgegrepen bij haar bovenarmen was ze op haar gat in de sneeuw terechtgekomen. Hij bleef haar stevig vasthouden terwijl ze over de gladde parkeerplaats liepen, zwijgend en alleen vergezeld door het knerpende geluid van de sneeuw onder hun schoenzolen.

Hij hielp haar de Jeep in klimmen, maar wachtte niet tot de auto helemaal was opgewarmd en reed direct weg van het Lakeshore. Binnen was het aardedonker en het rook naar leren bekleding en naar Nick. Hij moest even later stoppen bij een stoplicht en reikte naar haar, trok haar bijna over de pook heen. Met zijn vingertoppen streelde hij haar wangen en keek haar zwijgend aan. Daarna drukte hij zacht zijn lippen op haar mond, kuste haar een keer, tweemaal en een derde maal het langst.

Toen het groen werd fluisterde hij: 'Doe je gordel eens vast.' De brede banden van de Jeep draaiden doelloos rond in de verse sneeuw, tot ze weer tractie kregen en ze weg konden rijden. De frisse lucht van de ventilator koelde Delaney's verhitte gezicht. Ze begroef haar kin in haar jas en wierp een zijdelingse blik op Nick. Het licht van het dashboard gaf zijn gezicht en handen een groene gloed. De inmiddels gesmolten sneeuw glinsterde als kleine smaragdjes in zijn donkere haar en op de schouders van zijn smokingjasje. Een lantaarn verlichtte een paar tellen het interieur van de auto en hij reed hard langs haar kapsalon.

'Je had moeten afslaan voor mijn appartement.'

'Nee hoor.'

'Je zou me toch naar huis brengen?'

'Jawel, naar mijn huis. Dacht je dat we al klaar waren?' Hij schakelde terug en sloeg links af om langs het meer te rijden. 'We zijn nog niet eens begonnen.'

Ze draaide zich om en keek zijn kant op. 'Waarmee begonnen, bedoel je?'

'Wat we daar in die kast hebben gedaan was maar het begin.'

De gedachte aan zijn naakte lichaam tegen haar aan gedrukt was niet bepaald afschrikwekkend. Sterker, ze kreeg het er weer warm van. Zoals Nick eerder al had gezegd, het leed was al geleden. Waarom zou ze het bed niet delen met een man die er heel goed in was haar lichaam op een manier tot leven te wekken die ze zelf onmogelijk achtte? Ze had al zo lang niets beleefd op dat gebied, en zou op korte termijn niet bepaald een beter aanbod kunnen verwachten. Maar daar zou ze zich morgen druk over maken. 'Probeer je me nu duidelijk te maken – op de macho manier die jou zo eigen is – dat je weer de liefde met me wil bedrijven?'

Hij keek haar even aan. 'Ik probeer je helemaal niets duidelijk te maken. Ik wíl je gewoon. En jij wilt mij. In elk geval gaat iemand vannacht slapen met een grote gelukzalige glimlach op haar gezicht.'

'Ik weet het niet hoor, Nick, misschien wil ik na de daad wel even kletsen. Denk je dat je dat aankunt?'

'Ik kan alles aan wat jij bedenkt, en zelfs nog wat dingen waar jij nog niet aan gedacht hebt.'

'Heb ik nog iets in te brengen?'

'Zeker, wilde bosmeid. Ik heb vier slaapkamers. Jij mag kiezen welke we het eerste gebruiken.'

Daar maakte Nick haar niet bang mee. Ze wist dat hij haar niet zou dwingen iets te doen wat ze niet wilde. Alleen liet ze, als hij in de buurt was, elke pretentie van een eigen vrije wil varen.

De Jeep ging langzamer rijden en draaide een brede oprit in, die aan beide zijden was omzoomd met Ponderosa-dennen en steile sparren. Uit het duistere bos rees een enorm huis op, dat was gemaakt van hele sparren en van het graniet dat de oevers omgaf. De kathedrale vensters verspreidden een schitterend licht op de pas gevallen sneeuw. Nick reikte naar de afstandsbediening op zijn zonneklep en daar ging de middelste van drie garagedeuren al omhoog. De fourwheel paste precies tussen zijn boot en zijn Harley in.

Vanbinnen was het huis net zo indrukwekkend als vanbuiten. Veel balken, gedempte kleuren en natuurlijke stoffen. Delaney stond voor de batterij vensters naar buiten te kijken. Het sneeuwde nog steeds en de witte vlokken lagen op de reling van het terras en belandden ook in de jacuzzi. Nick had haar jas van haar aangenomen, maar het verbaasde haar dat ze het niet koud had in deze ruimte met de hoge ramen en plafonds.

'Wat vind je ervan?'

Ze draaide zich om en wachtte tot hij dichterbij kwam. Hij had zijn jasje en schoenen uitgedaan. Hij had het tweede knoopje van zijn overhemd ook losgemaakt en de mouwen opgerold. De zwarte bretels spanden zich over zijn brede borst. Hij gaf haar een Budweiser en nam een slok uit zijn eigen flesje. Terwijl hij dronk keek hij haar aan en ze kreeg het gevoel dat haar antwoord voor hem veel belangrijker was dan hij zou willen toegeven.

'Het is schitterend en zo groot. Woon je hier alleen?'

Hij liet het flesje zakken. 'Natuurlijk. Met wie zou ik hier wonen?'

'Nou, ik weet het niet. Een gezin met drie kinderen of zo.' Ze keek omhoog, naar het traphek waarachter, zo vermoedde ze, de vier slaapkamers schuilgingen waar hij het over had gehad. 'Heb je plannen voor een groot gezin in de toekomst?'

'Ik heb geeneens plannen om te trouwen.'

Zijn antwoord deed haar goed, al begreep ze niet waarom. Het was niet zo dat het haar iets kon schelen als hij zijn leven met een andere vrouw wilde delen. Of haar wilde zoenen, met haar wilde vrijen of haar wilde overrompelen met zijn strelingen.

'Geen kinderen dus... tenzij jij zwanger bent.' Hij keek naar haar buik, alsof hij daar al wat kon zien. 'Wanneer weet je dat?'

'Ik weet het al, er is niks.'

'Ik hoop dat je gelijk hebt.' Hij liep naar het raam en staarde de nacht in. 'Ik weet dat alleenstaande vrouwen tegenwoordig met opzet zwanger worden. Dat je een bastaard bent heeft niet langer het stigma van vroeger, maar het maakt het nog steeds niet makkelijk. Ik weet hoe het is om zo op te moeten groeien. Dat wil ik een kind niet aandoen.'

De Y-vorm van zijn bretels strekte zich via zijn rug over zijn brede schouders. Ze wist nog dat zijn moeder en Josu in het auditorium zaten voor de schoolvoorstellingen. Henry en Gwen zaten daar dan ook ergens. Ze had er nooit aan gedacht hoe vervelend dat voor Nick moest zijn geweest. Ze zette haar flesje op een kersenhouten tafeltje en liep naar hem toe.

'Jij bent niet zoals Henry. Jij zou altijd je eigen kind erkennen.' Ze wilde haar handen om zijn middel leggen en haar wang tegen zijn rug vleien, maar ze deed het niet. 'Henry draait zich vast om in zijn graf.'

'Waarschijnlijk is ie zielsgelukkig.'

'Hoezo? Hij wilde toch dat wij niet–' Ze sperde haar ogen wijd open. 'O, nee! Nick, ik ben dat testament helemaal vergeten. Jij ook, denk ik.'

Hij draaide zich om. 'Het is me inderdaad heel even ontschoten.'

Ze keek hem diep in de ogen. Hij leek helemaal niet van streek. 'Ik zal het niemand vertellen. Ik hoef dat land niet. Dat beloof ik je.'

'Dat moet je zelf weten.' Hij veegde een lok haar uit haar gezicht en streelde zacht haar oorschelp. Daarna nam hij haar hand en leidde haar naar boven, naar zijn slaapkamer.

Terwijl ze de trap opliepen, dacht ze aan het testament van Henry en de gevolgen van deze avond. Nick kwam op haar niet over als iemand die ook maar iets zou vergeten, vooral niet een erfenis van vele miljoenen. Hij moest wel zoveel om haar geven als zij langzaamaan vreesde dat zij om hem gaf. Hij zette heel wat op het spel met haar, terwijl zij alleen haar zelfrespect dreigde te verliezen. Eerlijk gezegd voelde ze zich helemaal niet vies of gebruikt, als ze erover nadacht. Nu niet – misschien de volgende ochtend.

Delaney stapte de kamer in, waar een dik lichtgekleurd tapijt lag en twee mooie luiken leidden naar een balkon. Er stond een groot, eenvoudig houten bed, met daarop een gestreepte beige sprei en naturelkleurige kussens. Nick wierp zijn sleutels op een kastje, vlak naast een krant. Er was nergens een dessin of een bloemetje te zien, geen kantjes of andere franjes. Het was een mannenkamer. Er hing een gewei aan de schoorsteen. Het bed was slordig opgemaakt en er hing een spijkerbroek over een stoel.

Terwijl hij hun bierflesjes op een nachtkastje zette, ging Delaney aan de slag met de zwarte knoopjes van zijn smokingoverhemd. Toen ze die los had hing het hemd open tot zijn navel. 'Het wordt tijd dat ik jou eens helemaal naakt zie,' zei ze en legde haar handen op zijn warme vel. Met haar vingers doorkamde ze de zachte haren die vanaf zijn navel omhooggingen. Ze duwde de witte stof en de bretels van zijn schouders en naar beneden.

Hij verfrommelde het overhemd tot een bal en wierp het op de grond. Ze liet haar blik gaan over zijn gladde huid, de gespierde borstkas en de donkere tepels omgeven door zwart haar. Ze slikte en vroeg zich af of ze opzichtig kwijlde. Er kwam maar één woord in haar op. 'Wauw,' zei ze en legde haar hand op zijn platte buik. Ze streek over zijn ribbenkast en keek in zijn grijze ogen. Hij bestudeerde haar van achter zijn volle wimpers, terwijl zij hem helemaal uitkleedde tot op zijn onderbroek. Hij was prachtig. Hij had lange, zeer gespierde benen. Ze betastte de tatoeage om zijn biceps. Ze streelde zijn borst en schouderpartij en liet haar handen over zijn rug en billen gaan. Toen ze de ontdekkingstocht naar beneden verplaatste, pakte hij haar bij haar arm en nam het over. Heel rustig kleedde hij haar uit en legde haar op de zachte lakens. Met zijn warme lichaam ging hij op haar liggen en bedreef uitvoerig de liefde met haar.

Dit keer raakte hij haar heel anders aan. Hij streelde haar hele lichaam en verleidde haar met heerlijke zoenen. Hij plaagde haar door haar tepels met zijn warme mond en tong te bewerken en toen hij haar penetreerde, waren zijn bewegingen rustig en gecontroleerd. Hij pakte haar gezicht tussen beide handen en keek haar aan, terwijl hij zichzelf bedwong en haar helemaal gek maakte.

Ze voelde hoe ze richting een orgasme werd gevoerd en haar ogen sloten zich.

'Doe je ogen eens open,' zei hij schor. 'En kijk me aan. Ik wil dat je mij ziet als je klaarkomt.'

Ze deed haar ogen weer open en keek recht in zijn intense blik. Er was iets wat haar dwarszat aan zijn verzoek, maar ze kon er niet over nadenken omdat hij nu harder en dieper bij haar naar binnen stootte en ze sloeg een been om zijn billen en vergat alles en iedereen, behalve de hete siddderingen in haar lichaam die in hevigheid toenamen.

Pas tegen de volgende ochtend vroeg, toen hij haar goedendag zoende bij haar voordeur, dacht ze weer aan zijn dwingende verzoek. Terwijl ze toekeek hoe hij wegreed, herinnerde ze zich die blik in zijn ogen toen hij haar gezicht met twee handen omklemde. Het was alsof hij haar vanuit de verte bekeek en tegelijk verlangde dat zij erkende dat het Nick Allegrezza was die haar vasthield en kuste en naar een hoogtepunt bracht.

Hij had in zijn bed, en later in de jacuzzi, de liefde met haar bedreven op een manier die in niets leek op het gehaaste en hongerige paren in de bezemkast, toen hij haar zo hunkerend en met een gretigheid had aangeraakt die hij niet onder controle leek te hebben. Ze had zich nog nooit zo gewild gevoeld als toen hij haar tegen zich aan had gedrukt in het Lakeshore Hotel. 'Ik moet je hebben – nu,' had hij gezegd, even wanhopig naar haar verlangend als zij naar hem. Die Nick was zo vurig en gulzig geweest, en daar verlangde ze meer naar dan de lieve en rustige liefkozingen van later die avond.

Delaney sloot de voordeur achter zich en deed haar jas uit. Ze hadden niets gezegd over een volgende afspraak. Hij had niet gezegd dat hij haar wel zou bellen. En hoewel ze wist dat het waarschijnlijk het beste was, voelde ze de teleurstelling diep in haar hart. Nick was het type man waarop een meisje niet kon bouwen, afgezien van geweldige vrijpartijen, daarom was het beter niet over een volgende keer na te denken. Dat was beter, maar tegelijkertijd onmogelijk.

De zon kwam op boven de boomtoppen, die bedekt waren met sneeuw. Een zilverkleurig licht kroop van het gedeeltelijk bevroren meer naar de dikke muren van Nicks huis. Hij stond achter de openslaande deuren in zijn slaapkamer en keek toe hoe het zonlicht zich verspreidde over het balkon, de schaduwen van de schemering wegjagend. De sneeuw glinsterde, alsof deze vol zat met kleine diamantjes, zo fel dat hij gedwongen werd zijn hoofd weg te draaien. Zijn blik viel daarbij op zijn bed waar dekbed en sprei aan het voeteneind lagen.

Nu wist hij het. Nu wist hij hoe het was om haar vast te houden en haar aan te raken zoals hij altijd had gewild. Nu wist hij hoe het voelde zijn oudste fantasie uit te leven, Delaney in zijn bed, kijkend in zijn ogen terwijl hij zich diep in haar naar binnen stootte. Zij die naar hem verlangde. Hij die haar liet klaarkomen.

Nick had heel wat vrouwen gehad. Misschien wel meer dan sommige andere mannen, maar minder dan men dacht. Hij had vrouwen gehad die van snel hielden, of juist van langzaam. Die allerlei standjes wilden, of juist alleen de missionarishouding. Vrouwen die vonden dat hij het leeuwendeel voor zijn rekening moest nemen en vrouwen die alleen maar bezig waren met hem bevredigen. Met sommigen ontwikkelde zich een vriendschap, anderen zag hij nooit meer. De meesten wisten wat ze met hun handen en monden konden uitrichten, een paar had hij meegenomen in een dronken bui, waarna hij ze direct vergeten was. Maar geen van hen had hem zo zijn zelfbeheersing doen verliezen als Delaney.

Vanaf het moment dat hij haar die bezemkast in had getrokken was er geen weg meer terug geweest. Zodra ze hem was gaan zoenen alsof ze hem op wilde vreten, haar been om hem heen had geslagen en tegen zijn stijve was gaan rijden, was er niets wat hem kon tegenhouden om zich te verliezen in haar heerlijke geile lijf – Henry's testament niet en zeker niet het idee dat iemand hen kon betrappen. Niets was belangrijker geweest dan haar te nemen. En toen het zover was, zakte hij bijna door zijn hoeven. Dat had hem tot in de kern geraakt, had alles wat hij over seks wist veranderd. Seks kon langzaam zijn en vanzelf gaan. Het kon snel zijn en zweterig. Maar niet eerder had hij het beleefd zoals met Delaney. Nooit eerder was hij er zo van ondersteboven geraakt.

Nu wist hij het en hij wilde dat het niet zo was. Het vrat aan hem en daardoor haatte hij haar aan de ene kant, en wilde hij haar vasthouden en haar nooit meer laten gaan aan de andere kant. Maar ze zou vertrekken. Wegracen uit Truly in haar knalgele autootje.

Nu wist hij het, en het was de hel.

Hoofdstuk 15

Delaney streek met haar vingers door het natte haar op Lanna's achterhoofd en bestudeerde haar in de spiegel. 'Wat vind je ervan als ik het hier afknip?' vroeg ze, met haar handen een boblijn aangevend. 'Je hebt een kaaklijn die kort genoeg is voor een korte bob. Ik zal het van achteren dan mooi opknippen.'

Lanna hield haar hoofd schuin en bestudeerde haar spiegelbeeld. 'En een pony?'

'Je hebt een redelijk breed voorhoofd, dan heb je geen pony nodig.'

Lanna haalde diep adem en zuchtte. 'Oké, we gaan ervoor.'

Delaney pakte haar kam. 'Het is echt wat anders dan een behandeling bij de tandarts, hoor.'

'Ik heb al sinds de onderbouw geen korte coupe meer gehad,' zei Lanna, die haar hand onder de kapperscape uitstak en zich op haar kin krabde. 'Ik geloof dat Lonna nog nooit kort haar heeft gehad.'

Delaney scheidde het haar van Lanna en zette het deels vast. 'Echt?' Ze pakte haar schaar. 'Gaat je zus nog steeds om met Nick Allegrezza?' vroeg ze, alsof het een heel terloopse vraag was.

'Ja hoor. Af en toe.'

'O.' Delaney had hem al twee weken niet gezien, sinds de bruiloft van Lisa. Nou, eerlijk gezegd had ze hem wel een paar keer gezien. Tijdens een drukke bijeenkomst van de plaatselijke middenstand, bijvoorbeeld. En toen ze per ongeluk met Henry's grote auto door rood gleed en bijna tegen zijn Jeep aanbotste. Het was haar gelukt het stuur op tijd naar rechts te krijgen, terwijl hij naar links stuurde. Meteen daarna had hij haar een sms'je gestuurd: 'Regel verdomme eens sneeuwkettingen.' Ze had hem sindsdien niet gezien. Tot gisteren, toen hij met Sophie hun kantoor uit kwam lopen, op het moment dat zij iets in de container gooide. Daar stond ze dan, de prullenbak tegen haar buik geklemd, verward door de gevoelens die haar misselijk maakten. 'Oom Nick,' had Sophie naar hem geroepen, maar hij had niet geantwoord. Hij had helemaal niets gezegd. 'Laten we gaan, oom Nick.' Hij keek even naar zijn nichtje en draaide zich weer om naar Delaney.

'Ik zie dat je nog steeds geen sneeuwkettingen hebt.'

'Eh... nee.' Ze staarde terug en voelde hoe ze duizelig werd, terwijl haar ingewanden nog steeds in de war leken.

'Kom nou, oom Nick.'

'Oké, Sophie,' zei hij, en liet zijn blik nog een keer over haar gaan voordat hij zich definitief omdraaide.

'Ik geloof dat Lonna Nick al weken niet heeft gezien,' zei Lanna, Delaney's gedachtestroom onderbrekend. 'Ik geloof tenminste niet dat hij gebeld heeft om te vragen of ze met hem wilde afspreken. Dat zou ze me wel verteld hebben.'

Delaney knipte Lanna's haar kort in de nek. 'Hebben jullie zo'n band als tweelingen dat jullie elkaar alles vertellen?'

'We delen niet alles met elkaar. Maar we hebben het wel over de mannen met wie we naar bed gaan. Maar zij is veel losbandiger en vertelt leukere verhalen. Gail en zij wisselden vroeger hun ervaringen uit met Nick. Maar dat was nog toen Gail dacht dat ze een kans maakte mevrouw Allegrezza te worden.'

Delaney reikte naar een clip en kamde een volgende streng haar uit. 'Denkt ze dat niet meer?'

'Veel minder, en ze was zo zeker dat hij haar zou vragen bij hem in te trekken. Maar hij heeft haar niet eens gevraagd de nacht met hem door te brengen.'

Hij had Delaney ook al niet gevraagd. Op dat moment had ze niet de intentie gehad om de hele nacht bij Nick te blijven. Ze wist hoe vreselijk ze er elke ochtend uitzag en ze was niet van plan te ontwaken naast iemand die vast kon doorgaan voor een mannelijk fotomodel. Maar ze wilde evenmin slechts een van zijn haremmeisjes zijn. Ze had zichzelf wijsgemaakt toch wel wat bijzonderder te zijn, omdat hij het risico had gelopen zijn grond kwijt te raken door in haar gezelschap te verkeren. Ze herinnerde zich nog iets anders dat Lanna haar eens had verteld. Nick nam nooit vrouwen mee naar huis, maar haar had hij wel meegenomen. Ze hoopte dat ze daarmee anders was dan de anderen, maar hij had haar niet eens gebeld, dus kennelijk was dat niet het geval.

'Ga je nog naar de kerstmodeshow?' vroeg Delaney haar klant. Ze wilde niet meer over Nick praten.

'Nee, maar ik ga wel de brouwerij helpen met hun ijsbeeld voor het Winter Festival.'

Daarmee was het onderwerp Nick afgesloten en bespraken ze hoe hun Thanksgiving was geweest. Delaney was uiteraard naar haar moeder gegaan. Max was er ook geweest en het was de eerste ontspannen Thanksgivingviering die ze zich kon herinneren. Nou, ongeveer dan. Haar moeder wilde haar uithoren over de kerstmodeshow. Ze wilde weten wat Delaney van plan was, om te beginnen met haar haarspeldjes en eindigend bij haar schoenen. Gwen was voor pumps. Delaney choqueerde haar moeder door laarzen tot over de knie voor te stellen, hoewel ze die niet eens bezat. Gwen opperde een 'leuk mantelpakje' aan te trekken, maar het enige dat ze ooit bezeten had paste inmiddels niet meer. Toen kwam Max tussenbeide met het voorstel de kalkoen aan te snijden.

Toen Delaney klaar was vond Lanna haar nieuwe kapsel zo leuk dat ze tien dollar fooi kreeg. Dat was zeldzaam in Truly. Zodra de kapsalon weer leeg was veegde ze het haar weg en keek in de agenda. Ze had een klein uurtje tot de volgende afspraak voor knippen en föhnen om halfvier. Het zou haar tweede mannelijke klant zijn sinds ze de zaak geopend had en ze was een tikje nerveus. Sommige mannen leken te denken dat als je een halfuur met je handen in hun haar had gezeten, je na afloop natuurlijk graag wat met ze wilde drinken. In een motel. Je wist nooit van tevoren welke klant haar werk zou interpreteren als een seksuele avance. En of ze getrouwd waren of niet, dat maakte niet uit. Het was vreemd, maar niet ongebruikelijk.

Omdat ze toch moest wachten, ging ze het magazijn maar in om haar voorraad te tellen en zichzelf op de mouw te spelden dat ze niet luisterde of er een bepaalde Jeep aan kwam rijden. Want dat deed ze.

Ze telde de handdoeken en besloot er een aantal bij te bestellen. En dankzij Wannetta was ze bijna door haar watergolfvloeistof heen. Net toen ze klaar was, hoorde ze het grind zacht knerpen op de parkeerplaats. Ze bleef staan luisteren tot ze ook voetstappen hoorde. Voordat ze erover na kon denken pakte ze een prullen-bakje en deed zacht de achterdeur open.

Daar stond Sophie voor Henry's zilverkleurige Cadillac, terwijl ze een ruitenwisser optilde. In de andere hield ze een witte enve-lop. Die stak ze onder de ruitenwisser en Delaney hoefde de in-houd van de envelop niet te zien om te weten wat erop stond.

'Jij bent het.'

Sophie draaide zich vliegensvlug om, met grote ogen, en bracht geschrokken haar hand omhoog. Haar mond viel open en ging vervolgens met een klap dicht. Ze zag er net zo geschrokken uit als Delaney zich voelde. Delaney wist niet of ze haar moest be-danken, omdat ze geen enge stalker was, of tegen haar moest gaan schreeuwen hoe verschrikkelijk kinderachtig ze bezig was.

'Ik... ik deed alleen...' stamelde Sophie, terwijl ze de envelop weggriste en in haar zak propte.

'Ik weet wel wat je zonet deed. Je gaf me weer een waarschu-wing.'

Sophie sloeg haar armen over elkaar. Ze keek zo stoer mogelijk, maar haar bleke gelaat was maar een paar tinten donkerder dan de sneeuw aan haar voeten.

'Ik ga, denk ik, je vader maar eens bellen.'

'Die is op huwelijksreis,' zei het meisje vlug, in plaats van alles te ontkennen.

'Maar niet voor altijd. Ik wacht wel tot hij terug is.'

'Ga je gang. Hij gelooft je toch niet. Hij doet alleen maar aardig tegen je vanwege Lisa.'

'Je oom Nick geloof me wel. Die weet van de andere brieven.'

Sophie liet haar armen zakken. 'Heb je het hem verteld?' schreeuw-de ze, alsof Delaney iets verkeerds gedaan had.

'Inderdaad. En hij gelooft me wel,' vertelde ze met een zekerheid die ze niet per se voelde. 'Hij zal het niet leuk vinden als ik hem vertel dat jij degene bent van de dreigbrieven.'

Sophie schudde haar hoofd. 'Je mag het hem niet vertellen.'

'Laat mij dan maar eens horen waarom jij rondsluipt om mij bang te maken, misschien dat ik het dan niet aan Nick vertel.'

Sophie staarde haar even aan en deinsde achteruit. 'Ga je gang en vertel het hem maar. Ik ontken het gewoon.'

Delaney zag het meisje de parkeerplaats aflopen en dus draaide ze zich om en liep haar winkel weer in. Ze zou Sophie even laten denken dat ze ermee weg kon komen, maar het punt was dat ze eigenlijk niet wist wat ze ermee aan moest. Ze had geen ervaring met kinderen en ze wilde zoiets niet neerleggen bij Lisa als die terugkwam van haar wittebroodsweken. Daarbij vermoedde ze dat Lisa zo haar eigen problemen had met Sophie en ze wilde haar niet extra belasten. Dan bleef alleen Nick over. Ze vroeg zich af of hij haar écht zou geloven.

De volgende dag vroeg ze zich dat nog steeds af, toen Sophie rond halfvier de kapsalon binnenstapte. Delaney keek op van de pruik van mevrouw Stokesberry en zag het meisje dralen bij de winkeldeur. Ze had haar donkere haren aan weerszijden weggestoken met bloemspeldjes en haar donkere ogen leken groter dan anders. Ze zag eruit als een angstig cartoonmeisje in haar te grote jas. 'Ik ben zo bij je,' riep ze en richtte zich weer op haar klant. Ze deed de oude vrouw de witte pruik weer op en overhandigde haar daarnaast een zwarte pruik op een witte kop. Ze rekende af met mevrouw Stokesberry, natuurlijk met bejaardenkorting, en liep met haar mee naar de deur.

Nu had Delaney tijd voor het meisje en ze wachtte op wat ze zou doen. Sophie aarzelde even en zei toen: 'Je hebt niet met oom Nick gebeld, gisteravond.'

'Misschien wel en weet jij het gewoon nog niet.'

'Je hebt het niet gedaan, want ik logeer bij hem tot papa en Lisa terug zijn.'

'Oké, ik geef het toe.'

'Heb je hem vandaag al gesproken?'

'Nee.'

'Wanneer ga je dat dan doen?'

'Weet ik nog niet.'

Er verscheen een diepe rimpel tussen de donkere wenkbrauwen. 'Ga je mij martelen, of zo?'

Delaney had geen rekening gehouden met de puberale angst van een dertienjarige, wachtend op het vallen van de bom. 'Inderdaad,' glimlachte ze. 'En je zult nooit weten wanneer ik het ga zeggen.'

'Oké, jij wint. Ik wilde je bang maken, zodat je weg zou gaan.' Sophie sloeg haar armen over elkaar en staarde naar een punt achter Delaney's hoofd. 'Sorry.'

Ze klonk anders weinig berouwvol. 'Waarom dan?'

'Omdat mijn oom dan alles zou krijgen wat jij van hem hebt afgepakt. Zijn vader gaf jou alles en hij moest oude kleren met gaten dragen.'

Delaney kon zich niet herinneren dat Nick er zo armoedig aan toe was geweest. 'Ik was Henry's stiefdochter. Vind je dan dat ik naakt over straat had moeten gaan, omdat mijn moeder met Nicks vader trouwde? Vind je echt dat het mijn fout was wat Nick droeg?'

'Nou, als jouw moeder niet met Henry getrouwd was, dan–'

'Dan was hij een geweldige vader geweest?' onderbrak Delaney haar. 'Dan had hij van Nick gehouden en van alles voor hem ge- kocht? Dan was hij met jouw oma getrouwd?' Ze kon aan Sophies gezicht zien dat dat precies was wat ze dacht. 'Dat was nooit ge- beurd. Nick was tien toen ik naar Truly verhuisde en in die tien jaar heeft zijn vader nooit aandacht aan hem geschonken. Heeft hij nooit iets aardigs gezegd.'

'Dat had wel gekund.'

'Ja, en dan waren er apen uit zijn kont gevlogen, maar dat zie ik voorlopig niet gebeuren.' Ze schudde haar hoofd. 'Doe je jas uit en kom mee naar achteren,' beval ze. Ze kon die gespleten haar- punten van Sophie niet langer aanzien.

'Waarvoor?'

'Ik ga je haar even wassen.'

'Ik heb het vanochtend gewassen, voor ik naar school ging.'

'Daarna ga ik die dooie puntjes er eindelijk eens afknippen.'

Delaney bleef bij de wastafel staan en keek naar Sophie. Die had geen vin verroerd. 'Ik weet nog steeds niet zeker of ik Nick niet alsnog even zal bellen, vanwege die briefjes.'

Met een boos gezicht trok het meisje haar jas uit en liep op haar af. 'Ik wil mijn haar niet laten knippen. Ik wil het lang houden.'

'Het blijft ook lang. Het ziet er alleen niet meer uit als gerafeld touw.' Delaney gebruikte een milde shampoo en conditioner en dirigeerde het meisje even later naar de kappersstoel. Ze kamde en knipte, en als al dat schitterende zwarte haar niet op het hoofd van een boze tiener had gezeten, dan was ze in de zevende kappershemel geweest. 'Dit geloof je niet, maar je oom Nick wil dat wat Henry hem heeft nagelaten niet eens hebben. En ik wil al helemaal niet wat hij heeft gekregen.'

'Waarom hang je dan de hele tijd om hem heen, te dansen en te zoenen en te zorgen dat hij je thuisbrengt als je ziek bent? Ik weet alles over dat testament en ik zag wel hoe je naar hem keek. Oma ook, trouwens. Jij wil dat hij je vriendje wordt.'

Had ze echt zo naar hem gekeken? 'Nick en ik zijn gewoon vrienden,' zei ze, terwijl ze bijna vijf centimeter dode pieken wegknipte. Maar was dat wel zo? Ze wist niet precies wat ze echt voor hem voelde en was bang voor zijn gevoelens voor haar. Dat hij helemaal niets voor haar voelde. 'Heb jij geen gewone vrienden?'

'Een paar, maar dat is anders.'

Nu zwegen ze allebei en Delaney dacht na over haar gevoelens voor Nick. Ze was in elk geval jaloers. Als ze hem voor zich zag met andere vrouwen, dan voelde ze haar maag samentrekken. Ze was bang dat ze hem niet meer zou zien en teleurgesteld omdat ze tegelijkertijd vond dat dat het beste zou zijn.

Ze liet de laatste ongeknipte lokken van Sophies haar naar beneden vallen en maakte de coupe van losse laagjes af. Daarna pakte ze een grote borstel en de föhn en kapte het. Maar Delaney voelde zich vooral verward.

'Waarom doe je zo aardig?'

'Hoe weet je dat ik aardig ben? Je hebt de achterkant van je hoofd nog niet gezien.' Ze gaf Sophie een spiegel en draaide haar stoel om.

De opluchting straalde van haar gezicht af. 'Ik kan je alleen niet betalen.'

'Ik hoef je geld ook niet.' Delaney maakte de cape los en liet de stoel zakken. 'Als iemand jou vraagt waar je je haar hebt laten knippen, dan vertel je ze dat je bij mij bent geweest. Maar als je naar huis gaat en je mooie haar wast met een verschrikkelijk product en het ziet er weer lelijk uit, dan mag je tegen iedereen zeggen dat je bij Helen bent geweest.' Ze dacht even een glimlachje te zien. 'Geen brieven meer en ik aanvaard pas je verontschuldigingen als je het echt meent.'

Met een stuurs gezicht bestudeerde Sophie haar eigen spiegelbeeld. Toen vonden haar ogen die van Delaney. Ze keek weg, liep naar de kapstok voor in de zaak en pakte haar jas. Nadat ze de deur achter zich had gesloten, keek Delaney haar na. Een paar winkels verderop haalde Sophie haar handen door haar haren en schudde haar hoofd. Delaney begon te glimlachen. Ze herkende de tekenen van een tevreden klant.

Ze keerde zich af van het raam en vroeg zich af wat Sophies familie ervan zou denken.

Dat hoorde ze de volgende ochtend, toen ze in de salon kerstversieringen aan het ophangen was. Nick kwam binnen in zijn leren jack en met een zonnebril op. Delaney had net koffiegezet en wachtte op haar klant van halftien. Ze had nog een halfuur, dan kwam Wannetta Van Damme voor haar watergolfje.

'Sophie vertelde me dat je haar haren hebt geknipt.'

Delaney legde een rol plakband en een groene kerstslinger op de toonbank. Haar hart maakte een sprongetje en ze legde een hand op haar buik. 'Ja, dat klopt.'

Hij zette zijn zonnebril af en nam haar op van top – een zwart truitje met daaronder een kort geruit rokje – tot teen – hoge zwarte laarzen. 'Wat ben ik je verschuldigd?' vroeg hij, waarna hij zijn zonnebril in zijn jaszak deed en zijn portemonnee pakte.

'Niets.' Hij richtte zijn blik weer op haar gezicht en zelf staarde ze naar zijn borstkas. Ze kon niet tegelijkertijd nadenken en hem in de ogen kijken. 'Ik knip ook wel eens gratis om reclame te maken.' Ze draaide zich om en zette een bakje kammen recht. Ze hoorde zijn voetstappen achter zich maar bleef zich op haar handen focussen.

'Ze vertelde me ook dat zij degene was die de dreigbriefjes schreef.'

Delaney keek op naar zijn reflectie in de spiegel. Hij ritste zijn jack open. Eronder droeg hij een blauw flanellen overhemd op een spijkerbroek met een mooie leren riem. 'Het verbaast me dat ze je dat verteld heeft.'

'Ze voelde zich zo schuldig omdat je haar haren had geknipt, dat ze gisteravond in tranen uitbarstte en alles opbiechtte.' Hij bleef vlak achter haar staan. 'Ik vind niet dat ze beloond moet worden met een gratis kapsel.'

'Ik bedoelde het niet als een... een...' Ze staarde hem aan via de spiegel en vergat compleet wat ze wilde zeggen. Hij was echt verschrikkelijk voor haar geestelijke gezondheid. Nu stond hij zo dichtbij dat als ze iets naar achteren leunde, ze vanzelf tegen zijn borstkas aan kwam.

'Hoe bedoelde je het niet?'

Hij geurde naar frisse buitenlucht. Ze haalde diep adem.

'Delaney?'

'Hm?' En toen liet ze zich inderdaad naar achteren vallen, met haar schouders tegen zijn borst en haar achterwerk in zijn kruis. Ze voelde dat hij al een stijve had. Hij drukte een hand tegen haar buik en trok haar heel stevig tegen zich aan. Delaney zag in de spiegel zijn lange vingers tegen haar onderbuik drukken. Zijn duim streelde de onderkant van haar borst.

'Wanneer komt je volgende klant?' vroeg hij schor. Hij schoof het zwarte truitje opzij en kuste haar hals.

Haar oogleden vielen dicht en ze hield haar hoofd schuin om hem alle ruimte te geven. Hij gaf om haar. Dat moest wel. 'Over twintig minuutjes.'

'Ik krijg het wel in vijftien minuutjes voor elkaar.' Hij bleef haar gevoelige huid strelen door haar truitje heen.

Ze werd steeds verliefder op hem. Ze kon het voelen, als een sterke onderstroom, die haar omlaag trok, haar van haar voeten sleurde. En er was niets wat ze eraan kon doen behalve zichzelf behoeden voor die pijn. Ze keek hem recht in zijn knappe gezicht en zei: 'Ik wil niet gewoon een van je vrouwen zijn, Nick. Ik wil meer.'

Hij richtte zijn blik omhoog. 'Wat bedoel je?'

'Ik wil de enige vrouw zijn met wie jij omgaat, zolang ik hier ben.' Ze zweeg even en haalde diep adem. 'Ik wil de enige zijn met wie jij de liefde bedrijft. Ik wil dat je al die andere vrouwen dumpt.'

Zijn handen hielden op met strelen en hij observeerde haar een paar tellen. 'Jij wilt dat ik al die andere vrouwen, die ik dan kennelijk neuk, "dump", zodat ik een soort relatie met jou aanga voor een periode van, pak hem beet, zes maanden?'

'Ja.'

'En wat krijg ik daarvoor terug?'

Ze was al bang geweest dat hij die vraag zou stellen. Er was maar één antwoord mogelijk en ze was zich ervan bewust dat hij dat niet genoeg zou vinden. 'Mij.'

'Een halfjaar lang?'

'Ja.'

'Waarom zou ik?'

'Omdat ik de liefde met jou wil bedrijven, maar je met niemand anders wil delen.'

'Je gebruikt het woord liefde wel heel veel.' Hij ging rechtop staan en liet haar buik los. 'Hou je van me?'

Ze was doodsbang dat dat het geval was en wat dat zou betekenen. 'Nee.'

'Mooi, want ik hou ook niet van jou.' Hij deed een pas naar achteren en ritste zijn jack weer dicht. 'Je weet wat ze over me zeggen, wilde bosmeid. Ik kan niet trouw zijn aan één vrouw en jij hebt nog niets gezegd waardoor ik op andere gedachten wordt gebracht.' Hij liep nog verder achteruit. 'Als jij lekkere zweterige seks wil, dan weet je me wel te vinden. Als je iemand zoekt die jou een paar maanden lang moet smeken om een zoentje, dan ben je aan het verkeerde adres.'

Ze wilde helemaal niet dat hij ergens om zou smeken en begreep niet precies wat hij bedoelde. Ze begreep alleen dat ze niet goed genoeg was voor hem. Toen hij weg was wilde Delaney niets liever dan in de foetushouding gaan liggen huilen. Misschien had ze zijn aanbod voor een kwartiertje seks moeten aanvaarden, maar ze was toch iets egoïstischer ingesteld. Ze wilde hem niet delen. Ze wilde geen enkele man delen, en Nick al helemaal niet. Ze wilde hem helemaal voor haarzelf. Helaas dacht hij er niet hetzelfde over. Omdat hij zo'n risico had gelopen, al die keren met haar, had ze gedacht dat hij wel om haar gaf. Niet dus.

Nu hoefde ze niet te bedenken hoe het was om van Nick te houden. Hoefde ze niet na te denken wat de gevolgen zouden zijn. Het enige wat ze nu nog moest doen was zorgen dat ze die zes maanden doorstond.

Hoofdstuk 16

Het kerstgevoel begon in Truly altijd met het Winter Festival en met een schandaal waarover nog jarenlang zou worden nagepraat. De man die was uitverkoren om Santa Claus te spelen, Marty Wheeler, raakte zo beschonken van de eggnog dat hij voorover uit de slee kieperde en bewusteloos raakte. Marty was niet zo groot en stevig gebouwd en zag eruit als een harige aap. Hij was monteur bij de garage op Sixth Avenue en gaf les in kungfu – een echte mannenman dus. Het feit dat Marty zich had volgegoten voorafgaand aan de optocht verbaasde dus niemand. Maar het ondergoed dat hij die ochtend had uitgekozen zette daarentegen het hele stadje op zijn kop. Toen het ambulancepersoneel zijn Santa-pak openmaakte kwam daar een knalroze stoeipakje onder vandaan dat iedereen verbijsterde. Iedereen, behalve Wannetta Van Damme, die altijd al had gedacht dat de drieënveertigjarige vrijgezel een 'tikje homofiel' was.

Delaney vond het jammer dat ze Marty's ondergoed gemist had, maar ze was druk bezig geweest in de Schuur, waar ze meehielp met de kerstmodeshow. Ze versierde het podium met zilveren sterren en slingers en de catwalk met takken dennengroen en kerstlampjes. Achter het scherm stelde ze verlichte spiegels en stoelen op. Ze had gel en mousse meegenomen en grote bussen haarlak, maar ook takjes hulst voor de aankleding. Ze meende dat men in Truly nog niet toe was aan *extreme hair*. Dus geen rozenranken of vogelnestjes in het haar, maar vlechten en staarten, kapsels die ze in maximaal een kwartiertje af kon hebben, met hier en daar wat groen.

De show zou om zeven uur beginnen en om halfzeven was Delaney hard aan het werk. Ze vlocht haar, maakte knotjes, draaide lokken naar binnen en naar buiten, ondertussen luisterend naar de laatste roddels, en stiekem opgelucht dat Marty haar plekje boven in de roddelhitlijst had ingenomen.

'Een van de verpleegster vertelde aan Patsy Thomason, die het weer aan mij vertelde, dat Marty ook nog een kanten string droeg,' vertelde de nieuwe burgemeestersvrouw, Lillie Tanasee, aan Delaney, die bezig was haar roodbruine haar in te vlechten. Lillie had zichzelf en haar jongste dochter uitgedost in bijpassende rode en groene zijden jurken. 'Patsy vertelde dat het pakje en het broekje afkomstig waren van Victoria's Secret. Ongelooflijk pervers, toch?'

Delaney had met veel homoseksuele kappers samengewerkt in de afgelopen jaren, maar was nooit een travestiet tegengekomen in haar werk – tenzij ze het niet wist, natuurlijk. 'Nou, hij droeg tenminste geen goedkope spullen. Ik vind pervers doen lang niet zo erg als goedkoop zijn.'

'Mijn man heeft me ooit eens zo'n kruisloos nylon dingetje cadeau gedaan,' biechtte een vrouw die stond te wachten op. Ze bedekte daarbij de oren van een klein meisje naast haar dat als elfje verkleed was. 'Het was drie maten te klein en ik voelde me net een heroïnehoertje.'

Delaney schudde haar hoofd en vlocht wat hulsttakjes mee in Lillies haar. 'Alleen met goedkope lingerie voel je je hoerig.' Ze pakte een bus lak en bespoot Lillies kapsel ermee. Misty, de dochter van de burgemeester, sprong als volgende in de stoel en Delaney kapte haar precies zoals haar moeder. Een aantal vrouwen dat zelf hun haar had gedaan stond aan de andere kant te wachten. Benita Allegrezza was een van hen. Vanuit een ooghoek kon Delaney Nicks moeder zien praten met een groepje vriendinnen. Ze bedacht dat Benita halverwege de vijftig moest zijn, maar ze zag er minstens tien jaar ouder uit. Ze vroeg zich af of het genetisch bepaald was, of dat het door haar verbittering kwam dat ze zulke rimpels op haar voorhoofd en om haar mond had. Ze zocht om zich heen naar haar eigen moeder en was niet verrast dat ze al in het middelpunt van de belangstelling stond, en tot in de puntjes gekapt. Helen was in geen velden of wegen te bekennen, maar dat verbaasde Delaney niet.

De vrouwen die zich rond Delaney's stoel verzameld hadden

waren van alle leeftijden en droegen verschillende kledingstijlen. Sommigen gingen gekleed in stemmig fluweel, anderen droegen feestelijke kostuums. De favorieten van Delaney waren een jonge moeder die was verkleed als de Winter en haar peuter die ze een sneeuwvlokjeskostuum had aangedaan. De allergrootste surprise was Lisa die ineens binnenkwam, en een fee uit de *Notenkraker-suite* moest voorstellen. Ze wilde dat haar vriendin haar haren weer voor haar invlocht. Delaney had haar maar een paar keer gesproken sinds ze terug was van haar huwelijksreis, maar toen had Lisa haar niet gezegd dat ze mee zou doen. 'Sinds wanneer doe jij mee?'

'Sinds afgelopen weekend. Ik vond het wel leuk als Sophie en ik samen iets zouden doen.'

Delaney keek om zich heen. 'Waar is Sophie dan?' Heel even vroeg ze zich af of Lisa wel wist van de briefjes die Sophie overal had achtergelaten, maar ze bedacht dat Lisa dat dan vast wel ge-zegd zou hebben.

'Die verkleedt zich even. Ze was Louie en Nick aan het helpen met het ijsbeeld. Toen ik haar uit het park ophaalde, had ze geen muts op en haar jas open. Het zou me niet verbazen als ze morgen ziek is.'

'Wie moet zij voorstellen?'

'Ze trekt een nachtjapon aan. Helemaal in de stijl van de *Noten-kraker*.'

'Hoe vinden jullie het om met elkaar samen te wonen?' vroeg Delaney terwijl ze het haar rond Lisa's kruin in drie strengen ver-deelde.

'Het is best wennen, voor ons allebei. Ik wil graag dat ze aan tafel eet, maar zij scharrelt al haar hele leven als een kip de hele dag haar kostje bij elkaar. Dat soort dingen. Als ze geen puber was geweest, was het makkelijker gegaan.' Lisa keek in de spiegel en schikte een kraag van vilten bladeren om haar hals. 'Louie en ik willen graag een baby, maar we wachten tot Sophie aan mij ge-wend is, voor we nog een kind gaan opvoeden.'

Een baby. Met al haar vingers vlocht en draaide ze Lisa's haar op haar achterhoofd. Lisa en Louie wilden een gezin stichten. Delaney had niet eens een vriendje en als ze dacht aan een man in haar leven, kwam er maar een in haar op: Nick. Ze dacht de laatste tijd veel aan hem. Zelfs als ze sliep. Gisteravond had ze al weer een nacht- merrie gehad. Alleen mocht ze dit keer Truly verlaten en werd haar autootje niet kleiner. Nee, het was de gedachte dat ze Nick niet meer zou zien waar ze last van had. Ze wist niet wat erger was, in dezelfde stad wonen als hij en hem negeren, of ergens anders wonen en zich niet hoeven dwingen om hem te negeren. Het was verwar- rend en triest tegelijk en misschien moest ze er toch aan geloven en eens een kat aanschaffen. 'Je hebt het ongetwijfeld al gehoord van Marty Wheeler,' zei ze, in een poging zichzelf af te leiden.

'Natuurlijk. Ik vraag me alleen af wat een man bezielt om zo'n bustier aan te doen onder zijn Santa-pak. Die dingen zitten toch helemaal niet lekker.'

'Heb je gehoord dat hij ook een kanten string droeg?' Delaney pakte een elastiekje om de vlecht bijeen te houden en stak het uiteinde vast met een speldje.

Lisa ging rechtop staan en trok haar rok recht. 'Moet je nagaan, zo'n reepje stof in dat harige kruis.'

'Ik kan het zelf bijna voelen.' Ze zag ineens Sophie staan, die haar best deed er niet al te schuldbewust uit te zien in haar lange nachtpon met slaapmuts op. 'Wil jij je haar ook ingevlochten?' vroeg ze het meisje.

Maar Sophie schudde haar hoofd en keek de andere kant op. 'Wij zijn bijna aan de beurt, Lisa.'

Nadat Lisa was vertrokken naar de catwalk, draaide Delaney het haar van Neva Miller in een asymmetrische en omgedraaide paardenstaart en stak bij haar vier dochters de vlechten op. Neva had het non-stop over haar kerk, haar man en de Heer. Uit haar hele houding sprak die wedergeboren christelijke gedachte, van Jezus houdt meer van mij, waardoor Delaney haar het liefst wilde herinneren aan het feit dat ze in haar highschooltijd een keer tijdens de rust het hele footballteam had gepijpt.

'Je moet morgen eens langskomen bij onze kerk,' zei Neva, ter- wijl ze haar dochters naar het podium leidde. 'We komen van negen tot twaalf uur samen.'

Delaney brandde nog liever voor altijd in de hel. Ze raapte haar spulletjes bij elkaar en ging op zoek naar haar moeder. Ze zou Gwen pas in het nieuwe jaar weer zien en wilde haar goedendag zeggen en een fijne vakantie wensen. Jarenlang had ze de feestdagen doorgebracht met vrienden die haar zielig vonden en voor het kerstdiner uitnodigden. Dit jaar zou ze helemaal alleen zijn, en pas toen ze haar moeder omhelsde en beloofde voor Duke en Dolores te zorgen besefte ze dat ze echt kerst wilde vieren zoals vroeger. Vooral nu Max er ook was. De advocaat leek voor afleiding te zorgen zodat haar moeder niet voortdurend kritiek had op alles wat Delaney deed.

De sneeuw begon weer neer te dwarrelen toen ze haar spullen in Henry's Cadillac zette. Ze droeg geen handschoenen en haar handen waren bevroren toen ze haar ruiten schoonmaakte. Ze was doodop en haar schouders deden pijn en toen ze de hoek om reed bij de kapsalon nam ze die iets te snel. De Caddie gleed zijwaarts door en kwam uiteindelijk met de achterbumper tegen de deur van de Allegrezza's tot stilstand. Delaney bedacht dat de broers vast pas maandagmorgen aan het werk zouden gaan en daarbij was ze te moe om er wat aan te doen. Thuis gekomen trok ze een nachtjapon aan en kroop in bed. Het leek alsof ze nog maar net sliep toen er hard op haar deur gebonsd werd. Ze keek op haar telefoon, terwijl het bonzen voortduurde, en zag dat het pas halftien was. Ze hoefde niet eens te zien dat het Nick was, om te weten dat hij haar deur probeerde in te trappen. Ze pakte haar rode zijden kamerjas en trok hem aan. Haar gezicht wassen of haren kammen deed ze niet. Hij verdiende het geconfronteerd te worden met haar onuitgeslapen en onverzorgde zondagochtendaanblik.

'Wat is er in godsnaam met jou aan de hand?' waren zijn eerste woorden toen hij woedend haar appartement binnenstormde.

'Met mij? Ik sta niet als een idioot op iemands deur te beuken.'

Hij vouwde zijn armen over elkaar en hield zijn hoofd wat schuin. 'Ben jij van plan jezelf de hele winter al glijdend door het dorp te verplaatsen? Of wil je zelfmoord plegen?'

'Ga me nou niet vertellen dat je je zorgen maakt.' Ze bond de zijden ceintuur stevig om haar middel en liep langs hem heen naar haar keuken. 'Want daaruit zou ik kunnen concluderen dat je om me geeft.'

Hij pakte haar arm beet en hield haar tegen. 'Er zijn wat onderdelen van jou waar ik wel om geef.'

Ze keek in zijn gezicht, naar de verbeten mond, de rimpel tussen zijn wenkbrauwen en de woede die uit zijn ogen straalde. Zo boos had ze hem nog nooit gezien, maar toch kon hij niet verbloemen dat hij haar begeerde. 'Als je me wilt, dan weet je wat je moet doen. Geen andere vrouwen.'

'Ja, en we weten allebei dat het me twee minuten zou kosten voordat ik je zover heb.'

Twee maanden geleden had ze al geleerd dat tegensputteren van haar kant door hem werd gezien als een uitdaging om haar ongelijk te bewijzen. Ze wilde geloven dat zij die verleiding kon weerstaan, maar diep vanbinnen wist ze dat hij binnen dertig seconden al geslaagd zou zijn. Ze maakte zich los en liep door.

'Geef mij de sleutels van Henry's auto eens,' riep hij haar na.

'Hoezo?' Ze goot water in het reservoir van haar koffieapparaat. 'Wat ga je ermee doen? Joyriden?'

De klap van de voordeur was haar antwoord. Ze zette het reservoir op het aanrecht en liep naar haar woonkamer. Haar tas was leeggegooid op de tafel en ze vermoedde dat haar autosleutels ontbraken. Ze rende naar de voordeur, maar buiten verdwenen haar voeten direct in een laag sneeuw. 'Hé,' riep ze naar beneden. 'Wat denk je wel niet? Geef me mijn sleutels terug, eikel!'

Hij lachte luid. 'Kom ze maar halen.'

Er bestonden voldoende redenen om blootsvoets de sneeuw in te lopen. Als je huis in de brand stond, als het vergeven was van de ratten, of als er buiten chocoladetaart klaarstond. Henry's Cadillac kwam echter niet in dat rijtje voor.

Nick sprong in de zilverkleurige auto en startte hem. Hij schraapte wat sneeuw van de voorruit en toen was hij vertrokken. Toen hij een uur later terugkeerde, stond Delaney hem, inmiddels aangekleed, op te wachten bij haar voordeur.

'Je hebt geluk dat ik de sheriff niet gebeld heb,' zei ze toen hij de trap op kwam lopen.

Hij pakte haar hand en liet de sleutels erin vallen.

Zijn ogen bevonden zich op gelijke hoogte als die van haar en zijn mond op slechts enkele centimeters van haar lippen. 'Rustig aan.'

Rustig aan? Haar hart bonsde en haar adem stokte in haar keel, wachtend tot hij haar zou gaan zoenen. Hij stond zo dichtbij, als ze zich maar een klein beetje vooroverboog...

'Rustig aan, anders rij je jezelf nog dood,' herhaalde hij, waarna hij zich omdraaide en de trap weer afliep.

In haar hart voelde ze de teleurstelling. Over de trapleuning heen leunend kon ze hem zijn kantoor in zien lopen. Ze liep de trap af naar de Cadillac. Ze keek door de ramen en zag de bussen haarlak en gel liggen die ze op de achterbank had gegooid. Geen deuken, geen krassen, de auto zag er nog net zo uit als gisteren. Behalve dan dat hij nu vier sneeuwbanden met spijkers had, zo nieuw dat ze nog glommen.

Op maandagmorgen was het zo rustig dat Delaney voldoende tijd had de kerstlampjes op te hangen in het boompje dat ze had gekocht. Het was maar een meter hoog, maar het deed de hele salon geuren naar dennennaalden. Rond het middaguur werd het drukker en dat bleef zo tot ze de winkel sloot om halfzes. De jurering van de ijsbeelden zou om zes uur beginnen in het Larkspur Park en ze trok snel een spijkerbroek en een beige trui aan, met daaronder haar Dr. Martens. Ze was niet echt geïnteresseerd in de ijsbeelden, maar wel in een zekere Baskische man die de banden van Henry's Cadillac had verwisseld.

Toen ze aankwam bij het park was het parkeerterrein bijna vol en waren de juryleden al bezig. De zon was onder en de lantaarns verlichtten een wondere wereld van grote ijzige sculpturen. Delaney liep langs een drie meter hoge voorstelling van *Beauty en het Beest*, een vroege pionier met een volgepakt ezeltje en *Puff de magische draak*. Elk beeld was tot in detail uitgewerkt, waardoor ze in de donkere avond en de feeërieke verlichting sprookjesachtig tot leven kwamen. Ze liep met de menigte langs Dorothy en Toto uit de *Wizard of Oz*, een grote eend en een koe van het formaat autobus. Haar oren werden koud en ze stak haar handen in de zakken van haar wollen jas. Ze vond het beeld van de Allegrezza's helemaal op het laatst, omgeven door andere toeschouwers en juryleden. Nick en Louie hadden een huisje van Hans en Grietje nagemaakt, compleet met snoepjes en koekjes. Het was groot genoeg om doorheen te kunnen wandelen, maar nu werd het nog afgeschermd tot de juryleden klaar waren. Delaney zocht naar Nick en vond hem naast zijn broer aan de zijkant. Hij droeg een zwarte parka van The North Face, een spijkerbroek en zijn werklaarzen. Naast hem stond Gail Oliver, met haar arm door de zijne gestoken. Jaloerse gevoelens begonnen door Delaney's buik te woelen, en ze had het vast niet aangedurfd dichterbij te komen, als hij niet had opgekeken en haar blik had gevonden.

Ze dwong zichzelf naar hen toe te lopen, maar sprak als eerste Louie aan, omdat dat makkelijker was. 'Is Lisa ergens in de buurt?'

'Ze is met Sophie naar de wc,' antwoordde Louie, zijn bruine ogen heen en weer bewegend tussen haarzelf en Nick. 'Blijf even wachten. Ze komt vanzelf terug.'

'Eerlijk gezegd kwam ik voor Nick.' Ze draaide zich om en keek naar de man die verantwoordelijk was voor de chaos in haar hart. Ze staarde hem aan en wist dat ze op de een of andere manier waanzinnig verliefd was geworden op de jongen die haar vroeger al fascineerde en tegelijkertijd wist te martelen. Nu waren ze beiden volwassen en was er niets veranderd. Hij had alleen nieuwe en betere manieren gevonden om haar te martelen. 'Als je een momentje hebt, ik wil even met je praten.'

Zonder iets te zeggen maakte hij zich los van Gail en kwam op haar af. 'Wat is er, wilde bosmeid?'

Ze wierp even een blik om zich heen, en wendde zich weer tot zijn gezicht. Hij had rode wangen van de kou en zijn adem was zichtbaar in het donker. 'Ik wilde je bedanken voor de sneeuwbanden. Ik zocht je vandaag nog, maar je kwam niet naar kantoor. Ik dacht al dat je hier zou zijn.' Ze wipte wat heen en weer en staarde naar haar schoenen. 'Waarom deed je dat?'

'Wat?'

'Die sneeuwbanden erop laten zetten. Ik heb nog nooit een stel banden gekregen van een man.' Ze lachte nerveus. 'Dat was echt ontzettend aardig.'

'Ik ben ook ontzettend aardig.'

Ze glimlachte vaag. 'Nee hoor, dat ben je niet.' Ze schudde haar hoofd en keek hem recht in de ogen. 'Je bent meestal onbeleefd en soms...'

Hij glimlachte zijn witte tanden bloot. Er verschenen lach-rimpeltjes bij zijn ogen. 'Wat ben ik dan soms?'

Ze blies haar handen warm. 'Arrogant.'

'En?' Hij reikte naar haar handen en legde ze tussen zijn warme handpalmen.

Vanuit een ooghoek zag ze dat Gail eraan kwam. 'En ik kan zien dat ik op het verkeerde moment ben gekomen.' Ze trok haar handen los en stak ze in haar zakken. 'Ik spreek je wel als je het minder druk hebt.'

'Ik heb het nu niet druk,' zei hij, net toen Gail naast hem kwam staan.

'Hoi, Delaney.'

'Gail.'

'Ik kon zaterdagavond niet naar de modeshow komen.' Gail wierp een veelbetekenende blik op Nick en glimlachte. 'Ik moest iets anders doen, maar ik hoorde dat de kapsels geweldig waren dit jaar.'

'Ik geloof dat iedereen het wel naar zijn zin had.' Delaney deinsde achteruit. De jaloezie sneed door haar ziel als een mes en ze wilde zo snel mogelijk bij Nick en Gail uit de buurt zijn. 'Tot ziens.'

'Waar ga je naartoe?' vroeg hij.

'Ik moet langs bij Duke en Dolores,' antwoordde ze en vond het zelf meelijwekkend klinken. 'Daarna heb ik een afspraak met vrienden,' voegde ze eraan toe, om met een leugen haar trots te redden, waarna ze haar hand opstak voor een zwaai en zich om-draaide.

Met drie lange passen was Nick bij haar. 'Ik loop met je mee naar je auto.'

'Dat hoeft niet.' Ze keek even naar hem en toen over haar schouder naar Gail, die hen nastaarde terwijl ze naar het parkeerterrein liepen. 'Zo wordt je afspraakje kwaad.'

'Gail is mijn afspraakje niet en maak je maar geen zorgen om haar.' Hij pakte Delaney's hand en stak hem in zijn jaszak. 'Waarom moet je bij de honden van Henry langs?'

Ze liepen langs een geest met zijn wonderlamp, gemaakt van ijs. Ze wist niet of ze kon geloven wat hij over Gail zei, maar besloot het onderwerp te laten varen. 'Mijn moeder is weg met Max Harrison.' Hij strengelde zijn vingers door de hare en dat veroorzaakte tintelingen bij haar pols. 'Ze vieren Kerstmis op zo'n *love boat*.'

Nick ging langzamer lopen toen ze een groepje moesten ontwijken dat bij de ijzige geest stond te kijken. 'Wat doe jij met kerst?'

De tintelingen verspreidden zich over haar arm naar haar elleboog en verder. 'We vieren het wel als ze terug is. Het is niet zo erg. Ik ben eraan gewend alleen te zijn met de kerstdagen. Ik heb al sinds ik hier weg ben geen fatsoenlijke kerst gevierd.'

Hij zei niets terug, terwijl ze langs een lantaarn liepen. 'Dat klinkt eenzaam.'

'Valt mee. Meestal vond ik wel iemand die medelijden met me kreeg. Bovendien, het was mijn eigen keus weg te blijven. Ik had terug kunnen keren en mijn verontschuldigingen aanbieden en net doen alsof ik de dochter was die mijn ouders graag wilden, maar ik wilde mijn trots niet inslikken voor wat cadeautjes en een kerstkrans.' Ze haalde haar schouders op en veranderde het gespreksonderwerp. 'Je hebt nog geen antwoord gegeven.'

'Waarop?'

'Op mijn vraag over de banden. Waarom deed je dat?'

'Het was gewoon onveilig, jij achter het stuur van die enorme schuit van Henry. Nog eventjes en je had een paar schoolkinderen aangereden.'

Ze wierp een snelle blik omhoog. 'Leugenaar.'

'Geloof maar wat je wilt.' Hij wilde niet toegeven dat hij om haar gaf.

'Wat ben ik je verschuldigd?'

'Zie het maar als een kerstcadeau.'

Op de parkeerplaats stapten ze de stoep af en liepen tussen twee auto's door. 'Ik heb geen cadeau voor jou.'

'Jawel hoor.' Hij bleef staan en bracht zijn hand naar haar mond, haar lippen strelend met de rug van zijn hand. 'Als ik niet grof en onbeleefd en arrogant ben... wat ben ik dan?'

Ze kon zijn trekken moeilijk onderscheiden in het donker, maar ze hoefde zijn ogen niet te zien om te weten dat hij indringend naar haar keek. Ze kon zijn blik voelen, net zo goed als zijn aanraking. 'Jij bent...' Ze voelde hoe ze smolt, daar op die koude parkeerplaats, met bevroren tenen en met een temperatuur ver onder het nulpunt. Ze wilde bij hem zijn. 'Jij bent de man aan wie ik de hele tijd moet denken.' Ze trok haar hand los en ging op haar tenen staan. 'Ik denk de hele tijd aan je knappe gezicht, je brede schouders, je lippen.' Ze sloeg haar armen om zijn hals en drukte zich tegen hem aan. Hij streelde haar rug en hield haar stevig vast. Haar hart bonsde in haar keel en ze begroef haar koude neus onder zijn oor. 'En dan wil ik je graag likken.'

Zijn handen bevroren.

'Over je hele lichaam.' Ze raakte met het puntje van haar tong zijn hals even aan.

'Godverdegodver,' kreunde hij. 'Wanneer is die afspraak met die vrienden?'

'Welke vrienden?'

'Je had toch een afspraak met vrienden vanavond.'

'O, ja.' Ze was haar leugentje vergeten. 'Dat is niet zo belangrijk. Die missen me niet als ik niet kom opdagen.'

Hij hield haar even van zich af. 'En de honden dan?'

'Die moet ik straks echt uitlaten. En Gail dan?'

'Ik zei al dat je je over haar geen zorgen hoeft te maken.'

'Hebben jullie wat?'

'Hádden.'

'Hebben jullie nog wel eens seks?'

Ze zag hoe zijn mondhoeken omlaaggingen. 'Nee.'

Delaney's hart zwol op en ze plantte haar mond op de zijne,

270

verslond hem met een gulzige zoen waarvan ze beiden buiten adem raakten. 'Kom met me mee.'

'Naar Henry's huis?'

'Ja.'

Hij zweeg even en ze kon niet zien wat hij dacht. 'Ik zie je daar,' zei hij ten slotte. 'Ik moet nog wat bespreken met Louie, en daarna langs de drogist.'

Ze hoefde niet te vragen wat hij daar ging halen. Hij gaf haar een laatste kus en toen was hij weg. Ze keek hem na. Met zijn lange passen vol zelfvertrouwen stapte hij het park weer in.

Onderweg naar het huis van haar moeder, probeerde ze zichzelf wijs te maken dat Nick de hare zou zijn, die nacht, en dat verder niets belangrijk was. Ze voelde hoe de spijkers in de banden door de sneeuw het asfalt raakten; de auto schudde. Ze zou het voor vanavond geloven.

Toen ze de voordeur opendeed, begroetten Duke en Dolores haar al kwispelend en met hun natte neuzen tegen haar aangedrukt. Ze liet ze naar buiten en bleef op de veranda staan kijken hoe ze de sneeuw in sprongen, die tot hun buik kwam. Twee grijsbruine honden in de witte sneeuw. Ze had dit keer aan haar handschoenen gedacht en maakte een paar sneeuwballen die Duke kon vangen.

Misschien kon ze Nick ervan overtuigen dat alleen zij goed genoeg was voor hem. Ze wilde niet dat hij zich bezighield met andere vrouwen. Ze wilde geloven dat hij niets uitspookte met Gail, maar ze durfde hem niet helemaal te vertrouwen. Ze wierp een sneeuwbal naar Dolores, maar die raakte de flank van de hond en de weimaraner wist niet wat ze ermee moest doen. Delaney voelde dat er meer tussen hen was dan alleen fysieke aantrekkingskracht, en dat moest Nick toch ook zien. Ze kon het lezen in zijn ogen als hij haar aankeek. Met die hete en intense blik, en zijn ervaring na die avond, zou hij misschien alleen haar nog willen.

Ik kan niet trouw zijn aan één vrouw en je hebt nog niets gezegd waardoor ik het zou willen proberen.

Hij wilde haar. Zij wilde hem. Hij hield niet van haar. Zij hield zoveel van hem dat het pijn deed. Het was niet zo dat haar liefde als een gelukzalig gevoel geleidelijk over haar was gekomen. Zoals alles met Nick, had haar verliefdheid haar volledig overrompeld, van de kaart gebracht en verdoofd. En nu was ze zo in de war dat ze moest lachen en huilen tegelijk en eigenlijk in bed wilde kruipen om voorlopig niet op te staan, tot ze een en ander had verwerkt.

Ze kneedde nog een sneeuwbal en hoorde de Jeep al aankomen voor ze de koplampen de oprit zag beschijnen. De fourwheel stopte onder de lamp bij de garage en Duke en Dolores sprongen blij blaffend op de bestuurderskant af. De deur ging open en Nick stapte uit. 'Hoi honden.' Hij aaide ze en klopte ze en keek toen pas op. 'Hoi, wilde bosmeid.'

'Blijf je me zo noemen?'

Hij keek weer naar Duke en Dolores. 'Nee.'

Delaney gooide de sneeuwbal en die viel boven op zijn hoofd uiteen en bedekte zijn donkere haren en zwarte parka met poederachtige sneeuw. Heel langzaam richtte hij zich op en schudde zijn hoofd waardoor de witte vlokken door de donkere lucht vlogen. 'Ik had gedacht dat je wel beter zou weten dan met mij een sneeuwbalgevecht aangaan.'

'Wat ga je dan doen? Me weer een blauw oog gooien?'

'Nee.' Hij liep op haar af naar de rand van het gazon. Het geluid van zijn laarzen klonk dreigend.

Ze boog zich voorover om nog meer sneeuw te pakken en drukte die in haar handen samen. 'Als je ook maar iets probeert, krijg je er spijt van.'

'Nu heb je me bang gemaakt, wilde bosmeid.'

Ze wierp de bal en die ontplofte tegen zijn borst. 'Die had je nog van me te goed.' Ze deed een stap achteruit en zakte tot aan haar knieën in de sneeuw.

'Ik heb nog zoveel te goed van jou.' Hij pakte haar met beide handen beet, zodat de tenen van haar Dr. Martens de grond amper raakten. 'Tegen de tijd dat jij al je schulden hebt afbetaald, kun je een week niet lopen.'

'Nu maak je me bang,' pruilde ze. Hij keek op haar neer en

ze dacht dat hij haar tegen zich aan zou trekken voor een kus. Maar dat deed hij niet. Hij wierp haar naar achteren. Ze slaakte een verbaasde kreet en viel toen een meter verderop op haar rug in de sneeuw. Het was alsof ze op een donzen dekbed belandde. Daar lag ze verbijsterd te staren naar de donkere nachtlucht vol sterren. Duke en Dolores begonnen te blaffen, sprongen boven op haar en likten haar gezicht. Boven het geluid van de hijgende honden uit hoorde ze een diep lachen. Ze duwde de honden weg en ging rechtop zitten. 'Eikel.' Ze schepte de sneeuw uit haar kraag en handschoenen. 'Help me eens overeind.' Ze stak haar hand uit en wachtte tot hij haar bijna omhoog had en toen trok ze hem met al haar gewicht omlaag. Hij landde op haar met een verbaasd geluid. Ook zijn gezicht oogde verbaasd, alsof hij niet kon geloven wat er was gebeurd.

Ze probeerde diep in te ademen, maar dat lukte niet. 'Je bent een beetje zwaar.'

Hij rolde op zijn rug en nam haar met zich mee, wat precies was wat ze wilde. Met haar benen over de zijne heen geslagen, pakte ze zijn kraag in beide vuisten. 'Smeek om genade, of anders.'

Hij keek haar aan alsof ze gek was. 'Bij een meisje? Van zijn levensdagen niet.'

Intussen sprongen de honden over en om hen heen. Ze raapte wat sneeuw op en liet dat in zijn gezicht vallen. 'Kom maar kijken, Duke. Het is Frosty de Baskische Snowman.'

Met zijn blote hand veegde hij de vlokken van zijn gebruinde huid en likte de kristallen van zijn lippen. 'Dat wordt nog lachen als ik jou hiervoor betaald zet.'

Ze boog zich voorover en likte zijn onderlip. 'Laat mij dat maar doen.' Ze voelde wat het bij hem teweegbracht doordat zijn ademhaling haperde en zijn grip om haar schouders zich verstevigde. Ze kuste zijn warme mond en zoog aan zijn tong. Toen ze daarmee klaar was, ging ze op hem zitten, met de wollen jas om hen heen. Door haar spijkerbroek heen voelde ze zijn erectie tegen zich aan drukken, hard en lang en hevig. 'Is dat een ijspegel in je broek, of ben je gewoon blij om mij te zien?'

'Een ijspegel?' Hij schoof zijn handen onder haar jas en omhoog langs haar dijen. 'IJspegels zijn koud. Jij zit op twintig centimeter heet vlees.'

Ze richtte haar blik op de nachtelijke hemel. 'Twintig centimeter?' Hij was wel groot geschapen, maar niet zó groot.

'Dat is een feit.'

Delaney begon te lachen en rolde van hem af. Hij had in elk geval gelijk wat betreft dat hete. Hij wist in elk geval hoe hij haar in vuur en vlam kon zetten.

'Ik heb een koude kont.' Hij wilde opstaan, maar Duke en Dolores sprongen boven op hem. 'Hé,' begon hij en duwde ze weg. Daarna hielp hij Delaney overeind. Ze veegde de sneeuw van zijn jas, hij veegde het uit haar haren. Op de veranda stampten ze hun schoenen schoon en gingen naar binnen. Delaney hing haar jas op en hing hem aan de kapstok naast de voordeur. Terwijl hij om zich heen keek, nam zij de gelegenheid te baat om hem te bestuderen. Hij droeg een flanellen overhemd, uiteraard. Dik rood flanel, gestoken in een versleten Levi's.

'Ben je hier ooit eerder geweest?'

'Eén keer.' Hij richtte zich tot haar. 'Op de dag dat Henry's testament werd voorgelezen.'

'O, ja.' Ze tuurde om zich heen. Ze keek of ze de hal met andere ogen kon zien, alsof ze er nooit eerder had gestaan. Het was een typisch victoriaanse omgeving van witte muren met behang, donkere kozijnen en lambriseringen, dikke Perzische tapijten en een antieke staande klok. Alles zag er duur uit en nogal stijfjes. Ze waren zich er allebei van bewust dat als Henry wel zijn vader had willen zijn, Nick was opgegroeid in dit grote huis. Ze vroeg zich af of hij zichzelf gelukkig prees.

Ze zetten hun natte, besneeuwde schoenen bij de deur en ze stelde voor dat hij de open haard aanmaakte, terwijl zij in de keuken Irish coffee ging maken. Toen ze tien minuten later naar de kamer liep, vond ze hem staand voor de haard, kijkend naar een portret van Henry's moeder dat boven de schouw hing. Er was maar een kleine gelijkenis tussen Alva Morgan Shaw en haar enige kleinzoon. Nick zag er volkomen misplaatst uit in deze voorouderlijke omgeving. Zijn eigen huis paste veel beter bij hem; balken en graniet en zachte lakens.

'Wat vind je ervan?' vroeg ze en zette een glazen dienblad op het buffet.

'Waarvan?'

Ze wees op het portret van Henry's moeder, die lang voor Delaney's komst naar Truly al was verhuisd naar de grote stad. Henry had Gwen en Delaney wel eens meegenomen voor een bezoek aan de oude dame, tot ze overleed, en voor zover Delaney zich kon herinneren was het portret erg flatteus. Alva was een lange magere vrouw geweest, met de krachtige gelaatstrekken van een ooievaar en Delaney wist nog hoe ze rook naar verschaalde tabaksrook en haarlak. 'Je grootmoeder.'

Nick hield zijn hoofd wat schuin. 'Ik denk dat ik blij mag zijn dat ik meer lijk op mijn moeders kant. En dat jij blij mag zijn dat je bent geadopteerd.'

'Gooi het er maar uit,' lachte Delaney. 'Vertel me je diepste gedachten.'

Nick draaide zich naar haar om en vroeg zich af hoe ze zou reageren als hij dat werkelijk zou doen. Hij bestudeerde haar blonde hoofd, de grote bruine kijkers, hoe haar wenkbrauwen zich daarboven verhielden, en haar roze lippen. Hij had over veel dingen nagedacht, de laatste tijd, dingen die nooit zouden gebeuren. Dingen waar je beter niet over na kon denken. Zoals wakker worden naast Delaney voor de rest van zijn leven en tot haar haar grijs werd. 'Ik denk dat die ouwe best tevreden is met zichzelf.'

Ze gaf hem een mok en pakte zelf de andere, die ze naar haar lippen bracht. 'Hoezo?'

Hij nam een slok van de koffie en voelde de whisky zich een weg branden door zijn slokdarm. Een heerlijk gevoel. Het deed hem aan haar denken.

'Henry wilde ons toch niet samen zien?'

Hij vroeg zich af of hij haar de waarheid moest vertellen en besloot van wel. 'Je hebt het mis. Hij wilde ons juist samenbrengen. Daarom zit jij hier nog vast in Truly. Niet om je moeder gezelschap te houden.' De rimpels in haar voorhoofd zeiden hem dat ze hem voor geen meter geloofde. 'Geloof me nou maar.'

'Nou, waarom?'

'Wil je het echt weten? Oké. Een paar maanden voor hij overleed, bood hij mij zijn hele bezit aan. Hij zei dat hij nog wat naliet aan Gwen, maar dat hij mij de rest zou geven als ik hem een kleinkind kon schenken. Hij zou jou dan volledig uit het testament schrappen.' Hij zweeg even en voegde eraan toe: 'Ik zei dat ie naar de hel kon lopen.'

'Waarom zou hij dat doen?'

'Ik denk dat hij dacht dat een bastaard beter was dan helemaal geen kind, en als ik geen nakomelingen krijg dan sterft de Shaw-bloedlijn met mij uit.'

Ze schudde fronsend haar hoofd. 'Oké, maar wat heeft dat met mij te maken?'

'Nou, van alles.' Hij reikte naar haar vrije hand en trok haar naar zich toe. 'Het is gek, maar hij dacht dat ik, vanwege dat voorval in Angel Beach, van jou hou.' Hij wreef over haar hand met zijn duim.

Vorsend bekeek ze zijn gezicht, maar draaide haar hoofd weg. 'Je hebt gelijk, dat is bezopen.'

Hij liet haar hand los. 'Als je me niet wilt geloven, vraag het dan aan Max. Hij weet er alles van. Hij heeft het testament opgesteld.'

'Toch snap ik er nog steeds niets van. Het is zo risicovol en Henry was een enorme controlfreak. Ik bedoel, wat was er gebeurd als ik was getrouwd voordat hij stierf? Hij had nog jaren kunnen leven en intussen had ik wel een non kunnen worden, of zo.'

'Henry heeft zelfmoord gepleegd.'

'Geen sprake van.' Ze schudde haar hoofd weer. 'Hij hield te veel van zichzelf om zoiets te doen. Hij genoot ervan de grote meneer uit te hangen.'

'Hij leed aan prostaatkanker en had nog maar een paar maanden te leven.'

Haar mond viel open en ze knipperde een paar keer met haar ogen. 'Dat heeft niemand mij verteld.' Ze fronste haar wenk-brauwen en wreef in haar hals. 'Weet mijn moeder dit allemaal?'

'Die weet dat hij kanker had en zelfmoord heeft gepleegd.'

'Waarom heeft ze mij dat niet verteld?'

'Dat weet ik niet. Dat moet je haar vragen.'

'Dit klinkt zo bizar en controlfreakerig, dat het iets is wat Henry zou kunnen doen.'

'Voor hem heiligde het doel altijd de middelen en alles had een prijs.' Hij draaide zich weer om naar het vuur en nam een slok. 'Dat testament was zijn manier om van over zijn graf de leiding te houden.'

'Je bedoelt dat hij mij gebruikte om jou in zijn macht te houden.'

'Ja.'

'En daarom haat je hem.'

'Ja. Hij was een klootzak.'

'Dan begrijp ik het niet.' Ze kwam naast hem staan en hij hoorde de verwarring in haar stem. 'Waarom ben je hier nu dan? Waarom ontloop je me niet?'

'Dat heb ik geprobeerd.' Hij zette de mok op de schoorsteen-mantel en staarde in de vlammen. 'Maar zo makkelijk is het niet. Henry had namelijk wel gelijk. Hij wist dat ik jou wilde. Hij wist dat ik jou wilde, ondanks het risico.'

Het bleef enige tijd stil, toen vroeg ze: 'Waarom ben je hier dan – vanavond? We hebben het al gedaan.'

'Het is nog niet genoeg. Nog niet.'

'Waarom neem je het risico opnieuw?'

Waarom zat ze zo door te vragen? Als ze het antwoord wilde weten, wilde hij dat best geven, al betwijfelde hij of ze het leuk zou vinden. 'Omdat ik al fantaseer over jouw naakte en gewillige lichaam sinds je dertien of veertien bent.' Hij haalde diep adem en ademde kalm weer uit. 'Sinds de tijd dat Louie en ik een keer op het strand waren met wat vrienden en jij daar ook was met een paar meisjes. Hen kan ik me niet meer herinneren, alleen jou. Je droeg een glanzend badpak, knalgroen. Het was een badpak, en dus totaal niet sexy, maar er zat een ritsje van voren en daar werd ik gek van. Ik weet nog dat ik jou zag praten met je vriendinnen en dat je naar muziek luisterde, maar ik kon mijn ogen maar niet van die rits afhouden. Dat was voor het eerst dat ik je borsten zag. Ze waren klein en puntig en het enige waar ik aan kon denken was die rits omlaag trekken, zodat ik ze kon zien, net als al die andere veranderingen aan je lichaam. Ik kreeg er zo'n stijve van dat het pijn deed, en ik moest op mijn buik liggen, anders zou iedereen zien dat ik een paal als een Ponderosa-den in mijn broek had.

Die avond, toen ik thuis was, fantaseerde ik dat ik omhoogklom naar je slaapkamerraam. Dat ik je dan zou zien slapen, met je blonde haar helemaal uitgespreid over je kussen. Toen stelde ik me voor dat je wakker werd en me zou zeggen dat je op me wachtte. Dat je je armen zou spreiden om mij in je bed te verwelkomen. Toen stelde ik me voor hoe ik tussen jouw lakens zou kruipen, je nachtpon omhoog zou schuiven en je broekje naar beneden. Dan mocht ik van jou overal aan zitten, aan je kleine borstjes. En ook tussen je benen. Daar heb ik urenlang over gefantaseerd.

Ik was zestien en wist veel meer over seks dan goed voor me was. Jij was jong en naïef en wist van niets. Jij was de prinses van Truly en ik was de illegale zoon van de burgemeester. Ik mocht niet eens je voeten kussen, maar dat weerhield me er niet van om zo naar jou te verlangen dat het pijn deed. Ik kon elk meisje krijgen dat ik wilde, maar dat boeide me niet. Ik wilde over jou fantaseren.' Hij haalde even diep adem. 'Nu vind je me vast een perverseling.'

'Ja.' Ze lachte zacht. 'Een perverseling met een paal als een Ponderosa-den.'

Hij wierp voorzichtig een blik over zijn schouder en zag dat ze geamuseerd was. 'Ben je niet kwaad?'

Ze schudde haar hoofd.

'Vind je mij niet gestoord?' Dat had hij zichzelf afgevraagd.

'Eerlijk gezegd ben ik gevleid. Ik denk dat elke vrouw wel graag zou willen dat er ergens een keer een man is geweest die over haar fantaseerde.'

Ze wist nog niet eens de helft. 'Ja, nou, ik dacht af en toe wel eens aan jou.'

Ze draaide hem om en reikte naar de knoopjes op zijn overhemd. 'Ik heb ook aan jou gedacht.'

Hij staarde naar haar witte handen die afstaken tegen het

rode flanel en langzaam hun weg naar beneden vonden. 'Wanneer dan?'

'Sinds ik terug ben.' Ze trok de slippen van zijn overhemd uit zijn spijkerbroek. 'Vorige week moest ik nog hieraan denken.' Ze boog zich voorover en streek met haar tong over zijn platte tepel. Die werd zo hard als leer en hij doorploegde met beide handen haar haren.

'Wat nog meer?'

'Dit.' Ze knoopte zijn gulp los en stak een hand in zijn boxershort. Toen ze haar zachte hand om zijn stijve penis sloeg en er zacht in kneep, voelde hij het in zijn onderbuik. Ze begon hem te strelen, op en neer, hij genoot van alle sensaties. Haar zachte haren onder zijn vingers, haar natte mond op zijn borstkas en haar hand om zijn pik. Hij rook de zwakke parfum nog op haar huid en toen ze hem zoende, smaakte ze naar whisky en koffie en verlangen. Hij vond het heerlijk haar tong te proeven en haar hand in zijn broek te voelen. Hij genoot ervan dat hij haar aan kon kijken terwijl ze dat bij hem deed.

Hij deed haar truitje uit en maakte haar beha los en dacht aan de ontelbare wensdromen die hij over deze vrouw had gehad. Maar al telde je ze allemaal bij elkaar op, niets was beter dan haar in het echt te zien. Hij nam haar perfecte witte borsten in zijn handen en streelde haar volmaakte roze tepels.

'Ik zei toch dat ik je overal wilde likken,' fluisterde ze en intussen duwde ze zijn broek en onderbroek omlaag. 'Hier heb ik ook aan moeten denken.' Ze knielde voor hem neer en nam hem in haar hete, natte mond, terwijl hij voor haar stond op kousenvoeten en met zijn broek op zijn knieën. Zijn ademhaling haperde en hij moest zijn voeten spreiden om zijn evenwicht te kunnen bewaren. Ze kuste zijn penis en eikel en streelde zacht zijn ballen. Hij huiverde en hield Delaney's haar uit haar gezicht, neerkijkend op haar lange wimpers en zachte wangen.

Meestal vond Nick orale seks het lekkerst. Hij droeg dan niet per se een condoom, maar liet het aan de vrouw over wat ze zelf wilde. Dit keer wilde hij niet klaarkomen in Delaney's mond. Hij wilde haar liever diep in de ogen kijken als hij diep bij haar vanbinnen zat en haar orgasme kon voelen. Hij wilde niet aan voorbehoedsmiddelen hoeven denken en iets van zichzelf achterlaten in haar. Hij had nog nooit eerder zulke gevoelens gehad voor een vrouw. Hij wilde meer. Hij wilde die dingen waar hij nooit eerder aan had durven denken. Hij wilde dat ze langer dan een nacht de zijne was. Voor het eerst in zijn leven wilde hij meer van een vrouw dan zij van hem.

Na een tijdje trok hij haar omhoog en haalde een condoom uit zijn broekzak. Hij legde het in haar hand. 'Regel het maar, wilde bosmeid,' zei hij.

Hoofdstuk 17

Delaney werd wakker van zachte vingers die over haar rug kriebelden. Ze opende haar ogen en keek naar Nicks brede en behaarde borstkas, die zich op een paar centimeter van haar neus bevond. Ze lag op haar buik en ze zag een brede baan zonlicht over zijn gebruinde huid strijken.

'Goedemorgen.'

Ze wist het niet zeker, maar het leek alsof hij een kusje plantte op haar kruin. 'Hoe laat is het?'

'Bijna halfnegen.'

'Shit.' Ze rolde op haar zij en zou op de grond gevallen zijn als hij haar niet had vastgepakt bij haar arm en een been over haar heen had geworpen. Het enige wat hen scheidde was een dun bloemetjeslaken. Ze richtte haar blik op de roze hemel waar ze als meisje altijd onder was ontwaakt. Het ledikant was al krap voor één persoon, maar al helemaal voor een persoon plus een man van Nicks formaat. 'Ik heb een klant om negen uur.' Ze raapte al haar moed bijeen en durfde hem eindelijk eens goed te bekijken, en daarmee werd haar grootste vrees bewaarheid. Ook in de ochtend was hij heerlijk om te zien. Zijn haar hing opzij en hij moest zich eigenlijk scheren. Van achter zijn volle wimpers keek hij haar, gezien het vroege tijdstip, met een intense en alerte blik aan.

'Kun je die niet afzeggen?'

Ze schudde haar hoofd en zocht naar haar kleren. 'Als ik binnen tien minuten vertrek, kan ik nog op tijd zijn.' Ze keek weer even naar hem en zag dat hij haar observeerde. Hij keek haar zo indringend aan dat het leek alsof hij haar helemaal in zich op wilde nemen of juist de foutjes zocht. Ze voelde dat haar wangen rood werden en ze ging rechtop zitten met haar lakens voor haar borst. 'Ik weet dat ik er vreselijk uitzie,' zei ze, maar hij keek niet naar haar alsof ze er halfdood uitzag. Misschien had ze voor één keertje mazzel en zaten er geen donkere kringen onder haar ogen. 'Of niet?'

'Wil je de waarheid horen?'

'Ja.'

'Oké.' Hij reikte naar haar hand en kuste haar handpalm. 'Je ziet er beter uit dan toen je als smurf verkleed was.'

Er verschenen lachrimpels bij zijn ogen en Delaney voelde de tintelingen van haar vingertoppen via haar armen naar haar borsten trekken. Dit was de Nick van wie ze hield. De Nick die haar plaagde terwijl hij haar zoende. De man die haar kon laten lachen, zelfs als ze om hem moest huilen. 'Ik had moeten eisen dat je zou liegen,' zei ze en ze trok haar hand los, anders zou ze haar afspraak van negen uur nog vergeten. Ze zag dat haar kleren op de grond naast haar lagen. Met haar rug naar hem toe raapte ze ze op en kleedde zich zo vlug mogelijk aan.

Achter haar voelde ze het bed inzakken en opveren toen Nick opstond. Hij liep door de kamer naar zijn kledingstukken te zoeken, volkomen op zijn gemak in zijn nakie. Met een sok in haar hand keek ze toe hoe hij zijn benen in zijn spijkerbroek stak en hem omhoogtrok en dichtmaakte. Zelfs in het rauwe ochtendlicht zag Nick Allegrezza eruit als één bonk Amerikaans welvaren. Het leven was niet eerlijk.

'Geef me je sleutels, dan warm ik je auto even op.'

Delaney stak haar voet in een sok. Geen man had haar ooit eerder aangeboden haar auto voor te verwarmen en het simpele aanbod ontroerde haar. 'In mijn jaszak.' Toen hij de slaapkamer had verlaten, waste Delaney haar gezicht, kamde haar haren en poetste haar tanden. Tegen de tijd dat ze het huis achter zich sloot, waren de ramen van Henry's Cadillac al schoon. Het was ook nooit eerder voorgekomen dat een man haar ruiten al had schoongemaakt. Haar nieuwe sneeuwbanden glommen haar tegemoet. Ze had het gevoel dat ze moest huilen. Niemand had ooit een zier gegeven om haar veiligheid of welzijn, behalve misschien haar oude vriendje Eddy Castillo. Hij was een fitnessfreak geweest, die zich ook zorgen maakte om haar dieet. Zo kreeg ze ooit een sapcentrifuge voor haar verjaardag. Maar keukenapparatuur was toch niet hetzelfde als een stel sneeuwbanden.

Ze vroeg niet wanneer ze hem weer zou zien. Hij zei er zelf ook niets over. Ze hadden de nacht doorgebracht alsof ze elkaars minnaars waren, maar geen van hen deed een uitspraak over een volgende afspraak, laat staan hun gevoelens.

Delaney kwam luttele minuten voor haar eerste klant, Gina Fisher, aan bij de kapsalon. Gina had een jaar na Delaney eindexamen gedaan en had drie kinderen onder de vijf. Gina droeg haar lange dikke haar al los sinds de vijfde. Delaney knipte het tot op haar schouders en gaf het lange lagen. Ze maakte er rode highlights in en zo zag de jonge moeder er weer jeugdig uit. Na Gina kapte ze het haar van een meisje dat eruit wilde zien als Claire Danes. Daarna had ze om elf uur een binnenlopertje en rond lunchtijd sloot ze af om eindelijk te douchen. Ze speldde zichzelf op de mouw dat ze niet luisterde of ze Nick hoorde roepen of lopen, of het geluid van zijn Jeep. Maar dat was natuurlijk wel zo.

Toen ze die avond om zes uur niets gehoord had, sprong ze in de Cadillac om kerstinkopen te doen. Ze had nog geen cadeau voor haar moeder en kwam uiteindelijk terecht bij een dure kledingzaak voor toeristen. Daar vond ze niets voor haar moeder maar betaalde ze grof geld voor een flanellen overhemd in precies dezelfde kleur grijs als Nicks ogen. Ze liet het mooi inpakken en nam het pakketje mee naar huis waar ze het op tafel neerlegde. Al die tijd had ze geen belletje gehad, en ze had ook geen voicemailberichten gemist.

De volgende dag hoorde ze nog niets van hem en toen het eerste Kerstdag was, voelde ze zich eenzamer dan ooit. Toen ze hem eindelijk zelf durfde te bellen om hem vrolijk kerstfeest te wensen gaf hij geen gehoor. Ze overwoog langs zijn huis te rijden, om te kijken of hij thuis was. Maar uiteindelijk reed ze naar haar moeders huis om Duke en Dolores te bezoeken. In elk geval waren de twee honden blij haar te zien.

Tegen het middaguur zat ze als een soort zombie voor de televisie, naar een draak van een kerstfilm te kijken. Ze kon zich heel goed identificeren met de held van het verhaal. Die wist ook hoe het voelde als je verlangde naar iets wat je niet kon krijgen. Net op het moment dat de hoofdpersoon zelfmoord overdacht, ging de bel. De honden tilden hun koppen op, maar legden ze direct weer neer, waarmee ze maar weer eens bewezen dat ze weinig waard waren als waakhonden.

Nick stond op de veranda, in zijn leren jack en met zijn zonnebril op. Voor zijn gezicht hing de condens van zijn ademhaling en toen hij haar zag verscheen er een sensuele glimlach om zijn lippen. Hij zag eruit om op te vreten zo lekker. Delaney aarzelde of ze hem binnen zou laten of de deur in zijn gezicht dicht zou slaan, omdat hij haar twee dagen in onzekerheid had gelaten. Maar de glanzende gouden doos in zijn handen gaf de doorslag. Ze liet hem erin.

Hij stak de zonnebril in zijn zak en haalde er een takje mistletoe uit. Dat hield hij boven zijn hoofd. 'Vrolijk kerstfeest,' zei hij en drukte zijn warme mond op de hare. Ze kon de zoen tot in haar voetzolen voelen. Toen hij haar eindelijk weer in de ogen kon kijken, legde ze haar handen tegen zijn gezicht en trok hem omlaag voor een volgende. Ze deed geen poging haar gevoelens te verbergen. Ze wist ook niet hoe ze dat voor elkaar zou moeten krijgen. Ze streelde zijn schouders en borst en toen biechtte ze op: 'Ik heb je gemist.'

'Ik was tot gisteravond laat bezig in Boise.' Hij schuifelde wat met zijn voeten en gaf haar de doos. 'Dit is voor jou. Het duurde even voordat ik hem kon vinden.'

Ze staarde naar de goudkleurige doos in haar handen en streek over het gladde papier. 'Misschien moet ik even wachten. Ik heb een cadeautje voor jou in mijn appartement.'

'Nee, nee,' drong hij aan als een ter dood veroordeelde, die het vonnis het liefst zo snel mogelijk voltrokken zag. 'Maak nou open.'

Ze trok het papier in één ruk van de doos en lichtte het deksel op. Genesteld in een bedje vloeipapier lag een kroontje bedekt met kristallen. Zo eentje die bij missverkiezingen wordt uitgereikt.

'Ik vond dat ik je maar een nieuwe moest geven, aangezien Helen die van jou had afgepikt in highschool.'

Hij was groot en fonkelde en was ontegenzeglijk het mooiste wat ze ooit had gezien. Ze beet op haar lip om hem niet te laten trillen. Ze lichtte de kroon van het vloeipapieren bedje en gaf de doos aan Nick. 'Ik vind hem geweldig.' De kristallen glinsterden in het licht van de luchter in de gang. Ze zette het kroontje op haar hoofd en keek naar eigen beeld in de spiegel naast de kap-stok. De glanzende stenen waren gezet in hartvormen en linten waarbij het middelste hart het grootste was. Ze knipperde haar tranen weg en keek via de spiegel naar hem. 'Dit is het mooiste kerstgeschenk dat ik ooit heb gehad.'

'Ik ben blij dat je het mooi vindt.' Hij legde zijn grote handen op haar buik en schoof ze toen onder haar trui naar omhoog. Door haar kanten behaatje omvatte hij haar borsten en streelde haar daar met zijn vingers. 'Tijdens die lange rit vanuit Boise moest ik er de hele tijd aan denken dat jij dat ding droeg en ver-der niets.'

'Heb je de liefde wel eens bedreven met een koningin?'

Hij schudde grijnzend zijn hoofd. 'Jij bent mijn eerste.'

Ze pakte hem bij de hand en leidde hem naar de serre waar ze naar de televisie had zitten kijken. Hij kleedde haar heel rustig uit op een manier waardoor ze zich mooi en geliefd voelde en bedreef met haar de liefde op de citroengele bank van haar moeder. Ze streek met haar vingers over zijn warme rug en billen en kuste zijn gladde schouder. Zoals ze zich nu voelde wilde ze zich altijd wel voelen. Haar huid gloeide en bloosde overal. Haar hart zwol op toen hij haar gevoelige borsten kuste en toen hij zijn hete erectie diep bij haar naar binnen bracht was ze er meer dan klaar voor. Hij legde zijn handen aan weerszijden van haar gezicht en keek haar diep in de ogen terwijl hij voortdurend bij haar naar binnen stootte.

Ze staarde terug, in zijn grijze ogen, waaruit de passie straalde, en naar zijn mond die nog vochtig was van hun kus en hoorde zijn hijgende ademhaling. 'Ik hou van je, Nick,' fluisterde ze. Hij hield even stil, maar stootte daarna nog dieper en harder en ver-der en bij elke stoot fluisterde ze hetzelfde tot ze in de heerlijkste, zachtste climax tuimelde die ze ooit had beleefd. Ze hoorde zijn diepe, bijna primitieve kreun en een mengeling van vloekwoorden. Toen liet hij zich met zijn volle gewicht boven op haar vallen.

Ze voelde zich wat onrustig en ongemakkelijk, maar wachtte tot zijn ademhaling kalmer werd. Ze had gezegd dat ze van hem hield. En hoewel hij haar het gevoel had gegeven dat hij ook van haar hield, had hij niets teruggezegd. Ze moest weten hoe hij nu over haar dacht en tegelijkertijd vreesde ze zijn antwoord. 'Nick?'

'Hm?'

'We moeten even praten.'

Hij tilde zijn hoofd op en keek naar haar. 'Geef me een paar tellen.' Hij liep de kamer uit om het condoom weg te gooien, dat hij niet meer was vergeten sinds die eerste bezeten vrijpartij in de kast in het Lakeshore Hotel. Delaney zocht intussen haar broekje en vond het onder een rotan tafeltje. Ze deed het aan, maar bij elk moment dat verstreek groeide haar gevoel van ongemak. Wat als hij niet van haar hield? Hoe zou ze daarmee omgaan en wat zou ze doen als het zo was? Hij keerde terug op het moment dat ze haar beha achter een kussen op de bank vond. Hij pakte de beha van haar over en wierp hem terzijde. Hij perste haar stevig tegen zijn bovenlichaam, steviger dan eerder. In zijn warme omhelzing, bedwelmd door de geur van zijn huid, zei ze tegen zichzelf dat hij van haar hield. Zelfs al had ze weinig geduld, ze zou wachten tot hij de woorden had uitgesproken die ze zo graag wilde horen. Maar in plaats daarvan hoorde ze gekraak van hout en piepende scharnieren, alsof de voordeur openzwaaide, en ze stond stokstijf stil. 'Hoorde jij ook iets?' fluisterde ze.

Hij legde een vinger tegen zijn lippen en luisterde ook. De deur sloeg dicht, waardoor ze direct in actie kwam.

'Shit!' Ze sprong uit Nicks armen en reikte naar het eerste het beste kledingstuk, zijn flanellen overhemd. Er klonken voetstappen in de gang, net op het moment dat ze haar armen in de mouwen stak. Nicks spijkerbroek lag achter de bank en hij kon net achter Delaney stappen toen Gwen de kamer binnenliep. Een vreemd gevoel van déjà vu bekroop Delaney. Haar moeder werd omgeven door een straal licht van de zon die achter haar opkwam, zodat ze wel een kerstengel leek.

Gwen keek van Delaney naar Nick en weer terug, de schrik sprak uit haar blauwe ogen. 'Wat is hier aan de hand?'

Delaney knoopte het hemd dicht. 'Mam... ik...' Terwijl ze bezig was met haar vingers deed de hele situatie haar onwerkelijk aan. 'Hoezo ben je thuisgekomen?'

'Ik woon hier!'

Nick legde een hand op haar buik en trok haar tegen zich aan, zodat zijn geslacht niet in beeld kwam bij Delaney's moeder. 'Dat weet ik, maar je zou op die love boat zitten.'

Gwen wees naar Nick. 'Wat doet hij in mijn huis?'

Ze hield langzaam op met dichtknopen. 'Nou, hij was zo aardig om Kerstmis met mij te vieren.'

'Hij is naakt!'

'Ja, nou...' Ze spreidde de panden van het hemd wat om hem beter te beschermen. 'Hij... eh...' Ze sloot haar mond en haalde haar schouders op. Er hielp geen lievemoederen meer aan, ze was betrapt. Alleen was ze dit keer geen naïef achttienjarig meisje meer. Over een paar maanden werd ze dertig en ze hield van Nick Allegrezza. Ze was een volwassen, onafhankelijke vrouw, maar ze had liever niet gehad dat haar moeder hen naakt had betrapt in haar serre. 'Nick en ik zien elkaar wel vaker.'

'Ik zou zeggen dat jullie meer deden dan elkaar zien. Hoe kon je dit doen, Delaney? Hoe kon je je inlaten met zo'n man? Hij is een vrouwenversierder en haat deze familie.' Nu wendde ze zich tot Nick. 'Jij hebt weer met je handen aan mijn dochter gezeten, maar dit keer ben je de pineut. Je hebt je niet gehouden aan de voorwaarden van Henry's testament. Ik zal ervoor zorgen dat je alles kwijtraakt.'

'Ik heb nooit een zier gegeven om dat testament.' Hij streelde Delaney's buik dwars door de zachte stof.

Delaney kende haar moeder goed genoeg om te weten dat ze zich aan haar dreigement zou houden. Ze wist ook hoe ze haar kon tegenhouden. 'Als je iemand hier ooit over vertelt, dan praat ik nooit meer met je. Zodra ik weg ben in juni, zie je mij nooit meer. Als je dacht dat je me weinig gezien hebt in de afgelopen tien jaar, dan staat je nog wat te wachten. Als ik dit keer vertrek, zal ik niet eens laten weten waar ik verblijf. Als ik wegga, neem ik drie miljoen mee en kom ik je nooit meer opzoeken.'

Gwen klemde haar lippen op elkaar en vouwde haar armen. 'Daar hebben we het straks wel over.'

Nicks hand zakte naar beneden. 'Als je mijn blote kont niet wilt zien, dan kun je maar beter weggaan terwijl ik me aankleed.'

Zijn stem klonk messcherp. Zo had ze hem maar één keer eerder gehoord. Dat was de laatste keer dat ze met zijn drieën waren, in het kantoor van Henry, op de dag dat het testament werd voorgelezen. Delaney nam het hem niet kwalijk. Het was een uiterst ongemakkelijke situatie en haar moeder bracht in betere omstandigheden al het slechtste in mensen naar boven.

Zodra Gwen haar hielen had gelicht, draaide Delaney zich om. 'Het spijt me, Nick. Het spijt me dat ze die dingen tegen je zei. Ik beloof je dat ik haar niets laat doen wat Henry's nalatenschap aan jou in gevaar kan brengen.'

'Laat maar.' Hij had zijn broek gevonden en trok hem aan. Ze kleedden zich in stilte aan en toen ze hem naar de voordeur begeleidde, vertrok hij snel en gaf haar geen afscheidskus. Ze maakte zichzelf wijs dat het niet uitmaakte en ging haar moeder zoeken. Gwen zou het niet leuk vinden wat ze ging zeggen, maar Delaney was al lang geleden opgehouden zich aan haar moeders regels te houden. Ze vond haar in de keuken, waar ze stond te wachten.

'Waarom ben je naar huis gekomen, mam?'

'Ik heb ontdekt dat Max niet de man voor mij is. Hij is te kritisch,' zei ze afgemeten. 'Maar dat doet er nu niet toe. Wat deed díe man in mijn huis?'

'Dat zei ik al, hij bracht de kerstdagen met mij door.'

'Ik dacht al dat het zijn Jeep was die voor de garage stond, maar ik wist zeker dat ik me vergist had. In geen miljoen jaar had ik verwacht hém... jou... in mijn huis. Nick Allegrezza, van alle mannen in de wereld. Hij is–'

'Ik hou van hem,' onderbrak Delaney haar.

Gwen pakte de rug van de keukenstoel. 'Het is niet grappig. Je neemt gewoon wraak op me. Je bent boos op mij omdat ik je in de steek liet met kerst.'

Soms ontging haar moeders logica haar volledig. 'Mijn gevoelens voor Nick hebben niets met jou te maken. Ik ben graag bij hem en ik zal ook graag bij hem blijven.'

'Ik begrijp het al.' De blik op haar moeders gezicht werd bozer. 'Zeg je daarmee dat het je niet kan schelen wat ik daarover denk?'

'Natuurlijk wel. Ik wil niet dat jij de man van wie ik houd blijft haten. Ik weet dat je er nu niet gelukkig van wordt, maar misschien kun je wel accepteren dat ik iets met Nick heb en dat ik gelukkig ben met hem.'

'Dat is onmogelijk. Jij kunt niet gelukkig zijn met een man als Nick. Doe dit jezelf en je familie niet aan.'

Delaney schudde haar hoofd en haar kroontje schoof opzij. Ze haalde het van haar hoofd en streelde de koele kristallen. Het had geen zin. Haar moeder zou nooit veranderen. 'Henry is dood. Ik ben je enige familielid.' Ze keek weer naar Gwen. 'Ik wil Nick. Ik wil niet hoeven kiezen.'

Nick stond voor zijn open haard en staarde naar de knipperende lichtjes die Sophie hem had helpen ophangen. Hij bracht het flesje bier naar zijn lippen en wierp zijn hoofd in zijn nek.

Hij had beter moeten weten. De afgelopen dagen had hij in een droomwereld geleefd. Hij had haar vast kunnen houden terwijl ze sliep, in dat smalle roze bed, en had er zelf een huis, een hond en een paar kinderen bij verzonnen. Hij had haar in zijn leven gepland, voor de rest van zijn leven, en daar verlangde hij verschrikkelijk naar.

Zodra ik weg ben in juni, zie je mij nooit meer. Als je dacht dat je me weinig gezien hebt in de afgelopen tien jaar, dan staat je nog wat te wachten. Als ik dit keer vertrek, zal ik niet eens laten weten waar ik verblijf. Als ik wegga, neem ik drie miljoen mee en kom ik je nooit meer opzoeken.

Hij was een stommeling. Hij had geweten dat ze weg zou gaan, maar had zichzelf wijsgemaakt dat ze voor hem wel wilde blijven. Ze had gezegd dat ze van hem hield. Maar dat hadden wel meer vrouwen gedaan op dat moment, als hij hen naar een hoogtepunt bracht. Het betekende niet altijd iets en hij was niet het type dat ging zitten wachten op tekens of berichten om te zien of het wel waar was.

De deurbel ging en hij verwachtte dat het Delaney zou zijn. Maar hij trof Gail op zijn stoep aan.

'Vrolijk kerstfeest,' zei ze en stak hem een knalrode doos toe. Hij liet haar binnen omdat hij wel wat afleiding kon gebruiken.

'Ik heb niets voor jou.' Hij hing haar jas op en liep met haar naar de keuken.

'Dat geeft niets. Het zijn maar koekjes, niets bijzonders. Josh en ik hadden over.' Nick zette de doos op het aanrecht en bekeek haar eens goed. Ze droeg een strakke rode jurk en rode pumps. Hij durfde te wedden dat ze verder alleen nog kousenbanden droeg. Ze wilde iets meer bezorgen dan alleen kerstkoekjes, maar hij had totaal geen belangstelling.

'Waar is je zoon eigenlijk?'

'Die is vanavond bij zijn vader. En blijft daar slapen. Ik dacht dat jij en ik wel gezellig in jouw *hot tub* konden gaan zitten.'

Voor de tweede keer binnen vijf minuten ging de bel, en dit keer was het Delaney. Ze stond op zijn stoep met een pakje in rood glanspapier in haar handen en een glimlach op haar gezicht. Die glimlach verdween toen Gail achter hem kwam staan en haar arm over zijn schouder legde. Die had hij weg kunnen trekken. Maar hij deed het niet.

'Kom binnen,' zei hij. 'Gail in ik wilden net in de hot tub springen.'

'Ik—' Haar stomverbaasde blik ging van hem naar Gail. 'Ik heb mijn badpak niet bij me.'

'Gail ook niet.' Hij wist waar ze nu aan dacht en het kon hem weinig deren. 'Dat heb je ook niet nodig.'

'Wat is er aan de hand, Nick?'

Hij sloeg een arm om Gails middel en trok haar tegen zich aan. Hij nam een slok uit zijn flesje en keek naar de vrouw van wie hij zoveel hield dat het zeer deed in zijn borst. 'Je bent een grote meid, bedenk het zelf maar.'

'Waarom gedraag je je zo? Ben je boos om wat er daarnet gebeurde? Ik zei toch dat ik ervoor zorg dat mijn moeder niets zal zeggen.'

'Dat kan me geen reet schelen.' Zelfs als hij wilde ophouden haar te kwetsen, lukte hem dat niet. Hij voelde zich machteloos, als een kind, terwijl hij naar haar keek en zo naar haar verlangde dat hij er gek van werd. 'Waarom kom je niet mee de hot tub in?'

Ze schudde haar hoofd. 'Drie is te veel, Nick.'

'Nee, drie betekent juist meer lol.' Hij wist dat hij de pijn in haar ogen nooit zou vergeten en dus keek hij naar Gail. 'Wat vind jij ervan? Zin in een triootje?'

'Eh–'

Hij keek weer naar Delaney, met vragende blik. 'Nou?'

Ze trok met een hand haar wollen jas hoog dicht, deinsde achteruit. Haar mond ging open, maar er kwam geen geluid uit. Hij zag hoe ze zich omdraaide en, met het rode pakje in haar hand, over de stoep naar haar auto rende. Het was beter haar te laten gaan dan haar te smeken hier te blijven. Beter er nu een eind aan te maken. Nick Allegrezza bedelde niet om iemands liefde. Dat had hij nooit gedaan, en dat zou hij ook nooit doen.

Hij bleef staan kijken, en dwong zichzelf te blijven kijken hoe ze wegreed uit zijn leven. Zo dwong hij zichzelf ook te voelen hoe hij vanbinnen verscheurd werd. Daarna overhandigde hij Gail haar jas. 'Ik ben vandaag geen prettig gezelschap,' zei hij en voor deze ene keer was ze zo verstandig hem niet van gedachten te laten veranderen.

In zijn eentje liep hij de keuken in en opende nog een flesje bier. Tegen middernacht was hij overgestapt op Jim Beam whisky. Nick had meestal geen gemene dronk over zich, maar hij had een rotbui. Hij dronk om haar te vergeten, maar hoe meer hij dronk, des te meer dacht hij aan haar. Hij herinnerde zich de geur van haar huid, haar zachte haar en de smaak van haar mond. Hij viel in slaap op zijn bank met het geluid van haar lachen in zijn oren en haar naam op zijn lippen. Toen hij om acht uur wakker werd, bonsde zijn hoofd en wist hij dat hij goed moest ontbijten. Hij pakte een paar pijnstillers en voegde wat jus toe aan zijn wodka. Hij was bezig aan zijn derde drankje en zevende pijnstiller toen zijn broer zijn huis binnenstapte.

Nick lag gestrekt op de leren bank te zappen, met de afstandsbediening van de grote televisie in zijn hand. Hij keek niet op of om.

'Je ziet er verrot uit.'

Nick zapte door en dronk zijn glas leeg. 'Ik voel me ook verrot, dus waarom ga je niet weg.'

Louie liep naar de televisie en schakelde hem uit. 'We hadden je gisteravond wel aan het kerstdiner verwacht.'

Nick zette het lege glas en de afstandsbediening op een tafeltje. Eindelijk keek hij op naar Louie, die aan de andere kant van de kamer stond, met een halo om zijn hoofd, als op het portret van Madonna met kind dat bij zijn moeder in de eetkamer hing. 'Niet gelukt.'

'Da's duidelijk. Wat is er aan de hand?'

'Gaat je niks aan.' Zijn hoofd deed pijn en hij wilde alleen gelaten worden. Misschien kon hij een paar maanden dronken blijven, dan zou die alcohol dat verbeten stemmetje in zijn hoofd wel tot zwijgen brengen, dat vanaf middernacht was gaan zeuren dat hij een idioot was en de grootste fout in zijn leven maakte.

'Lisa sprak vanochtend met Delaney. Ik geloof dat ze nogal overstuur was over iets. Weet jij daar meer over?'

'Jazeker.'

'Nou, wat heb je dan uitgehaald?'

Nick stond op, maar de kamer draaide rondjes om hem heen. 'Bemoei je er niet mee.' Hij wilde langs Louie lopen, maar zijn broer pakte hem vast bij zijn overhemd. Hij keek omlaag en zag Louie's vingers in het ruitjeshemd. Hij geloofde zijn ogen niet. Ze hadden niet meer gevochten sinds ze vijftien jaar geleden de achterdeur hadden gemold.

'Wat is er in godsnaam aan de hand met jou?' vroeg Louie. 'Al je hele leven wil je maar één ding. Eén ding. Delaney Shaw. Zodra het erop lijkt dat je eindelijk krijgt wat je wilt, doe je iets om het in de war te schoppen. Je doet haar opzettelijk pijn, zodat ze je gaat haten. Net als vroeger. En weet je wat? Nu haat ze je.'

'Wat kan jou dat schelen?' Nick keek in de donkerbruine ogen van zijn broer. 'Jij mag haar niet eens.'

'Ik mag haar best, maar het gaat niet om mijn gevoelens voor haar. Jij bent verliefd op haar.'

'Dat doet er niet toe. Ze vertrekt toch in juni.'

'Zei ze dat?'

'Ja.'

'En heb je haar gevraagd om te blijven? Heb je geprobeerd een oplossing te bedenken met haar?'

'Dat maakt toch niets uit.'

'Dat weet je helemaal niet en in plaats van dat uit te zoeken, laat je de enige vrouw van wie je al je hele leven houdt ontsnappen. Wat is er toch met jou aan de hand? Ben je ineens een bange schijterd?'

'Rot op, Louie.' Hij zag Louie's vuist pas toen deze zich tegen zijn gezicht geplant had. Achter zijn oogbollen zag Nick een explosie van licht en hij ging hard neer. Met een knal viel hij op zijn achterhoofd op de houten vloer. Het werd hem even donker voor de ogen en hij dacht dat hij bewusteloos raakte. Helaas kwam zijn balkenplafond weer in beeld en met de terugkeer van zijn zicht was ook de spijker in zijn kop terug. Nu begon ook zijn jukbeen te kloppen en leek het gebeuk in zijn hoofd verdrievoudigd. Hij kreunde en raakte voorzichtig zijn oog aan. 'Wat een klootzak ben je toch, Louie. Als ik opsta sla ik je helemaal in elkaar.'

Zijn broer kwam over hem heen staan. 'Jij krijgt die ouwe Baxter niet eens tegen de grond, en die zeult al tien jaar een fles zuurstof met zich mee.'

'Je hebt mijn kop bezeerd.'

'Nee, jouw kop is te hard. Ik heb er eerder je vloer mee beschadigd.' Louie pakte zijn autosleutels uit zijn broekzak. 'Ik weet niet wat je hebt gedaan om ervoor te zorgen dat Delaney je haat, maar als je weer nuchter bent zul je beseffen dat je een grote fout hebt gemaakt. Ik hoop dat het dan niet te laat is.' Hij fronste zijn wenkbrauwen en wees naar zijn broer. 'Ga je douchen, Nick. Je stinkt als een drankwinkel.'

Toen Louie vertrokken was, stond Nick op van de vloer en stommelde de trap op. Daar sliep hij tot de volgende ochtend, toen hij ontwaakte met het gevoel alsof hij door een monstertruck was overreden. Hij nam een douche maar dat hielp weinig. Zijn achterhoofd deed zeer en hij had een blauw oog. Maar dat was niet het ergste. Dat was de wetenschap dat Louie gelijk had. Hij had

Delaney uit zijn leven gemanoeuvreerd. En hij dacht dat hij haar ook uit zijn hoofd had kunnen zetten. Hij had gedacht dat hij zich beter zou voelen. Maar hij had zich nog nooit zo depressief gevoeld.

Ben je ineens een bange schijterd? In plaats van te vechten voor Delaney was hij teruggevallen in zijn oude gewoontes. In plaats van een kans te wagen, had hij haar gekwetst voordat ze hem kon kwetsen. In plaats van een risico te nemen had hij uitgehaald. In plaats van haar met beide handen bij zich te houden had hij haar van zich afgeduwd.

Ze had gezegd dat ze van hem hield en nu leek het erop dat hij alles verpest had. Hij verdiende haar liefde misschien niet, maar hij wilde haar wel. En als ze niet langer van hem hield?, vroeg een stemmetje in zijn hoofd. Hij had haar al eens eerder horen zeggen dat ze van hem hield. Dat kon nog wel een keer lukken.

Hij kleedde zich aan en vertrok om het grootste risico te lopen dat hij ooit had genomen. Hij reed naar Delaney's appartement, maar ze was niet thuis. Het was zaterdag en haar kapsalon was ook al dicht. Geen goed teken.

Hij reed naar haar moeders huis, maar Gwen wilde hem niet spreken. Hij wierp een blik in de garage om te kijken of Delaney zich daar verstopte. Daar stond Henry's Cadillac. Het kleine gele sportautootje was weg.

Hij zocht haar overal, maar hoe harder hij zocht, des te wanhopiger hij werd. Hij vond haar niet, hij wilde haar juist gelukkig maken. Hij wilde met haar een huis bouwen op het stuk grond van Angel Beach, of waar ze maar wilde. In Phoenix, of Seattle, of Chattanooga in Tennessee, het maakte hem niet uit, als hij maar bij haar woonde. Hij wilde alles. Het enige wat hij nu moest doen was haar vinden.

Hij sprak met Lisa, maar ook zij had niets gehoord van Delaney. Toen ze maandagochtend niet kwam opdagen om haar kapsalon te openen, bezocht Nick ook Max Harrison.

'Heb jij wat gehoord van Delaney?' vroeg hij direct toen hij het kantoor binnenliep.

Max bekeek hem rustig en nam zijn tijd. 'Ze belde me gisteren.'

'Waar is ze?'

Weer duurde het even. 'Ik denk dat je het toch wel te weten was gekomen. Ze is de stad uit.'

Die woorden raakten hem alsof hij geslagen werd door een eind hout. 'Shit.' Nick liet zich in een stoel vallen en wreef over zijn baardstoppels. 'Waar is ze naartoe?'

'Dat heeft ze me niet verteld.'

'Wat bedoel je, dat heeft ze je niet verteld?' Hij legde zijn handen op zijn knieën. 'Je zei dat ze had gebeld.'

'Dat heeft ze ook gedaan. Ze belde om te zeggen dat ze de stad uit was en daarmee niet langer voldeed aan de voorwaarden van het testament. Ze heeft niet gezegd waarom of waar ze naartoe ging. Dat heb ik wel gevraagd, maar ze wilde het niet vertellen. Ik denk dat ze dacht dat ik het aan haar moeder zou vertellen voordat ze wilde dat Gwen het zou weten.' Max hield zijn hoofd wat schuin. 'Dit betekent dat je ook het deel van Delaney erft. Gefeliciteerd, in juni krijg je alles.'

Nick schudde zijn hoofd en lachte zonder het te menen. Zonder Delaney was er niets. Had hij niets. Hij keek Henry's advocaat aan en zei: 'Delaney en ik hadden seksuele betrekkingen voordat ze vertrok. Zeg dat maar tegen Frank Stuart, dan kunnen jullie besluiten wat jullie gaan doen met die grond van Silver Creek en Angel Beach.'

Max keek alsof hij dat afschuwelijk vond en de hele chaos zat was. Nick wist hoe hij zich voelde.

Twee weken na zijn eerste bezoekje aan Max had hij nog niets gehoord. Hij had zowel Gwen als Max voortdurend achter de broek gezeten en ook de oude werkgever van Delaney in Scottsdale gebeld. Die hadden niets meer van haar gehoord sinds juni. Nick werd gek. Hij kon niet meer bedenken waar hij haar zou kunnen vinden. Hij had nooit verwacht dat hij het binnen zijn eigen familie had moeten zoeken.

'Ik heb gehoord dat Delaney Shaw in Boise werkt,' merkte Louie op terwijl hij een hap soep nam.

Alles in Nick kwam abrupt tot stilstand. Hij keek naar zijn broer. Ze zaten met Sophie en hun moeder aan de eetkamertafel te lunchen. 'Waar heb je dat gehoord?'

'Van Lisa. Ze vertelde me dat Delaney in de kapperszaak van haar nicht Ali werkt.'

Nick liet langzaam zijn lepel zakken. 'Hoe lang weet je dat al?'

'Een paar dagen.'

'En je vertelt het nu pas?'

Louie haalde zijn schouders op. 'Dacht dat je het niet wilde weten.'

Nick stond op. Hij wist niet of hij zijn broer moest omhelzen of hem een klap verkopen.

'Misschien vond ik wel dat je eerst eens even alles op een rijtje moest hebben, voordat je haar weer zag.'

'Waarom zou Nick die meid weer willen zien?' vroeg Benita. 'Het beste wat die ooit gedaan heeft is de stad verlaten. Het enige juiste wat ze ooit heeft gedaan.'

'Het enige juiste wat had moeten gebeuren was dat Henry zijn verantwoordelijkheid destijds had genomen. Maar hij kreeg pas belangstelling voor mij toen het te laat was.'

'Als die meid en haar moeder er niet waren geweest, had hij jaren geleden al voor jou gezorgd.'

'Ja, als er apen uit zijn kont kwamen vliegen,' zei Sophie droogjes terwijl ze naar het zout reikte. 'Maar dat zie ik niet gebeuren.'

Louie trok verbijsterd zijn wenkbrauwen omhoog, maar Nick begon te lachen.

'Sophie,' vroeg Benita geschrokken. 'Waar leer je die vreselijke woorden?'

Dat kon overal gebeurd zijn, om te beginnen bij haar vader of oom en eindigend bij de televisie. Haar antwoord verraste Nick. 'Van Delaney.'

'Zie je wel!' Benita stond op en wendde zich tot Nick. 'Die meid deugt niet. Blijf uit haar buurt.'

'Dat wordt lastig want ik ben van plan naar Boise te rijden om haar te zoeken. Ik hou van haar en ik ga haar smeken met me te trouwen.'

Benita zweeg geschrokken en bracht haar hand naar haar hals, alsof haar keel werd dichtgeknepen.

'Jij roept altijd dat je wilt dat ik gelukkig ben. Delaney maakt me gelukkig en ik kan niet langer zonder haar leven. Ik zal er alles aan doen om haar weer in mijn leven te krijgen.' Hij zweeg en keek in haar geschrokken gezicht. 'Als jij daar niet blij om kunt zijn, dan mag je wegblijven tot je net kunt doen alsof.'

Delaney vond het vreselijk het te moeten toegeven, en zeker hardop, maar ze miste het watergolven. Eerlijk gezegd miste ze vooral Wannetta. Maar het ging zelfs verder dan een oude roddeltante missen. Ze miste haar leven in Truly. Ze miste het wonen op een plek waar mensen haar kenden en waar zij bijna iedereen kende.

Ze pakte een clip van haar leren overgooier en legde hem terug op haar werktafeltje. Aan weerszijden van haar waren andere stilisten bezig met knippen en kammen in de dure salon in het centrum van Boise. Ali's Salon was gevestigd in een oud pakhuis en was ontzettend trendy. Het was precies het type kapsalon waar ze graag werkte, maar toch voelde het nu anders. Het was haar eigen zaak niet.

Ze reikte naar een bezem en veegde de haren van haar vorige klant weg. De afgelopen tien jaar had ze op plaatsen geleefd waar ze geen geschiedenis had, geen vriendinnen kende die samen met haar die vreselijke highschooltijd hadden doorgemaakt. Altijd was ze op zoek geweest naar dat onzichtbare iets, datgene wat het de perfecte plek zou maken om wortel te schieten. Haar leven had inmiddels die onverwachte wending genomen en het was toch het toppunt van ironie dat ze de perfecte plek om neer te strijken had gevonden, die ze destijds zo graag had verlaten. Ze voelde zich net Dorothy uit *De tovenaar van Oz*, alleen kon zij niet terug naar huis. Nu niet in elk geval.

Boise was een leuke stad die veel te bieden had. Maar er was geen Santa Claus die eigenlijk travestiet was of een optocht met elke feestdag. Het had toch niet hetzelfde als een stadje op het platteland.

Hier was geen Nick.

Ze was klaar met aanvegen en pakte een handveger met blik. Dat Nick hier niet was had haar juist een beter gevoel moeten geven, maar dat deed het niet. Ze hield van hem en ze wist dat ze dat altijd zou blijven doen. Ze wilde dat ze gewoon verder kon leven en Nick Allegrezza kon vergeten, maar ze kon zichzelf niet eens dwingen een staat verderop te reizen. Ze hield van hem, maar ze kon niet bij hem in de buurt wonen. Voor nog geen drie miljoen dollar. De beslissing om te vertrekken was niet zo moeilijk geweest. Er was geen sprake van dat ze nog eens vijf maanden toe wilde kijken hoe Nick met andere vrouwen omging. Voor geen goud.

De winkelbel rinkelde en Delaney wierp de haren in een vuilnisbak. Ze hoorde hoe haar vrouwelijke collega's allemaal stilvielen en daarna hoorde ze zware werklaarzen.

'Kan ik u helpen?'

'Dank je,' zei een stem die ze heel goed kende. 'Ik heb al gevonden waar ik voor kwam.'

Ze draaide zich om en daar stond Nick, op nog geen meter van haar vandaan. 'Wat wil je?'

'Met jou praten.'

Hij had zijn haar afgeknipt. Er krulde een korte lok over zijn voorhoofd. Hij benam haar de adem. 'Ik heb het druk.'

'Vijf minuutjes.'

'Heb ik nog een keuze dan?' vroeg ze, verwachtend dat hij nee zou zeggen, waarop ze hem dan kon zeggen dat hij kon opsodemieteren.

Hij verplaatste zijn gewicht van de ene voet op de andere, stak zijn handen in zijn zakken en zei: 'Ja.'

Dat antwoord bracht haar van slag en ze keerde zich naar Ali, die naast haar werkte. 'Ik neem even vijf minuutjes,' zei ze en liep naar achteren. Nick liep pal achter haar aan, de gang op, waar ze tegen de muur ging staan. 'Je hebt vijf minuten.' Ze sloeg haar armen over elkaar.

'Waarom ben je zo snel vertrokken?'

Ze staarde naar haar nieuwe hoge laarzen. Ze had ze gekocht om zich beter te voelen, maar het had niets geholpen. 'Ik moest daar weg.'

'Hoezo? Je wilde dat geld toch zo graag?'

'Kennelijk wilde ik liever weg dan het geld.'

'Ik heb Max verteld over ons. Angel Beach en Silver Creek zijn nu van jou.'

Ze sloeg haar armen nog steviger om zich heen, moest zichzelf goed vasthouden. Ze kon niet geloven dat ze het over een stuk grond hadden dat haar niets kon schelen. 'Waarom heb je het hem verteld?'

'Het leek me niet correct dat ik alles erfde.'

'En dat kom je mij nu vertellen?'

'Nee, ik kwam vertellen dat ik weet dat ik je heb gekwetst en dat het me spijt.'

Ze sloot haar ogen. 'Het doet me niets,' zei ze, want ze wílde dat het haar niets deed. 'Ik vertelde je dat ik van je hield en toen belde je Gail om naar jou toe te komen zodat je met haar kon vrijen.'

'Ik heb haar niet gebeld. Ze kwam gewoon langs en we zijn niet naar bed gegaan.'

'Ik zag toch wat er gebeurde.'

'Er gebeurde helemaal niets. Er zou ook helemaal niets gebeuren. Je zag wat ik wilde dat je zou zien, je dacht wat ik wilde dat je zou denken.'

Ze keek hem indringend aan. 'Waarom?'

Hij haalde diep adem. 'Omdat ik van je hou.'

'Dat is niet grappig.'

'Weet ik. Ik heb nooit van een ander gehouden dan van jou.'

Ze geloofde hem niet. Ze kon hem niet geloven en wéér haar hart verliezen. Het deed te veel pijn toen hij het eerder brak. 'Nee, je houdt er gewoon van om mij in de war te brengen en gek te maken. Je houdt niet echt van me. Je weet niet eens wat liefde is.'

'Ja, ik denk het wel.' Hij fronste zijn wenkbrauwen en kwam een stap dichterbij. 'Ik hou al mijn hele leven van je, Delaney. Ik kan me niet eens een dag herinneren dat ik niet van je hield. Ik hield ook van je op die dag dat je je ik bijna knock-out gooide met die sneeuwbal. Ik hield al van je toen ik je fietsbanden leeg liet lopen, zodat ik je thuis kon brengen. Ik hield van je toen ik zag dat je je verstopte achter de zonnebrillen in de winkel en ik hield zelfs van je toen jij verliefd was op die loser van een Tommy Markham. Ik ben nooit vergeten hoe je haar ruikt of hoe je huid aanvoelt, sinds die avond dat je op de motorkap van mijn auto lag op Angel Beach. Dus zeg me niet dat ik niet van je hou. Zeg me niet–' Zijn stem beefde en hij wees naar haar. 'Zeg dat gewoon niet.'

Ze zag hem door een waas van tranen en ze kneep in haar armen. Ze wilde hem niet geloven, maar tegelijkertijd wilde ze hem liever geloven dan zo verder leven. Ze wilde zich in zijn armen werpen en hem tegelijkertijd een klap verkopen. 'Dit is zo typisch voor jou. Net als ik ervan overtuigd ben dat je een grote klootzak bent, doe je weer net alsof je dat niet bent.' Er drupte een traan van haar onderste wimpers en ze veegde hem weg. 'Maar je bent echt een klootzak, Nick. Je hebt mijn hart gebroken en nu denk je dat je hier zomaar naartoe kunt komen om mij te vertellen dat je van me houdt en dat ik da-dan al-alles vergeet?' Ze kon maar net de zin afmaken, toen ze haar zelfbeheersing verloor en in tranen uitbarstte.

Nick sloeg zijn armen om haar heen en hield haar stevig vast. Ze wist het nog niet, maar hij was niet van plan haar te laten gaan. Nu niet en nooit niet. 'Ik weet het. Ik weet dat ik een klootzak was, en ik heb er geen enkele reden voor. Maar bij jou zijn en de liefde met jou bedrijven, wetende dat jij weer weg zou gaan, maakte me gek. Toen we die tweede keer bij elkaar waren, begon ik te denken dat je misschien bij mij wilde blijven. Dacht ik dat jij en ik voor de rest van ons leven elke ochtend naast elkaar wakker zouden worden. Ik dacht aan kinderen en die zwangerschapsklasjes die je dan moet volgen. En zelfs aan het kopen van een gezinsauto. Maar toen kwam Gwen thuis en zei je dat je vertrok en ik dacht dat ik weer aan het fantaseren was, dus zorgde ik ervoor dat je sneller zou weggaan. Ik dacht alleen niet dat je nu al helemaal weg zou gaan.' Ze snufte in de vouwen van zijn leren jack, maar zei niets terug. Ze had niet gezegd dat ze van hem hield en hij ging langzaamaan dood vanbinnen. 'Wil je alsjeblieft iets terugzeggen?'

'Een gezinsauto? Zie ik eruit als iemand voor een gezinsauto?'

Het was niet precies waarop hij had gehoopt, maar het was ook geen slecht teken. Ze had hem nog niet gezegd dat hij kon ophoepelen. 'Ik koop alles voor je, als je me maar zegt dat je van me houdt.'

Ze keek naar hem op. Haar ogen waren vochtig en haar mascara was uitgelopen. 'Je hoeft me niet om te kopen. Ik hou zoveel van je dat ik nergens anders aan kan denken.'

De opluchting was van zijn gezicht af te lezen en hij sloot zijn ogen. 'Goddank, ik was al bang dat je me voor altijd zou haten.'

'Nee, dat is altijd mijn probleem geweest. Ik heb jou nooit heel lang kunnen haten, terwijl ik dat waarschijnlijk zou moeten,' zuchtte ze en streelde met haar vingers zijn korte haar. 'Waarom heb je je haar geknipt?'

'Jij zei altijd dat ik dat moest doen.' Hij veegde haar tranen weg met zijn duimen. 'Ik dacht dat het zou helpen om jou voor me te winnen.'

'Het staat je goed.'

'Jij staat me goed.' Hij kuste haar zacht. Eerst op haar lippen. Daarna nam hij bezit van haar mond met zijn tong met de bedoeling haar te verdoven zodat ze niet zou tegenstribbelen terwijl hij haar linkerhand pakte en er een ring met een knots van een diamant om schoof.

Ze trok zich terug en keek naar haar hand. 'Dat kon je toch eerst vragen.'

'En het risico lopen dat je nee zou zeggen? Dacht het niet.'

Delaney keek hoofdschuddend weer naar hem op. 'Ik zeg geen nee.'

Hij haalde diep adem. 'Wil je met me trouwen?'

'Ja.' Ze sloeg haar armen om zijn nek en kuste hem in de hals. 'En breng me nu naar huis.'

'Ik weet niet waar je woont.'

'Nee, ik bedoel Truly. Naar huis.'

'Weet je het zeker?' vroeg hij, wetend dat hij haar niet verdiende, net zomin als het gelukzalige gevoel dat hem nu overspoelde. 'We kunnen overal gaan wonen waar je maar wilt. Ik kan ook de zaak naar Boise verhuizen als je dat wilt.'

'Ik wil naar huis. Met jou.'

Hij keek haar diep in haar ogen. 'Wat kan ik jou in godsnaam geven vergeleken met wat je mij zojuist hebt gegeven?'

'Je moet gewoon van me houden.'

'Dat is te makkelijk.'

Ze schudde haar hoofd. 'Nee, dat is het niet. Je hebt gezien hoe ik er 's ochtends uitzie.' Ze drukte haar hand tegen haar borst en bestudeerde de ring. 'Wat kan ik jou geven? Ik heb elke ochtend een vent in bed die er wél goed uitziet én een geweldige ring. Wat krijg jij dan?'

'Het enige wat ik ooit wilde.' Hij trok haar dicht tegen zich aan en glimlachte. 'Ik krijg jou, wilde bosmeid.'

Lees ook van Karakter Uitgevers B.V.

RACHEL GIBSON

Verkeerd verbonden

Als Daisy Lee Monroe terugkeert naar haar geboorteplaats in Texas, ziet ze dat er weinig is veranderd: haar familie is nog steeds knettergek en haar ex-vriend Jackson is nog steeds zo sexy dat het pijn doet. Daisy heeft Jackson iets te vertellen, maar hij probeert haar op alle mogelijke manieren te ontlopen. Toch geeft Daisy niet zo snel op, en zoenen lijkt Jackson de enige manier om haar de mond te snoeren. Maar zijn ze zo niet al eerder in problemen geraakt...? Is hij sterk genoeg om haar te weerstaan of is hij sterk genoeg Daisy weer in zijn leven toe te laten?

ISBN 978 90 452 0407 9
Ook verkrijgbaar als e-book:
ISBN 978 90 452 0417 8

RACHEL GIBSON

Hals over kop

Alleenstaande moeder Natalie Cooper denkt dat ze de jackpot heeft gewonnen als ex-Navy SEAL Blake Junger zijn intrek neemt in de leegstaande villa in haar straat. Maar Blake worstelt nog met de nachtmerries van zijn militaire verleden en is pas net ontslagen uit de ontwenningskliniek voor zijn alcoholverslaving. Een nieuwe relatie is verreweg het laatste punt op zijn to-dolijstje...

Wanneer Blake zich realiseert dat hij verliefd is op Natalie, neemt hij een gevaarlijke privéklus aan, waarvoor hij minimaal een half jaar naar het buitenland moet. Natalie is woedend en niet bereid om Blake te vergeven als hij terugkeert. Haar terugwinnen zal niet makkelijk zijn, maar Blake houdt wel van een uitdaging....

ISBN 978 90 452 0448 2
Ook verkrijgbaar als e-book:
ISBN 978 90 452 0458 1

Lees ook van Karakter Uitgevers B.V.

ABBI GLINES

Verboden vrucht – Bijna verliefd

'Abbi Glines, you rock!' – Goodreads.com

Ze is nog maar negentien. Ze is de dochter van zijn stiefvader. Ze is jong en onervaren. Maar voor de 24-jarige Rush Finlay is ze altijd verboden terrein is geweest. Een schatrijke vader, de onvoorwaardelijke liefde van zijn moeder en zijn charmes zijn drie redenen waarom hem nooit iets geweigerd wordt.

Blaire Wynn heeft de kleine boerderij in Alabama, die ze met haar moeder deelde, verlaten en trekt in bij haar vader en zijn nieuwe vrouw in hun enorme villa. Gewend als ze was aan haar leven op het platteland, kan ze niet wennen aan de luxe en extravagantie waar ze in haar nieuwe thuis door omringd wordt.

En dat niet alleen, haar vader vertrekt voor de zomer naar Parijs met zijn vrouw, waardoor ze alleen achterblijft met Rush, haar nieuwe stiefbroer, die irritant is, arrogant en... ongelooflijk sexy. Rush is nog knapper dan hij verwend is. En hij irriteert haar. Blaire weet dat hij eigenlijk niet goed voor haar is, maar ze kan de aantrekkingskracht om een of andere reden niet weerstaan, helemaal niet als ze denkt dat dat gevoel wederzijds is...

ISBN 978 90 452 0605 9
Ook verkrijgbaar als e-book: ISBN 978 90 452 0615 8

Lees ook uit deze serie:
Verboden vrucht – *Nooit verliefd*
ISBN 978 90 452 0478 9

Verboden vrucht – *Voor altijd verliefd*
ISBN 978 90 452 0488 8

Verboden vrucht – *Opnieuw verliefd*
ISBN 978 90 452 0530 4